ANGIE

" *Je n'avais pas le droit d'exister
J'étais apparu par hasard
j'existais comme une pierre
une plante, un microbe
Ma vie poussait au petit bonheur
et dans tous les sens.* »

Jean-Paul SARTRE
<u>La nausée</u>

Chapitre 1

Ma décision

> " *Les hommes vous estiment en raison de votre utilité, sans tenir compte de votre valeur.*"
>
> Honoré de BALZAC
> <u>Le Lys dans la vallée</u>

Je m'appelle Angie, je suis née en plein été, plus tôt que prévu, ma mère étant très fatiguée et ne pouvant mener sa grossesse à son terme.
Je suis plutôt petite, au visage allongé d'où émergent deux yeux gris-bleu très expressifs qui d'ailleurs traduisent souvent mes états d'âme avant même que je n'aie pu prononcer une parole. J'ai toujours

trouvé mes lèvres trop grandes, disproportionnées par rapport à la forme de mon visage. Mes cheveux châtains sont fins et raides et je les porte souvent attachés en queue de cheval. J'ai quelques kilos en trop mais je m'en suis toujours accommodée, ayant horreur de ces femmes qui passent leur temps à faire des régimes pour rester sveltes, souvent au détriment de leur propre santé. Bien sûr je fais attention à ma ligne mais je sais aussi me faire plaisir quand j'en ai envie. Mes préférences en matière de vêtements ont toujours été pour les jeans, chemises ou tee-shirts et chaussures confortables sans trop de talon. Tenue décontractée. Tout ce qu'il y a de plus banal.

Mon frère, Romain, cinq ans de plus que moi, est très différent. Grand, maigre, visage anguleux aux yeux noirs, petit nez et lèvres très minces. Cheveux châtains, sans coupe, toujours mal coiffé, mal rasé, vêtu en permanence d'un jean et d'un tee-shirt qu'il change au gré de ses humeurs.
Il passe son temps dans sa chambre à écouter de la musique. Peu enclin aux études, il s'est retrouvé très jeune en échec scolaire. Du genre solitaire, je ne lui ai jamais connu d'amis. On a toujours l'impression qu'il vit sur une autre planète.

Mes parents n'ont pas su le comprendre et l'écouter. Cela fait maintenant dix ans que nous ne l'avons pas revu. Il vit, paraît-il, dans un genre de communauté au Mexique où il aurait trouvé l'écoute et le réconfort dont il avait besoin et que nous n'avons pas su lui amener.

Ma sœur, Alizée, deux ans de moins que moi, a toujours été la préférée de mes parents. Grande, mince, belle brune aux yeux verts (tout le contraire de moi), nez aquilin, bouche charnue toujours soulignée d'un rouge à lèvres de couleur vive. Ses cheveux, très noirs et très longs lui donnent une apparence mystérieuse et sauvage à la fois. Très élégante, elle a l'art de se trouver des tenues qui mettent en valeur ses formes et lui donnent l'allure d'une dame du beau monde. Elle a mené mes parents par le bout du nez. Ils l'ont hébergée pendant quelques années, suite à son divorce d'avec Steve qui s'est plutôt mal terminé. Ils ont toujours fait ses quatre volontés. « La pauvre, on ne peut pas la laisser comme ça. Elle souffre, elle est malheureuse ! » Mon œil. Elle a toujours su y faire pour les ranger de son côté. Égoïste, gâtée . Elle se sert de sa beauté pour manipuler son entourage. Elle a le don de passer pour une éternelle victime qu'il faut protéger à tout prix.

Je suis donc la seconde, entre un frère barjot et une sœur égoïste, manipulatrice.

Nous vivions dans un grand et bel appartement en plein centre de Paris, situé non loin du Bois de Vincennes. Ma mère, Jeanne, n'a jamais travaillé. Issue d'une famille aisée, elle n'a jamais été en manque d'argent. Belle femme, mince, un visage très fin avec de grands yeux verts, un nez rectiligne au-dessus d'une bouche bien dessinée, des cheveux mi-longs, noirs, très épais souvent ramassés en chignon, lui donnant ainsi une apparence fragile et stricte à la fois. Elle a toujours mis un point d'honneur à faire de son foyer un endroit plutôt agréable où le mobilier, choisi avec beaucoup de goût, prenait une très grande place. Toujours bien habillée, je ne l'ai jamais vue autrement que maquillée et apprêtée dès le matin.

Petite, je l'admirais beaucoup, je voulais lui ressembler. J'étais très fière d'elle et quand elle venait nous chercher à l'école je disais à qui voulait l'entendre que c'était « ma maman, ma jolie maman ». J'inventais mille choses pour attirer son attention mais elle semblait si peu s'intéresser à moi.

Mon père, Gaston, d'un milieu beaucoup plus modeste a réussi, grâce à beaucoup de travail et de volonté, à monter sa propre entreprise dans le textile. Homme discret, de taille moyenne, brun aux yeux gris, un nez plutôt large, une bouche s'ouvrant en un large sourire faisant apparaître des dents bien alignées. Ses cheveux châtains, coupés très courts lui donnaient une apparence de jeune homme dont le charme était indéniable. Partout où il allait, il suscitait le respect et l'admiration. Il passait beaucoup de temps à son travail et il lui arrivait d'être absent plusieurs jours.
Mais quand il revenait il avait toujours un petit cadeau pour chacun d'entre nous. Il était très fier de sa femme, la parant de toutes les qualités. Jamais un mot plus haut que l'autre, toujours d'accord avec elle.

La vie à la maison était réglée comme du papier à musique. Je n'ai pas le souvenir de démonstration d'émotion ni de la part de mon père, ni de la part de ma mère. Cela ne se faisait pas et nous avons appris très tôt à nous débrouiller par nous-mêmes.

Contrairement à ma sœur, j'ai toujours été le vilain petit canard, celle qui n'a pas son mot à dire mais dont on apprécie tout de même l'intelligence, la bonne humeur et surtout celle que l'on va voir pour régler les problèmes des autres. Celle à qui l'on demande constamment un peu de compassion, de présence, d'écoute... Bref ! Je n'ai jamais existé pour ce que je suis mais pour le soutien ou l'aide que je peux apporter à l'autre. Qui s'est, une fois, une seule fois, préoccupé de ma santé, de mes problèmes, de mes difficultés, mes peurs, mes peines ? Trop souvent j'ai entendu dire autour de moi :

- Va voir Angie, elle saura t'aider, t'écouter, te rassurer...

J'ai pourtant essayé plus d'une fois de parler de moi, des épreuves que je pouvais traverser mais, peine perdue, on me répondait inlassablement :

- Toi, tu as des problèmes ? Tu n'es pas bien ? Mais non, pas toi, ça ne te ressemble pas. Arrête de ne penser qu'à ton nombril. J'ai besoin de quelqu'un qui me soutienne, me comprenne, pas de quelqu'un qui pleure sur sa propre existence.

Enfermée dans un carcan. Est-ce moi qui me suis mise volontairement dans cet engrenage ou m'y a-t-on poussée ?

Alors, de guerre lasse, puisque je ne peux trouver un quelconque réconfort auprès de mon entourage, je me suis demandé comment je pourrais enfin m'exprimer, devenir moi tout simplement.

Un beau matin, à l'aube de mes 35 ans j'avais pris ma décision ! Peut-être qu'ailleurs, dans un endroit où personne ne me connaît, je pourrais devenir quelqu'un d'autre, quelqu'un de vrai, d'authentique que l'on apprécie pour ce qu'elle est ?

Bien sûr je ne pouvais pas m'en aller comme ça du jour au lendemain. Il fallait tout d'abord que je pose ma démission dans l'entreprise où je travaillais, ce qui n'était pas sans conséquences bien évidemment. Je travaille depuis une dizaine d'années dans une agence de voyage. J'aide les gens à trouver une destination qui leur convient, l'endroit où ils aimeraient se rendre et le budget qui va avec. Puisque je suis là pour les soutenir dans leur démarche, puisque je les aide à trouver une destination qui correspond à leur désir, je peux l'utiliser aussi pour moi. Joindre le rêve à la réalité. Décider de tout quitter pour recommencer ailleurs.

Patricia, la directrice de l'agence, est une collègue que j'apprécie beaucoup. J'aime son franc-parler, son éternelle bonne humeur, ce sentiment de respect qui se dégage d'elle.

Comme je m'y attendais elle fut très surprise de ma décision, essayant de me trouver toutes les raisons pour que je laisse tomber cette idée : « trop saugrenue ».

- Mais à quoi penses-tu ? Qu'espères-tu trouver ailleurs ? N'es-tu pas bien ici ? Que vas-tu faire une fois partie ? Il te faudra bien trouver un endroit pour te loger, du travail… Je te pensais plus raisonnable que ça.

- C'est vrai que je ne sais pas ce que je vais trouver ailleurs. C'est vrai que je suis trop raisonnable. Mais qui peut m'empêcher de m'en aller ? Je vais avoir 35 ans, j'ai toujours essayé d'être parfaite, trop parfaite. Pour les autres. Et moi, qui suis-je dans tout ça ? N'ai-je pas le droit moi aussi de m'offrir du rêve ?

- Tu es tombée sur la tête. Tu n'as pas réfléchi. Tu veux abandonner tout le monde. Comme ça ! As-tu pensé à ta famille, tes amis ? Tu n'as pas le droit de les laisser simplement parce que toi tu en as envie. C'est de l'égoïsme.

- Justement, parlons-en de ma famille, de mes amis. J'en ai soupé de tout ça. Fini de n'exister pour eux que parce que je suis là quand ils en ont besoin. Et moi là-dedans ? Qui je suis ? Qu'est-ce que je fais de ma vie ? Me dévouer, répondre toujours présente pour les autres, c'est fini. Je veux vivre ma vie et qu'on m'apprécie moi Angie, tout simplement. Tu me dis que je suis égoïste ? Peut-être ! En tout cas, oui, j'ai envie de le devenir et tant pis si je me trompe. J'aurai essayé. Et ça, jamais personne ne pourra le faire à ma place.

- Franchement je ne te comprends pas Sur qui je vais bien pouvoir compter maintenant ? J'ai confiance en toi. Tu es une personne sûre. Toujours dans la retenue. Les clients ne me disent que du bien de toi. Tu sais les écouter et les prendre en considération et ça, ça n'a pas de prix.

- Nous y voilà ! Angie, cette personne si dévouée, si gentille. Celle qui est toujours là quand on en a besoin. Celle qui comprend tout et arrive toujours à trouver des solutions. Avec le sourire en prime. Eh bien, tu vois, cette Angie-là, elle a envie que les choses changent. Elle rêve de pouvoir dire NON, vous m'emmerdez avec vos histoires. Revenez une fois que vous, vous saurez ce que vous voulez.

- Angie, que t'arrive-t-il ? Veux-tu prendre des vacances ? Veux-tu partir quelque temps te reposer ? Si ça doit te faire du bien je te laisse tout le temps nécessaire mais, s'il te plaît ne démissionne pas. J'ai trop besoin de toi.

- Tiens, maintenant tu me proposes de me reposer ? Tu te rends compte que j'existe et que j'ai peut-être besoin de lâcher prise un moment ? Il faut que je te mette au pied du mur pour que tu prennes en compte ma petite personne ? Sans rien me demander de plus.

- Sans rien te demander de plus. Je ne comprends pas ce qui t'anime de la sorte mais je suis prête à te donner du temps si tu penses que ça peut t'être bénéfique.

- C'est gentil de te soucier de moi à ce point-là mais c'est trop tard. Ma décision est prise et je n'en changerai pas.

- Angie. Réfléchis ! Je t'en prie. Je…

- Non Patricia. J'ai envoyé ma démission hier soir. Tu la recevras sûrement demain. S'il te plaît, n'insiste pas, j'ai besoin de m'en aller, j'étouffe ici. Je n'y arrive plus.

- Bon et bien, puisque ta décision est prise. En tout cas ne compte pas sur moi pour te reprendre si tu décides de revenir plus tôt que prévu. Tu me mets dans l'embarras car la saison touristique va bientôt commencer et il va falloir que je trouve rapidement quelqu'un d'autre. Tu ne veux pas remettre ton départ au mois de septembre ?

- Non Patricia. J'ai beaucoup réfléchi aux conséquences que mon acte va engendrer pour moi et les personnes de mon entourage. Je sais que ça ne va pas être facile pour toi. Je suis désolée mais je pars le mois prochain.

Discussion plutôt difficile. Première victoire. J'ai tenu bon. Je peux être fière de moi.
« Tu tiens le bon bout ma vieille » !

Je ne vous explique pas les relations tendues tout le mois qui a suivi. Finie cette bonne entente entre nous.

Finie cette complicité qui nous avait liées. Elle était devenue « la chef » et moi « l'employée ». Plus d'une fois j'ai failli renoncer à mon projet ou le remettre à plus tard comme elle me l'avait demandé d'autant plus qu'elle me faisait participer à ses difficultés pour trouver ma remplaçante. Mais je n'ai pas flanché. Je restais animée par ce désir de tout changer. J'éprouvais même une certaine jouissance à contempler les expressions ahuries, l'étonnement de toutes les personnes à qui j'ai pu faire part de mon intention de les quitter. Ils allaient apprendre à me connaître. Finie la petite Angie qui ne fait jamais de vagues. Envolée.

Comme vous pouvez vous en douter, l'annonce de mon départ fut aussi compliquée à expliquer à ma famille, mes amis et bien sûr, mon ami, Thomas.
Mes parents, quant à eux, m'ont traitée d'égoïste, de sans cœur. Enfin, surtout ma mère.
- Après tout ce qu'on a fait pour toi tu nous abandonnes comme ça, lâchement. On te savait ingrate mais pas à ce point-là. Comment peux-tu t'en aller au moment où ta sœur passe une période aussi délicate dans sa vie ? Tu vas faire comme ton frère. Partir, nous laisser. D'ailleurs on ne sait pas très bien où il vit ni ce qu'il devient. Il nous manque beaucoup à ton père et moi. Heureusement que notre petite Alizée est là, elle. Elle nous rend bien tout l'amour qu'on vous a donné et tous les sacrifices que nous avons faits pour vous.

Ces quelques mots suffirent à déclencher la colère que je nourrissais en moi depuis trop longtemps. Trop, c'était trop. Je ne pouvais en entendre davantage. Les larmes me montèrent aux yeux. Larmes de dépit, de rage, devant autant d'injustice de la part de ma mère. Je ne pouvais, je ne voulais plus me taire. Il fallait que je lui dise enfin le fond de ma pensée et tant pis si je lui faisais du mal. Pour moi, ce mal était fait depuis de longues années. C'est avec une voix frémissante de rage que je lui jetai au visage tout mon ressentiment :

- J'en ai assez maman, assez de tout ça, assez de t'entendre parler ainsi ! Tu n'as jamais vu que par Alizée et pour elle. Romain et moi on n'a jamais existé à tes yeux. Quand je t'entends me parler de tout l'amour que vous nous avez donné, je me demande bien à qui tu as pu le donner ? A nous trois ou à Alizée ? Les sacrifices que vous avez faits ? Pour qui ? Pour nous trois ou pour Alizée ?

- Comment peux-tu nous parler comme ça ? De quel droit. Quelle fille es-tu donc pour oser nous reprocher quoi que ce soit ?

- Je sais. Vous auriez aimé continuer à avoir cette fille docile que vous avez toujours connue. Cette fille qui ne se mettait jamais en colère, qui vous a toujours laissé chouchouter, aduler Alizée qui n'avait qu'à lever le petit doigt pour vous voir accourir afin de protéger « cette pauvre enfant qui n'a pas mérité qu'on soit si dur avec elle ». Et Romain, parlons-en de Romain. Il vous a toujours reproché que vous ne le compreniez pas, que vous ne l'écoutiez pas assez.

- Ça suffit ma fille ! Je ne te permets pas de juger quoi que ce soit sur notre manière de vous avoir éduqués. Toi qui n'as jamais voulu avoir d'enfants, qui n'as jamais voulu te marier. Ta sœur, elle, n'a pas eu le temps de procréer, son imbécile de mari était bien trop occupé à travailler et partir dans tous les coins de la France. Quant à ton frère, Romain, aller se réfugier dans cette communauté au Mexique. Celui-là aussi nous a bien déçus.

- Petite rectification maman que tu sembles trop souvent oublier. C'est Alizée qui n'a jamais voulu d'enfant, et non moi. Tu comprends, un enfant, ça déforme le corps et puis ça braille toute la journée.

- Tais-toi Angie ! Ta jalousie te fait dire n'importe quoi.

- Jalouse, moi ? Et de qui donc ?

- De ta sœur.

- De ma sœur ? Pour rien au monde je ne voudrais avoir la vie qu'elle a.

- Ah, tu vois bien qu'elle mène une vie plutôt difficile et qu'elle a besoin de soutien.

- Bien sûr maman, tu as raison et d'ailleurs je m'en vais pour que tu puisses t'occuper d'elle à loisir. Avec Romain et Angie partis tu pourras te consacrer à ta petite Alizée si malheureuse et qui a besoin de tant de soutien.

Ma mère, à bout d'arguments et se souvenant que mon père assistait lui aussi à cette scène se retourna et lui lança avec mépris :

- Gaston ! Tu ne dis rien, comme d'habitude. Ta fille est en train de nous critiquer et toi tu ne trouves rien à dire ?

Papa semblait beaucoup s'amuser. Il nous regardait maman et moi avec une attention toute particulière et un regard qui en disait long sur les pensées qui l'assaillaient pendant que nous nous disputions. Une petite lumière brillait au fond de ses yeux. C'est avec beaucoup de calme qu'il répondit à l'attaque de maman.

- Je trouve que vous vous en sortez très bien toutes les deux. Qu'ajouter de plus. Je comprends le désir d'Angie de s'en aller, je l'entends et je le respecte tout simplement.

A peine a-t-il fini sa phrase que ma colère tombe aussi vite qu'elle est apparue. Ma mère, interloquée ouvre de grands yeux et me regarde, aussi surprise que moi. On dirait deux marionnettes à qui on a enlevé les ficelles et qui ne communiquent plus que par le regard. Dans un même élan nous nous écrions en même temps :

– Papa !
– Gaston !

C'est bien la première fois que mon père ose émettre son avis. Maman reprend vite ses esprits et, se tournant vers son mari, lui crie presque au visage :

- Gaston ! Comment peux-tu dire une chose pareille et soutenir ta fille de la sorte ?

Toujours aussi calmement, sans sourciller, il se tourne vers elle et, la fixant bien dans les yeux, sourire aux lèvres, lui répond d'une voix posée, en articulant bien ses mots :

- Jeanne, écoute-moi bien. Tu as entendu comme moi tout ce que vient d'exprimer notre fille. Je ne pense pas que tu comprennes vraiment ce qu'elle essaye de te dire et j'en éprouve d'ailleurs beaucoup de peine autant pour toi que pour moi. Quant à toi, Angie, j'approuve pleinement ton choix. Tu as énormément de courage. Je te comprends d'autant plus que moi aussi j'en ai eu envie étant jeune mais malheureusement je n'ai pas su aller jusqu'au bout de mes actes, de mes désirs par peur d'affronter l'incompréhension de ceux qui m'entouraient. Va au bout de ta quête ma fille, si telle est ta décision.

Maman, incrédule, dépitée, la bouche grande ouverte le mitraillait du regard. C'était la première fois que son Gaston se permettait d'émettre un avis contraire alors qu'il avait toujours été là pour soutenir ses idées. Il avait le toupet, devant sa fille qui plus est, de remettre en question tout ce qu'elle disait. C'était à n'y plus rien comprendre.

En rage, le regard méprisant, elle leva la tête et, ne sachant que dire, tourna les talons et partit en maugréant dans sa cuisine.

- Papa, tu ne peux pas savoir le bien que ça me fait de t'entendre me parler comme ça. Depuis que j'ai pris cette décision je n'ai trouvé que des personnes qui m'ont plutôt incitée à abandonner cette idée au lieu de me soutenir. Pourquoi tu me dis tout ça maintenant ? Pourquoi ?

- Ma fille chérie, tu apprendras que dans la vie il n'est pas toujours aussi simple de laisser parler son cœur. Va-t'en, fais connaissance avec toi-même et quand tu auras enfin trouvé ce que tu cherches au plus profond de toi, reviens me voir. Je t'expliquerai beaucoup de choses que tu seras capable d'entendre et de comprendre. Sache que dans ta quête et dans tout ce que tu vas faire, je serai toujours auprès de toi .'oublie jamais, où que tu sois, que ton vieux père veille sur toi et attend patiemment ton retour. Je t'aime Angie, même si je ne te l'ai jamais dit ou fait comprendre. Vis ta vie avec tout ce que cela comporte. Je t'attendrai. Je te le promets ! Mais ne sois pas trop longue, je suis bien vieux maintenant et je ne sais pas ce que me réserve le temps qu'il me reste à passer sur cette terre.

Mon père me regardait maintenant avec une infinie tristesse, les larmes aux yeux. Je vis alors, dans son regard tout l'amour qu'il me portait. Sa voix se mit à trembler et il se tut, incapable d'en dire davantage, trop ému.

J'étais bouleversée. Emplie d'un élan de tendresse je me précipitai dans ses bras, éclatant en sanglots. Je ne retenais plus mes larmes. Larmes de joie, larmes de regret.

- Oh papa ! Je t'aime tant moi aussi. Je te promets qu'à mon retour tu seras la première personne que je viendrai voir.

Ce que j'ai appris durant ce bref instant fut que nous ne connaissons pas assez les êtres qui nous sont le plus proches. Comme cela fait du bien de se savoir aimé, tout simplement.

En quittant la demeure de mes parents je me jurais que j'y reviendrais, moi Angie, afin de pouvoir achever ce long chemin que j'allais parcourir et me réfugier ainsi au sein de cet amour inconditionnel, gratuit, qui m'avait tellement manqué et qui m'ouvrait aujourd'hui les portes de tous les possibles.

Je venais de découvrir un père et il m'avait donné l'élan nécessaire pour accomplir ce périple, qui, je n'en doutais pas, serait long et périlleux.

Cet instant restera profondément gravé dans mon cœur et me soutiendra tout au long de mon existence.

C'est avec le cœur léger que je quittais celui qui m'accompagnera tout au long de mon voyage. Sans le savoir il m'avait donné ce qui m'avait toujours manqué : La Confiance en Moi !

Il ne me restait plus, maintenant, qu'à faire part de mes intentions à mes amis ainsi qu'à Thomas, ce qui fut d'ailleurs le plus ardu.

Mes amis se comptent sur les doigts de la main. Amis fidèles, évidemment, avec qui j'ai partagé beaucoup de joies et de peines. J'ai été surprise de leurs réactions, toutes aussi différentes les unes que les autres. Certains m'ont écoutée, encouragée même à aller de l'avant, vivre pleinement ce que j'avais à vivre. D'autres m'ont assaillie de questions :
Pourquoi je faisais ça, que m'arrivait-il, qu'avais-je à prouver ?
Ils m'ont même accusée, eux aussi, d'agir en égoïste. Je n'avais pas le droit de les laisser tomber, je n'avais sûrement pas toute ma tête, je ne les aimais pas assez pour les abandonner comme ça, sans culpabiliser. Par mon comportement je remettais en cause beaucoup de choses et je n'avais pas le droit de leur faire « ça ». Pas moi !
Je fus déçue de voir à quel point les gens qui vous côtoient, auxquels vous croyez le plus puissent vous accuser, vous malmener simplement parce que vous bouleversez leur quotidien et les obligez ainsi à se remettre en question. De toutes les personnes en qui j'avais confiance, il ne me restait plus grand monde mais cela avait au moins le mérite de m'avoir permis de faire le « ménage » dans mes relations et appris que l'amitié n'est pas aussi gratuite qu'elle n'y paraît. Thomas a été, durant toute mon enfance le frère que j'aurais voulu avoir. Mon ami, mon confident. Nous nous comprenions à demi-mot. Nous avons grandi ensemble.

Il habitait à deux pas de chez moi. Quand je l'apercevais dans la rue, je le trouvais déjà, très beau du haut de ses 5 ans. Des yeux très expressifs aussi noirs que ses cheveux.

Dès notre plus jeune âge nous avons fréquenté la même école. Il était toujours entouré de camarades. Je le trouvais très drôle. Moi, timide, j'avais mon cercle de petites copines, aucune place pour les garçons .

Un jour, à la récré, alors que j'avais oublié mon goûter, il s'était approché de moi.

- Pourquoi tu ne manges pas ton goûter ? Tu ne l'aimes pas ?
- Je l'ai oublié à la maison.
- Tu veux que je partage le mien avec toi ?
- Non, ce n'est pas la peine. Tant pis pour moi.
- Regarde ! J'ai du chocolat et des petits pains au lait. Tu sais, je peux t'en donner. Je mangerai pas tout.

Il étala devant moi tous ses petits trésors. Jamais je n'avais eu un goûter pareil.

Ma mère, me trouvant un peu trop enrobée à son goût, ne me donnait pour mon 4 heures, qu'un fruit, me disant que c'était bien plus équilibré et meilleur pour ma santé que du chocolat ou toute autre friandise. On en mangeait quelquefois le dimanche mais cela restait assez exceptionnel.

- Allez, viens avec moi on va partager. Ma mère m'en donne toujours trop. Elle doit avoir peur que je meure de faim. Ajouta-t-il en rigolant.

Ce fut notre première vraie rencontre et le début de notre amitié. Nous avons beaucoup parlé et ri ce jour-là.

Comme il habitait près de chez moi nous avions pris l'habitude de faire le chemin ensemble pour nous rendre à l'école. Le dimanche nous allions au parc accompagnés de nos parents. La vie s'écoulait ainsi, paisiblement.

 J'avais trouvé un ami avec qui je me sentais bien. Nous partagions tout. Mes copines me boudaient un peu. Elles ne comprenaient pas ce que je pouvais trouver à ce garçon. Je pense qu'elles étaient jalouses.

 L'entrée en seconde fut catastrophique. Pour la première fois de notre vie nous nous sommes retrouvés séparés. Il se dirigeait vers une carrière d'avocat et moi dans le commerce. Il m'annonça un jour qu'ils allaient déménager pour habiter à la campagne. Nous nous sommes juré de continuer à nous voir mais petit à petit nous nous sommes perdus de vue.

 Ce n'est qu'à la fin de nos études, alors que je venais de passer mon bac, qu'un beau jour, mes amies et moi installées à la terrasse d'un café, je le vis s'asseoir à quelques tables de nous. Pas de doute, c'était bien lui. Je ne pouvais me tromper. Spontanément je me levai et me dirigeai vers lui.

 - Thomas ?

 - Angie ? Mon dieu, c'est toi ? Depuis le temps ! Que fais-tu là ?

 - Je prends un pot avec mes amies. Je te dérange ?

 - Pas du tout. Ça me fait tellement plaisir de te voir. Que deviens-tu ? Mais assieds-toi cinq minutes. Tes amies ne t'en voudront pas ?

 - Non, il n'y a pas de problème. Elles comprendront et puis, de toute façon, on allait partir.

 Il était grand. Beau. Ses yeux noirs toujours aussi expressifs me regardaient avec douceur. Son jean et sa chemise blanche faisaient ressortir son bronzage. Quelle joie de le revoir. Il n'avait pas changé.

Nous sommes restés deux longues heures à discuter de tout et de rien. J'avais l'impression de l'avoir quitté la veille. Les souvenirs liés à notre enfance affluaient. C'est tout juste si j'ai vu les filles s'en aller.

Elles me faisaient signe de la main qu'elles me téléphoneraient plus tard. Les pauvres. Je les avais complètement oubliées. Je leur expliquerai.

Depuis ce jour nous avons repris nos habitudes, comme si nous ne nous étions jamais quittés. Il me présenta ses amis, je lui présentai les miens. Notre amitié avait repris là où nous l'avions laissée. J'avais retrouvé un certain équilibre. Je me sentais à nouveau comprise, aimée pour ce que j'étais.

Ce samedi 21 juin, je m'en souviendrai toute ma vie. Ce fut la soirée la plus merveilleuse que j'ai pu passer.

Nous étions allés à la fête de la musique avec toute une bande d'amis. Il y avait des orchestres partout, le temps était agréable. Nous nous arrêtions de temps en temps pour danser au rythme des guitares. Nous avions retrouvé notre âme d'enfant. Rires, danses, discussions… C'était sublime.

Vers 2h du matin, après un rock and roll endiablé, Thomas m'attira dans un coin. Il voulait me parler me dit-il. Seul à seul !

- Angie, il faut que je te dise quelque chose. Tu es la personne la plus importante dans ma vie. Je pense tout le temps à toi. Quand tu n'es pas auprès de moi tu me manques terriblement. J'ai besoin de toi à mes côtés. Angie, je crois que je suis tombé amoureux de toi.

Je n'en revenais pas. Thomas, mon Thomas, me faisait une déclaration d'amour, là, dans la rue, au son d'une samba. J'avais bien remarqué que depuis quelques temps il me regardait différemment. Moi aussi, lorsque je l'apercevais, mon cœur s'emballait, je n'osais pas l'approcher de peur de me mettre à trembler. Je me sentais stupide. J'appréhendais ces moments où il arrivait. Je me serais terrée dans un trou de souris pour qu'il ne s'aperçoive pas de mon trouble. Je ne comprenais pas ce qu'il m'arrivait et tout d'un coup, en entendant ses mots, je réalisais enfin. Moi aussi j'étais amoureuse de lui.

Je ne savais que dire, je le regardai d'un air ébahi et, sans réfléchir une seconde, je tombai dans ses bras.

Les années qui suivirent furent fantastiques. Je nageais dans le bonheur. Tout me paraissait plus simple. C'est si doux d'être aimée. Nous nous entendions sur tout. Nos ébats amoureux étaient empreints de tendresse et de passion. Je n'avais jamais connu un embrasement aussi total. Nos corps se mêlaient, se fondaient en un seul cri. Nous n'avions plus de secret l'un pour l'autre et lorsque nous faisions l'amour c'était à chaque fois un ravissement qui nous laissait comblés et heureux.

Nous nous sommes rapidement installés ensemble. Un petit loft bien douillet où nous aimions nous retrouver le soir après notre journée de travail ou entre amis autour d'un bon repas. Thomas avait brillamment passé ses examens et exerçait dans un cabinet d'avocats. Quant à moi, mon BTS en poche, après un remplacement dans une agence de voyage, je fus rapidement embauchée. Patricia, ma patronne, ne tarissait pas d'éloges à mon sujet.

Même mes parents avaient bien accroché avec Thomas. Il savait mettre ma mère en valeur et avait beaucoup de points communs avec mon père. Mes relations avec ma mère s'étaient nettement améliorées bien qu'elle ne manquât jamais une occasion de me dire qu'elle ne comprenait pas ce qu'il pouvait bien me trouver, lui, « si délicat, si attentionné », alors que moi. Elle a même été jusqu'à m'avouer, un jour, que « c'est lui qu'Alizée aurait dû épouser. Ils auraient fait un couple si charmant. » au lieu de ce mari stupide qui ne pensait qu'à l'argent, qui n'était jamais là alors que sa place était auprès d'elle et qu'elle en souffrait beaucoup. Ce qui était absolument faux, bien entendu.

Ma sœur se montrait très charmeuse devant mon compagnon. Dès qu'il se mettait à parler elle s'arrangeait pour être auprès de lui et buvait ses paroles. Elle m'avait même dit une fois, alors que nous étions seules dans la cuisine, qu'elle ne comprenait pas ce que je faisais avec lui. Que tôt ou tard il se lasserait de moi et irait chercher ailleurs. Elle ne pouvait admettre que l'on puisse être plus heureuse qu'elle. Elle s'était pourtant mariée récemment avec un homme d'affaires qui lui ramenait de l'argent à ne plus savoir qu'en faire. Eh bien non. Ça ne lui suffisait pas. Elle m'enviait tout simplement. Elle avait tout pour être heureuse et moi j'étais celle qui lui faisait de l'ombre alors que « Je ne lui arrivais même pas à la cheville ».

Durant les premières années de leur mariage, je n'ai jamais vu un homme aussi follement amoureux de sa femme (à part le mien, bien entendu . Il lui passait tous ses caprices. Plus elle lui en demandait et plus il lui en donnait. Elle adorait parader à son bras lors des grandes soirées de gala auxquelles ils étaient conviés. Plus d'une fois d'ailleurs il lui avait demandé de venir avec lui lors de ses déplacements, chose qu'elle avait toujours refusée préférant rester avec ses copines faire des emplettes dans les magasins les plus chers de la capitale, passer son temps chez le coiffeur ou dans un quelconque institut de beauté. Ne travaillant pas, trouvant cela une perte de temps, elle passait ses journées dans les salles de sport, les restaurants et sortait dans les endroits les plus à la mode de Paris. Avec la bénédiction de ma mère bien entendu. J'ai su, de manière tout à fait fortuite, qu'elle avait beaucoup d'aventures. Des hommes très riches et très en vue. Elle n'avait aucun scrupule du moment qu'elle pouvait être admirée. En plus de mener sa vie bon train , elle était devenue excessivement jalouse de son mari et lui faisait des scènes terribles jusqu'à lui interdire d'entrer dans sa chambre.

Et mon frère dans tout ça ? Que faisait-il ? Il restait dans sa chambre le plus clair de son temps au grand désarroi de mes parents. Il semblait indifférent à tout ce qui se passait autour de lui se montrant souvent irascible, hostile, lorsque nous nous retrouvions tous ensemble.

Il n'avait même pas fini ses études disant que ça ne lui plaisait pas. Chaque fois que mon père lui trouvait un petit boulot, ça ne durait jamais longtemps, Romain se plaignant toujours de ses patrons et d'être un incompris. Bref, il vivait toujours à la maison et passait son temps à ne rien faire. Comme coupé du monde.

Thomas et moi commencions à parler mariage. Nous avions envie de concrétiser cet amour qui nous unissait. Le désir d'un enfant se profilait à l'horizon.

Et puis tout a changé. Au fil du temps je commençais à percevoir un homme différent. Ce qui, au début, m'amusait chez lui : ses petites manies, ses habitudes, me devenaient de plus en plus insoutenables. Nos conversations s'arrêtaient vite, l'un et l'autre ne supportant pas nos divergences. Petit à petit le silence s'installait. Nos disputes aussi devenaient de plus en plus fréquentes, pour la moindre peccadille. Thomas supportait de moins en moins la contradiction. Il avait pris l'habitude de boire son apéro avant de passer à table puis, rapidement, il ajouta quelques verres de vin au repas. Je n'ai rien vu venir si ce n'est que son comportement devenait de plus en plus incompréhensible. Il rentrait de plus en plus tard le soir, disant être passé chez un copain. Il sentait souvent l'alcool d'ailleurs. J'ai quand même essayé d'en discuter avec lui et il me persuadait à chaque fois que ce n'était pas tous les jours. Ce qui était absolument faux. Comme je prenais toujours soin d'aplanir les situations quelles qu'elles soient et, afin d'éviter un déballage de colère et de critiques que je supportais de moins en moins, je me taisais en rongeant mon frein et essayais de me persuader que c'était moi qui en rajoutais. Cela finissait toujours par tourner au vinaigre et nous boudions chacun de notre côté, évitant de se parler quand nous nous retrouvions ensemble. Des fois cela durait plus d'une semaine Je ne savais plus comment faire pour retrouver un certain équilibre. Lui aussi d'ailleurs. Quand nous arrivions à nous réconcilier tout rentrait dans l'ordre. Nous étions à nouveau plus amoureux que jamais faisant plein de projets pour notre avenir. Nous mettions toutes nos questions à plat et, lui comme moi, nous jurions que, dorénavant nous allions faire différemment, que nous avions compris, que nous voulions rester ensemble encore de longues années et que tous les problèmes que nous avions connus ne reviendraient plus, forts de notre envie de faire des efforts chacun de notre côté Mais, peine perdue, tout revenait inlassablement et toujours pour des petits riens et, le temps passant, je m'y retrouvais de moins en moins.

    C'est alors que me vint cette idée de tout laisser tomber, de partir loin de tout afin de trouver l'apaisement nécessaire à mon équilibre. J'avais prévu de lui annoncer ma décision un soir après le repas et lui expliquer clairement ma ferme intention sans vouloir le blesser. Rapidement notre discussion a tourné court. Il ne comprenait pas où je voulais en venir. Pour lui tout allait bien. Il m'aimait et n'avait jamais songé à me quitter. Il reconnut même qu'il s'était mis à boire un peu trop mais qu'il pouvait encore tout arrêter. D'ailleurs pour me prouver sa bonne foi, il alla chercher une bouteille qu'il avait, m'a-t-il dit, cachée dans le garage et qu'il avait pris l'habitude de consommer avant que je ne rentre du travail.

    Devant moi, il l'ouvrit et en versa le contenu dans l'évier. Mais c'était trop tard, le mal était fait. J'étais anéantie. Il se cachait maintenant.

    C'était trop, beaucoup trop ! Ma colère tomba, implacable. Ne lui laissant pas le temps de parler je lui assénai enfin, ce que j'aurais dû lui dire il y a bien longtemps déjà. Obligé de m'écouter, il resta là sans bouger, accusant le coup, sans m'interrompre une seule fois.

En quelques minutes je lui déversai un flot de paroles intarissable résumant toutes nos années de vie commune. Je lui fis beaucoup de reproches. J'avais cru en lui, en nous, en notre amour mais nous étions passés l'un à côté de l'autre et maintenant j'étouffais. Il me fallait partir pour me retrouver moi-même. A la fin, épuisée, je me tus et j'attendis sa réaction.

Elle ne se fit pas attendre bien longtemps.

Il explosa à son tour, me reprochant mon manque de tendresse à son égard. Au début il s'était senti très heureux avec moi, très amoureux. Il avait besoin de beaucoup d'amour et s'était rapidement rendu compte que je ne lui apportais pas tout ce dont il avait espéré si ardemment. Moi aussi j'avais beaucoup de torts. Toujours préoccupée à m'occuper des autres j'en avais oublié de m'occuper de lui. Il me trouvait de plus en plus fuyante, absente. Ses illusions, concernant notre couple, commencèrent à tomber. Il ne savait plus comment accaparer mon attention. Pour lui, il était devenu transparent à mes yeux. Tout ce qui nous faisait rire au début semblait ne plus m'amuser du tout. Il s'ennuyait avec moi. Alors, il avait commencé à boire. D'abord des apéros puis du vin. Il redoutait de rentrer, de voir mes airs de désapprobation. Il ne supportait plus nos disputes. Il espérait lui aussi que tout s'arrange, que tout redevienne comme avant mais il n'y croyait plus et s'était résigné. Mais de là à vouloir tout arrêter, tout abandonner comme si rien n'avait vraiment existé, alors-là c'était inconcevable. Il ne s'était pas préparé à cette éventualité et ne pouvait l'accepter !

- Es-tu vraiment décidée à partir ?

- Oui.
- Et où ?
- Je ne sais pas encore.
- Et combien de temps ?
- Je ne sais pas non plus.
- Et moi là-dedans, je suis sensé faire quoi ?
- Je ne sais pas.
- Tu ne sais pas. Tu ne sais pas. Tu décides comme ça de partir du jour au lendemain et tu ne sais pas. Sais-tu que nous vivons ensemble ma vieille ? Que moi aussi j'ai droit de regard sur ta décision ?
- Tu peux dire tout ce que tu voudras je ne changerai pas d'avis. Ma décision est prise et je partirai même si je sais que c'est douloureux pour toi. Ça l'est aussi pour moi d'ailleurs. Je dois le faire

Ce qui signifie que j'ai le droit de ne rien dire. Tout ce qu'on a construit ensemble a donc si peu d'importance à tes yeux ? Je sais que j'ai une grande part de responsabilité dans la décision que tu as prise mais sache que toi aussi tu n'es pas aussi blanche que ça. Toi aussi tu es insupportable. Tu me déçois beaucoup Angie, je n'aurais jamais cru qu'on puisse en arriver là tous les deux.

- Je sais que je te fais de la peine mais je n'en veux plus de cette vie. J'ai l'impression que ce n'est pas la mienne. Je ne m'y retrouve plus. Je ne t'abandonne pas. Je compte revenir. Quand ? Je ne sais pas. Je t'aime Thomas et ma décision n'a rien à voir avec ce que je ressens pour toi.

- Tu m'aimes ! Drôle de façon de m'aimer. Tu me laisses là, tu m'abandonnes pour courir après je ne sais quoi. Tu me dis que tu comptes revenir ? Sache tout simplement que je ne resterai pas là à t'attendre.

Il me fusillait du regard. Incrédule, il s'était mis à marcher de long en large dans la pièce, se tordant les doigts, donnant des coups de pieds dans les meubles, les murs, pour s'affaler enfin dans le fauteuil, la tête entre ses mains.

Je restais là, plantée devant lui, prononçant presque malgré moi la phrase fatidique, ne laissant plus de doute à un quelconque espoir.
- Je ne sais que te dire Thomas, je ne sais que te dire.
Ce fut notre première et dernière violente dispute.

Finie notre histoire d'amour, finis tous nos projets communs. Envolée notre complicité. J'avais tout foutu en l'air en quelques minutes et je n'en étais pas très fière. L'amour de ma vie était parti sans se retourner, me laissant seule avec mes doutes et mes désillusions. J'avais mal, très mal. Une partie de moi s'en était allée avec lui. Je n'avais jamais ressenti autant de vide et de solitude en si peu de temps. Qu'avais-je fait ?
J'en étais là de mes réflexions, une fois Thomas parti, devant mon verre de whisky.

Chapitre 2

Ma nouvelle existence

" La vie n'est pas un problème à résoudre mais une réalité à expérimenter."

Bouddha

Je suis donc partie un beau matin du mois de juillet avec, comme unique bagage, un sac à dos sur l'épaule. Arrivée à la gare je regardai le tableau d'affichage et j'optai pour un train en direction de Toulouse « la ville rose ». Pour la première fois de ma vie, j'avais tout mon temps. Pas de stress, pas d'horaire. La liberté totale !

Mon train partait à 9h42 et il était 9h. Je pouvais donc aller m'offrir un café avant de m'en aller vers mon destin.

Le trajet était long mais je n'étais pas pressée. Personne ne m'attendait et je pouvais même, si l'envie me prenait, une fois en gare de Toulouse, continuer ma route et descendre encore plus bas dans le Sud.

Je ne savais pas du tout ce que j'allais trouver une fois arrivée mais je m'en foutais. En pensant à ce que j'étais en train de faire je souriais, heureuse. Plus de contraintes.

Je ne sais pas si ça vous est déjà arrivé de vous retrouver comme ça dans un hall de gare à chercher une destination qui pourrait vous convenir, de vous arrêter sur le nom d'une ville et de vous engouffrer dans le train qui va vous y amener.

Pour moi, en tout cas, je peux dire que ce que je ressentais à ce moment-là était de l'ordre du pur bonheur, un sentiment de plénitude. Je me sentais en harmonie avec moi-même. J'étais excitée tout simplement à l'idée de savoir que j'étais maître de mon destin et que rien ni personne ne m'empêcherait d'aller jusqu'au bout de mon désir. Étrange sentiment de paix, de liberté. A aucun moment je n'ai pensé que j'allais dans un endroit totalement inconnu, que je n'avais aucune adresse pour me loger, que j'étais partie, définitivement partie. Tout cela n'avait pas d'importance. J'avais, pour une fois, une énorme confiance en moi, en mes possibilités et cela me suffisait.

J'arrivai à Toulouse-Matabiau vers 14h30. Il faisait très chaud, le ciel était d'un bleu profond. Pas un souffle d'air.

Première chose à faire : Me trouver un hôtel pas trop cher pour passer la nuit. Ne sachant pas trop où diriger mes pas, je m'engouffrai dans le métro. Je suis sortie, au hasard, vers « Jean-Jaurès » où j'ai fini par trouver un hôtel dans une rue tranquille. Ma chambre, toute simple, était décorée avec goût et mon lit, plus que douillet, garni de toutes sortes de coussins aussi moelleux les uns que les autres. La tapisserie un peu vieillotte, dans les tons roses avec de grosses fleurs style années 70. Près de ma fenêtre se trouvait une petite table avec une chaise un peu bancale. De l'autre côté de mon lit, une armoire avec glace et coin penderie. La salle de bain, assez exiguë, mais offrant tout de même beaucoup de commodités : Douche, lavabo, placards et WC. Le tout dans une couleur bleu pâle. Cette chambre me convenait pour l'instant avant de trouver un autre endroit, suivant la tournure des événements.

Une fois installée, douchée, changée, je suis descendue demander où je pourrais trouver un restaurant tranquille pas loin de mon hôtel. La journée avait été longue et j'aspirais à une bonne nuit de sommeil.

Libre, je suis libre !

Après un bon souper dans une brasserie que m'avait recommandée l'hôtelier, je profitais de la douceur de cette nuit d'été pour me promener au hasard des rues en évitant de ne pas trop m'éloigner pour ne pas me perdre.

Il est 21h, la ville grouille encore de monde. Des gens sont assis aux terrasses de cafés en train de manger ou de boire un coup. D'autres se prélassent sur des bancs. Le temps semble s'être arrêté. Aux bruits de la rue se mélangent les odeurs de poissons, de grillades.

Des airs de musique s'échappent des fenêtres grandes ouvertes. Les jeunes, les vieux, tout le monde semble s'être donné rendez-vous pour profiter encore quelques heures de la fraîcheur de cette soirée d'été.

22h30, je suis enfin dans mon lit, fatiguée mais heureuse. Ces derniers jours ont été assez éprouvants pour moi. Le départ approchant, je doutais de plus en plus du bien-fondé de ma décision. Il ne me fallait pas flancher. J'étais si proche du but.

Je n'allais pas, au dernier moment, tout arrêter. De toute façon, je ne pouvais plus reculer.

Les dés avaient été jetés !

Petit à petit je m'organisais dans ma nouvelle vie. Nous étions au mois de juillet, certes, ce n'était peut-être pas le meilleur moment pour s'installer dans un endroit envahi par les touristes. Mais, après tout, je pouvais m'octroyer des vacances moi aussi. J'avais suffisamment d'argent pour passer un bon mois sans problème.

J'avais sympathisé avec le propriétaire de l'hôtel. Il se prénommait Jean. Petit homme bedonnant, visage rond aux yeux marron surplombés par de gros sourcils épais qui disparaissaient derrière des lunettes rondes en fer blanc. Chaque fois qu'il ouvrait la bouche il humectait ses lèvres avec sa langue avant de parler. Ses cheveux grisonnants étaient attachés en un catogan. Il portait toujours un jean délavé et une chemise de couleur claire à manches courtes ou longues retournées sur ses bras. Il inspirait la confiance. On se sentait aussitôt à l'aise près de lui. Très instruit, il passait beaucoup de temps à lire, un mégot de cigarette coincé entre ses lèvres. Sa voix était chaude quoique un peu rocailleuse, (sûrement due à sa consommation de tabac) avec un léger accent. Il était originaire de Toulouse et avait ouvert son hôtel depuis quelques années. L'argent ne l'intéressait pas. Il y préférait le contact humain et s'était fait pas mal d'amis parmi sa clientèle. Il m'invitait souvent dans son appartement situé au sein même de l'hôtel. Son « chez lui », comme il l'appelait, était tout simple. Une grande pièce un peu sombre avec canapé, fauteuils en skaï beige, table basse. Il avait une petite télévision qu'il allumait rarement, trouvant les programmes trop ennuyeux. Les murs, de chaque côté du canapé étaient équipés d'étagères remplies de livres de toutes catégories. Il y en avait d'ailleurs partout, posés négligemment les uns sur les autres. A côté de sa télé se trouvait une grande armoire vitrée contenant un tourne-disque et des centaines de trente-trois tours. Il était resté au vinyle disait-il car il adorait la musique et les CD ne rendaient pas la même qualité de son. Accrochées aux quatre coins de la pièce, se trouvaient des petites enceintes qu'il avait payées fort cher mais dont la sonorité le remplissait de joie chaque fois qu'il écoutait de la musique.

    C'était bien l'appartement d'un célibataire. « Pas de place pour une femme » se plaisait-il à ajouter. Il n'en avait pas besoin, se suffisant à lui-même. Une petite cuisine donnait sur son salon, séparé par un bar. De temps en temps, quand il lui arrivait de recevoir du monde il sortait une table et des chaises pliantes poussées dans un coin de la pièce. Il préférait aller au restaurant avec les copains.

    Je crois bien n'avoir jamais senti une odeur de cuisine chez lui. Son intérieur sentait plutôt le tabac refroidi. J'ai mis quelques temps à m'y habituer mais rapidement je n'y ai plus fait attention. Je me demande s'il lui arrivait d'aérer sa pièce de temps en temps. Il m'a appris de multiples choses sur Toulouse et ses environs, m'a indiqué les endroits à visiter, les endroits aussi à éviter. Il me donnait des tuyaux pour chercher du travail et c'est grâce à lui que j'ai pu trouver un emploi dans un café. Un ami à lui avait dû se séparer d'une de ses employées et cherchait une autre serveuse pour le mois d'août. Cet emploi tombait quand il fallait pour moi, mes économies étant largement entamées. Pour l'instant il me prenait à l'essai durant la période estivale et si mon travail lui convenait il m'embaucherait en CDI.

J'ai appris à connaître et à aimer cette ville. Je m'y suis sentie très vite à l'aise. Comme si j'y étais née. Toulouse est une ville merveilleuse, pleine de charme où il fait bon vivre.

C'est tellement agréable de flâner le long du canal, se promener sur la Prairie des Filtres, dénicher des magasins au détour d'une rue, s'asseoir à la terrasse d'un café… Être là tout simplement sans se poser de questions. Exister !

J'ai visité ses musées, ses églises, parcouru ses ruelles comprenant des hôtels particuliers aussi splendides les uns que les autres. Grâce aux connaissances de Jean et aux livres qu'il m'a prêtés j'ai pu en apprendre beaucoup sur l'épopée Cathare. J'ai visité les châteaux des alentours. Je suis même allée passer quelques journées à Albi, faire connaissance avec la cité épiscopale, la cathédrale, le musée Toulouse-Lautrec. Magnifique. Cordes-sur-Ciel, Castelnau-de-Montmiral et j'en passe.

Durant ces deux premiers mois j'ai tout oublié. Ceux que j'avais laissés étaient loin derrière moi.

Thomas a bien essayé plusieurs fois de me téléphoner mais je n'ai jamais répondu.

Mon emploi de serveuse, qui a rapidement été transformé en contrat à durée indéterminée, m'a permis de faire des connaissances et notamment un groupe d'amis qui se retrouvaient souvent dans le café où je travaillais. Un soir, alors qu'ils sortaient en boîte de nuit, mon service finissant, ils m'invitèrent à me joindre à eux. Nous avons passé une super soirée et, depuis, nous sortons régulièrement ensemble au restau, au ciné…
Il y a Isa, Jean-Luc, Clara, Antoine, Gérard et Lilian. Nous sommes tous à peu près du même âge. Certains sont commerçants, d'autres artistes, kiné ou bien dentiste…Ils m'ont très vite adoptée. Comme moi ils sont venus à Toulouse pour y faire carrière ou tout simplement y suivre leur mari comme Isa et Jean-Luc. Clara, quant à elle, danseuse, a des origines italiennes. C'est le boute-en-train de la bande. Pleine d'idées, elle a toujours une histoire à nous raconter, une expérience à nous faire vivre. Ce qui la rend la plus irrésistible, c'est quand elle se met à rire. Elle commence à rejeter sa tête en arrière, ses boucles brunes tombant en cascade sur ses épaules, ses grands yeux noirs lançant des éclairs, sa bouche s'ouvrant en un large sourire, puis, le corps secoué de soubresauts, elle part dans un grand éclat de rire venant du plus profond de son être. Rire cristallin, communicatif. Personne n'y résiste. On dirait une enfant ! Elle est, comme dit Gérard, notre petit porte-bonheur.
Antoine, Gérard et Lilian sont des amis d'enfance originaires de Bretagne. Ils sont venus à Toulouse pour leurs études et n'en sont jamais repartis. Ils sortent beaucoup et ont souvent des aventures.

D'ailleurs Lilian, depuis quelques temps semble souvent rêveur et absent. Aurait-il rencontré la femme de sa vie ? Antoine, beau brun ténébreux a bien essayé de me courtiser mais je l'ai vite éconduit, n'ayant aucune envie d'une aventure et surtout désireuse de conserver longtemps cette amitié qui me lie à eux. A vrai dire, j'ai toujours Thomas dans la peau. J'y pense souvent et il me manque énormément. Je n'ai pas de place pour quelqu'un d'autre (pour l'instant).

  Ce que j'apprécie dans notre petit groupe est le respect que l'on a les uns envers les autres. Personne n'essaye d'empiéter sur la vie des autres. On se voit, on ne se voit pas, ce n'est pas grave. On sait que l'on peut compter sur chacun de nous et cela seul nous suffit.

  Je leur ai rapidement expliqué le pourquoi de mon arrivée ici sans rentrer vraiment dans les détails. Ils n'ont fait aucun commentaire me disant seulement que j'avais été très courageuse. Je suis enfin l'Angie différente, l'Angie que je voulais devenir, loin de ceux que j'ai connus. On m'accepte comme je suis, sans me poser de questions. Enfin je respire.

  Avec mon salaire, j'ai pu trouver une location et avoir enfin mon « chez-moi ». C'est Clara qui m'a dégoté un appartement pas loin de Saint-Michel, un de mes quartiers préférés. Quand elle a vu l'annonce elle est allée le visiter et, séduite, m'a collé un rendez-vous avec l'agence sans même me demander mon avis. Elle voulait me faire la surprise, persuadée que j'allais l'adorrrrrer. Effectivement je l'ai adorrrrrrrré.

  Mon « chez-moi », donc, est situé au second étage d'un petit immeuble. On y accède par un escalier donnant sur une cour. Mon salon, très lumineux, donne sur un balcon s'ouvrant sur la rue. Les murs sont blancs, les plafonds plutôt bas, « à la française ». Le sol est recouvert d'une moquette grise. La cuisine, de couleur beige très clair, est séparée de la pièce à vivre par un genre d'alcôve et possède tout ce dont on peut avoir besoin dans une cuisine. Elle est d'ailleurs suffisamment grande pour y mettre une table. Le sol de ma chambre est recouvert lui aussi d'une moquette dans les tons beige, plus épaisse que celle du salon. Le lit occupe tout l'espace, avec une tête de lit en fer forgé et deux petites tables de nuit. Une grande armoire, genre dressing. Quant à la salle de bain, dans les tons pastel, elle abrite une douche dernier cri, un lavabo et une multitude de placards. Même le WC est séparé.

Je l'ai aménagé petit à petit, ayant besoin de m'acheter tout le mobilier nécessaire et n'ayant pas énormément d'argent de côté. Mes amis m'ont aidée dans le choix du canapé, fauteuil, lampes, table de salon, télé, tableaux, rideaux... Ce fut d'ailleurs très souvent des moments de franches rigolades, les goûts de chacun étant très disparates. Je pense que cet appartement me ressemble. Je m'y sens bien, je m'y retrouve.

Le jour où j'ai pendu la crémaillère, étaient présents tous mes nouveaux amis : Clara, Isa, Jean-Luc, Gérard, Antoine, Lilian, Jean mon ami hôtelier, mes patrons. Nous n'étions pas nombreux mais nous avons passé un très bon moment. Jean a été très apprécié par ma bande. Depuis il se joint à nous de temps en temps quand nous faisons une petite virée.

Je me sentais bien, j'avais réussi mon pari. On me percevait différemment, mes relations avaient changé. Je m'arrangeais pour ne pas retomber dans ce que je cherchais à éviter à tout prix et je me débrouillais plutôt bien.

Même à plusieurs centaines de kilomètres la vie fait qu'un jour ou l'autre on se retrouve confronté à son passé.

Cela faisait déjà deux ans que j'étais sur Toulouse et que je n'avais plus eu de contact avec ma famille, quand mon téléphone se mit à sonner de manière incessante. C'était le numéro de ma sœur Alizée.

Je décidai de rester sourde à ses appels. Un message laissé sur le répondeur, me disait qu'il s'était passé quelque chose dans la famille, que c'était urgent.

Et voilà, la famille ressurgissait dans ma vie. Qu'avait-on de si important à me dire pour insister de la sorte ? En tout cas ça n'était pas du tout du genre d'Alizée. Le dernier message de ma sœur me fit réagir au quart de tour :

- Angie, s'il te plaît appelle-moi ! C'est papa. Il est hospitalisé. Il ne lui reste plus que quelques jours à vivre. Il te réclame. S'il te plaît.

Sans plus réfléchir je la rappelai, consciente que quelque chose de grave venait d'arriver.

- Allô Alizée ?
- Ah, enfin, tu daignes répondre ! C'est papa. Il est au plus mal. Il te faut venir, vite. Il veut te voir.
- Bien sûr que je vais venir. Laisse-moi le temps de préparer quelques affaires, prévenir mon patron et je suis là demain soir.
- Comment viens-tu ? En train ?
- Oui.

- Appelle-moi quand tu sauras à quelle heure tu arrives et je viendrai te chercher. A quelle gare descends-tu ?

- Montparnasse.

- Ok, je serai là, tu peux compter sur moi. A demain Angie.

- A demain.

Chapitre 3

Confidences

" Par la porte de la plus infime confidence, tout de nous s'engage."

Robert SABATIER
<u>Le livre de la déraison souriante</u>

Je n'ai pas dormi de la nuit. Plein de questions se bousculaient dans ma tête. Je pensais à mon père, à tout ce qu'il m'avait dit quand je lui avais annoncé mon départ. Je l'avais laissé tomber. Pourtant ses paroles réconfortantes m'ont beaucoup aidée dans les moments de doute et de solitude que j'ai traversés. Je voulais lui montrer que j'étais enfin arrivée à me retrouver, à faire la paix avec moi. J'avais encore besoin d'un peu de temps avant de le revoir. Il m'avait promis qu'il m'attendrait. Je ne lui ai jamais donné de mes nouvelles. Peut-être qu'il pensait que je l'avais oublié et que je ne reviendrais plus ? Et si j'arrivais trop tard ? S'il partait avant que je ne le revoie ? Il emporterait son secret dans la tombe ! Mon Dieu faites que j'arrive à temps, que je puisse encore une fois lui dire combien je l'aime et que je ne l'ai jamais abandonné.

    Je me levai de bon matin. Un train partait pour Paris à 11h58. J'avais le temps de le prendre. Je descendis dans le métro et me dirigeai, direction la gare. Je n'avais pas de voiture et ne ressentais pas le besoin d'en acheter une, habitant en ville et n'ayant pas d'endroit où la garer. Il va sans dire que le métro toulousain n'a rien à voir avec celui de Paris. Beaucoup plus récent que celui de la capitale il est aussi moins vétuste et offre un confort auquel on s'habitue assez vite.

    Une fois dans mon train, j'envoyai un SMS à Alizée lui indiquant mon heure d'arrivée : 16h08.

    Inutile de vous dire combien ce voyage me parut interminable. J'avais hâte de revoir mon père, de savoir. Durant notre brève conversation téléphonique j'avais perçu un changement dans la voix de ma sœur. Pour la première fois je la sentais réellement préoccupée. Mais de quoi ? Elle qui ne s'est jamais souciée de personne et encore moins de sa famille. Que s'était-il donc passé depuis que j'étais partie ?

    Les paysages défilaient devant moi mais je ne les voyais pas, trop absorbée par mes pensées. Finalement, épuisée par une nuit agitée, je finis par m'endormir. C'est le contrôleur qui me tira de mon sommeil.

- Allez ma p'tite dame. Terminus. Vous êtes arrivée. Cela fait bien cinq minutes que j'essaye de vous réveiller. Vous devez être bien fatiguée.

Réveillée en sursaut, je mis quelques instants à réaliser où je me trouvais. La mémoire me revint peu à peu. Mais oui, je suis à Paris et je vais revoir mon père.

Alizée m'attendait sur le quai de la gare. Elle avait déjà sorti son portable et allait m'appeler quand elle me vit apparaître.

Angie, enfin ! Quand je ne t'ai pas vue descendre du train j'ai cru que tu avais changé d'avis ou que tu t'étais trompée de train. Que je suis contente de te revoir. Tu n'as pas changé.

Elle, par contre, avait bien changé. La belle Alizée que j'avais quittée faisait place maintenant à une belle jeune femme un peu plus enrobée et, oui, il fallait bien le reconnaître, moins sophistiquée. Elle s'était fait couper les cheveux. Un carré qui lui allait à merveille et faisait ressortir ses yeux verts empreints d'une douceur que je ne lui connaissais pas. L'expression de son regard avait changé aussi. Elle me prit dans ses bras, pleurant, riant, envahie par une émotion qu'elle ne pouvait contenir.

- Oh, Angie, comme tu m'as manqué. Comme tu nous as manqué.

Ce n'était pas possible ! Ce n'était pas Alizée qui me parlait ainsi. Pourtant je voyais bien au fond de moi que cet accueil était sincère et j'en étais toute retournée.

- J'ai tant de choses à te dire, Angie. Tant de choses à t'expliquer. Mais toi, comment vas-tu ? Où vis-tu ? Es-tu heureuse dans ta nouvelle vie ? As-tu réussi à trouver ce que tu cherchais ?

Alizée qui se préoccupe de ma santé maintenant ! Qui me demande comment je vais, si je suis heureuse ? Je dois rêver. Je vais me réveiller, ce n'est pas possible. Je restais là, les bras ballants à la regarder d'un air ahuri.

- Bon, commençons par le commencement. Tout d'abord je vais t'emmener chez moi. Tu verras, j'ai tout prévu.

- Je ne veux pas t'embêter Alizée. Je trouverai bien une chambre d'hôtel pour le temps où je resterai ici.

- Il n'en est pas question. Il ne manquerait plus que ça. Ma sœur revient après une longue absence et je ne serais même pas foutue de m'occuper d'elle, de la loger ? Non Angie, je te le dis, j'ai tout prévu.

- Mais... Mais enfin Alizée, que t'arrive-t-il ? Je ne comprends plus rien. Tu ne m'as jamais habituée à autant de considération.

- Je sais, je sais. Vois-tu, j'ai bien changé en l'espace de deux années. Je me suis rendu compte de beaucoup de choses et tout cela c'est à toi que je le dois. Ne t'inquiète pas, je te dirai tout et j'ai tant de choses à te dire. Pour l'instant laisse-moi m'occuper de toi. Tu as besoin d'un peu de repos avant d'affronter la suite.

- Et papa ?

Il ne va pas trop mal. Je lui ai dit que tu arrivais aujourd'hui et que nous irions lui rendre visite dès demain car je me doutais bien qu'après ce voyage tu serais sûrement un peu fatiguée. Il est impatient de te voir tu sais.

Je ne savais plus quoi dire. Alizée avait tout organisé et j'étais attendue, moi Angie.

Alizée vivait seule depuis un an. Elle avait trouvé un appartement sous les toits. Son intérieur était à ravir, emménagé avec goût et d'une simplicité étonnante. Dès notre arrivée elle m'avait présenté des chaussons qu'elle avait achetés pour moi, me demandant si ça ne m'ennuyait pas de les mettre et de laisser mes chaussures près de la porte d'entrée.

- Tu comprends, j'ai fait le ménage et comme je n'aime pas beaucoup les traces de pas. De plus tu te sentiras ici comme chez toi.

- Pas de problème Alizée, ça ne me dérange pas du tout, bien au contraire.

Son appartement était rangé, propre. Le sol brillait, rien ne traînait. On aurait presque dit un intérieur inoccupé depuis longtemps. Je n'ai pas osé le lui dire mais cet ordre me mettait mal à l'aise. Dans l'entrée elle me fit poser mes chaussures dans un placard où elle m'avait, comme elle me le précisa, fait une petite place. Il y avait beaucoup de chaussures, de toutes les couleurs et en grande partie à talons hauts. Elles étaient toutes alignées les unes à côté des autres dans un ordre parfait. Le salon auquel on accédait directement était plutôt grand. Sur les murs gris clair étaient accrochés quelques tableaux d'une réalité surprenante. Un canapé, deux fauteuils en cuir blanc, une table basse vitrée sur laquelle étaient posés quelques livres bien alignés eux aussi. Un tapis, très coloré recouvrait le sol. Deux grandes fenêtres donnant sur la rue étaient habillées de rideaux gris foncé retenus par une petite embrase fuchsia rappelant les couleurs de son tapis. Une grande télévision était installée sur un meuble gris lui aussi muni de multiples petites portes. Une grosse lampe fuchsia était posée à même le sol, près de la télé. En face du salon se trouvait la cuisine dans les tons gris et éclairée par une fenêtre aux rideaux blancs. Une grande table ronde trônait au milieu. Dans le prolongement du salon on accédait aux chambres. La mienne était toute simple avec un grand lit plein de coussins (mon rêve), une armoire coulissante, une table de nuit, une fenêtre aux rideaux bleu clair retenus par un ruban d'un bleu plus foncé. Les murs étaient peints en beige et le sol était recouvert d'une moquette bleu clair. La chambre d'Alizée était un peu plus grande.

Elle disposait d'une grande penderie et d'une coiffeuse où étaient posés des flacons de toutes les couleurs, un nécessaire à maquillage… Le tout rangé dans un ordre toujours parfait. Un fauteuil finissait le décor de la pièce. Les murs, d'un rose pâle donnaient à cette chambre une douceur qui se mariait très bien avec la moquette d'un rose plus soutenu. Les rideaux de fenêtre étaient dans le même ton que la moquette. Dans la salle de bain se trouvait une grande douche à l'italienne, une vasque design et un petit meuble posé derrière la porte. Les murs étaient carrelés en bleu. J'étais impressionnée par la simplicité de son intérieur. Plus d'objets « tape à l'œil ». Un mobilier moderne de très bonne qualité. Chaque meuble, chaque objet avait sa place. Ils étaient disposés d'une manière qui les mettait en valeur, avec beaucoup de goût. J'étais plutôt surprise, Alizée m'ayant habituée à amonceler toute une série d'objets, de meubles dernier cri sans vraiment regarder s'ils allaient avec sa pièce . « Fini tout ça » me dit-elle en riant devant mon air étonné. « Ça appartient au passé » !

Une chose cependant m'intriguait. Je n'arrivais pas à me sentir vraiment à l'aise dans cet appartement. Je le trouvais trop clean, tout était bien rangé, trop bien rangé. Quelques livres sur la table du salon, des revues dans le porte-revues, les appareils audio : tous rangés dans leurs placards sous la télévision. Aucun disque, aucune cassette qui traîne. La cuisine a surtout attiré mon attention. Aucune casserole sur la gazinière, aucun ustensile dehors. Tout rangé, comme dans le salon. Évier, plan de préparation, tout nickel. Il manquait de la vie dans ce lieu, du désordre, de la chaleur. Voilà ce qui me mettait mal à l'aise. Cet endroit ressemble à une vitrine.

Tout à la joie de m'avoir auprès d'elle, Alizée n'avait pas remarqué mon trouble. Je prétextais un besoin d'aller me rafraîchir et me changer pour m'isoler un peu et reprendre mes esprits.

- Bien sûr, Angie, tu peux prendre une douche si tu veux. Pose-toi un peu pendant que je nous prépare un petit apéro.

J'ai été très touchée par la prévoyance de ma sœur. Alizée se souvenant du plaisir que j'ai toujours manifesté vis-à-vis des coussins, m'en avait acheté tout un lot la veille. Moi qui avais toujours pensé que j'étais transparente à ses yeux, qu'elle ne se souciait guère de ma petite personne. Je n'étais pas au bout de mon étonnement.

Une fois ma douche terminée, je pris soin de ne pas laisser traîner mon gel douche, ma trousse de toilette et ma serviette et les rangeai à l'endroit qu'elle m'avait indiqué. J'étais intriguée par ce comportement auquel je n'étais pas habituée. Était-elle devenue maniaque ? Dans ce cas, la promiscuité que nous allons avoir durant mon séjour chez elle risque d'être difficile à supporter. Enfin, on verra bien. Peut-être que je me fais des idées.

La soirée était bien avancée et, là aussi, elle avait tout prévu. Un apéritif pour célébrer nos retrouvailles suivi d'un excellent repas qu'elle avait, me dit-elle, préparé elle-même.

- Tu cuisines maintenant ?
- Eh oui, je me suis découvert ce talent et c'est devenu un vrai plaisir pour moi. Tu verrais le temps que je passe dans ma cuisine à me faire de bons petits plats. Tu aimes au moins ?
- C'est excellent et en plus tu me fais vraiment plaisir en ayant préparé ce soufflé. Je n'en ai pas remangé depuis que je suis partie. Merci Alizée.
- Ne me remercie pas. Je te dois tant.

Pendant le repas elle me posa une multitude de questions sur ma vie, si j'avais des amis, un amoureux, un travail qui me plaisait. Elle voulait tout savoir de moi, tout connaître. Le repas terminé, brûlant d'impatience de savoir enfin ce qui s'était passé durant mon absence, comment allait papa, je lui demandai à brûle-pourpoint :

- S'il te plaît, explique-moi ! Que s'est-il passé ?
- Ok, je vais tout t'expliquer. Va te mettre sur le canapé pendant que je range tout. Sers-toi aussi du whisky, je sais que tu aimes ça.

Une demi-heure après, Alizée est près de moi et commence son récit :

- Quand tu es partie, tout a basculé dans la famille. Le comportement de maman a complètement changé. Elle accusait papa de tout, lui reprochait en permanence de l'avoir trahie, lui répétant sans cesse qu'il avait poussé ses enfants à partir. Elle lui menait la vie dure tu sais. Papa, lui, a commencé à faire son bonhomme de chemin. Il a repris contact avec ses amis, s'est inscrit à un club de belote. Il était de moins en moins à la maison. Il prenait souvent ses repas dehors avec ses amis et rentrait de plus en plus tard. Maman tournait en rond. Elle lui disait que maintenant il la laissait, elle. Papa a essayé pourtant, au début, de l'emmener avec lui au cinéma, au restaurant. Elle n'a jamais voulu, lui disant qu'elle n'avait pas besoin de sa pitié. Ils vivaient sous le même toit et ne partageaient plus rien ensemble. Un soir, alors qu'il rentrait d'un concours de belote, elle s'est littéralement jetée sur lui, le menaçant de le traîner dans la boue, de le laisser tout seul s'il n'arrêtait pas tous ses loisirs. Papa a vu rouge. Il s'est mis en colère et lui a jeté à la figure qu'il n'avait plus rien à faire avec elle, qu'il ne la supportait plus et que, si ses enfants étaient partis, ça n'était sûrement pas lui le responsable. Il lui a dit tout ce qu'il avait à lui dire ne la laissant pas parler. D'ailleurs quand il eut fini elle était effondrée. Il lui asséna le dernier coup en lui faisant part de son intention de divorcer, de quitter la maison. Il est parti le lendemain pour ne plus jamais revenir. Le divorce n'est pas encore prononcé, maman faisant tout pour le faire durer.

J'étais interloquée ! Était-ce moi qui avais déclenché tout ça ? Jamais je n'aurais pensé que mon départ précipité entraînerait autant de problèmes.

- Mais comment sais-tu tout ça ? C'est papa qui te l'a dit ?

- Oui, un jour, alors que j'étais allée le voir à l'hôpital nous avons longuement parlé tous les deux. Il m'a tout raconté. J'ai appris beaucoup de choses ce jour-là.

- Mais toi, où en es-tu de ta vie ?

- S'il te plaît, Angie, ne m'interromps plus ! C'est tellement long et difficile ce que j'ai à te dire que si tu me coupes constamment la parole je ne saurais plus où j'en suis.

    - Ok, vas-y, je t'écoute.

    - Donc, à partir de ce jour-là, maman a voulu se rapprocher de moi. Tu sais comment j'étais à l'époque. Elle a fini par m'étouffer. Je me rendais compte petit à petit qu'elle m'enfermait dans un carcan qui devenait de plus en plus étroit. Elle me voulait pour elle toute seule. J'étais devenue sa chose. Si tu savais tout ce que j'ai pu entendre de sa bouche sur papa, Romain, toi, Steve. Ça devenait de plus en plus malsain. Tu me manquais, papa aussi me manquait. Il fallait que je me sorte de tout ça. J'étais en train de me rendre compte que j'avais foutu en l'air ma vie de couple, mes relations avec toi, papa, tout simplement parce que maman m'avait toujours inculqué que j'étais la plus belle, la meilleure, que je méritais une autre vie, qu'il ne fallait surtout pas qu'on puisse prendre le dessus sur moi. Tout ça, je n'en voulais plus et j'ai décidé d'entamer une thérapie pour refaire surface. Cela fait un an maintenant que je vais voir un psy régulièrement. Ça m'a énormément aidée. J'ai réalisé tellement de choses. Maman avait complètement détruit ma personnalité. J'étais devenue odieuse. Je suis en train de me reconstruire. J'ai renoué des contacts avec mes amis. Dernièrement j'ai revu Steve. Nous avons eu une longue discussion. Nous nous voyons de plus en plus souvent. Malgré tout ce que nous avons traversé nous sommes arrivés à rester amis. Je regrette ce que j'ai fait. J'éprouve toujours des sentiments profonds à son égard mais je n'ose pas en parler par peur de détruire notre amitié. Maman, ça fait six mois que je ne l'ai pas revue. J'ai essayé de lui expliquer mais elle n'a rien compris. J'ai appris dernièrement qu'elle avait été admise en maison de retraite. Papa, une fois parti de la maison a essayé de me recontacter. Je lui ai expliqué le travail que j'avais entrepris sur moi en lui disant que c'était encore trop tôt pour moi pour le revoir. Il a fallu qu'il tombe malade pour renouer les liens. Voilà, je pense que je t'ai tout dit.

- Qu'a-t-il au juste papa ?

- Un cancer de la prostate très avancé. Son médecin lui avait prescrit des examens sanguins qu'il n'a jamais voulu faire. C'est une nuit, en se levant pour aller aux toilettes qu'il s'est rendu compte qu'il urinait du sang. C'est allé très vite : Chimio, radiothérapie. Il avait déjà des métastases et s'est retrouvé rapidement paralysé, atteint à la colonne vertébrale.

Pourquoi ne m'as-tu rien dit ?

- J'ai souvent eu envie de te contacter mais je n'en ai jamais eu le courage. Quand j'en parlais à papa, il me répondait tout le temps qu'il ne fallait pas t'inquiéter, qu'il savait que tu reviendrais et qu'il attendait ton retour. Mais depuis quelques jours, son état s'est aggravé. Il est sous morphine en permanence, n'a plus d'appétit. C'est lui qui m'a demandé de t'appeler pour que tu viennes car il sait qu'il n'en a plus pour longtemps. Il veut te revoir une dernière fois et avoir avec toi l'explication qu'il t'a toujours promise. Tout ça avant que, sous l'effet de la morphine, il ne puisse plus soutenir une longue conversation.

Au fur et à mesure qu'Alizée me parlait de la santé de papa, je sentais une angoisse sourde m'envahir. Les larmes me montèrent aux yeux. Quel gâchis. J'étais passée à côté de lui. Si j'étais restée j'aurais pu le soutenir, m'occuper de lui. Je l'avais lâchement abandonné. Et lui, malgré tout ça, il continuait à avoir confiance en moi. Il savait que je répondrais à son appel et que je reviendrais vers lui. Je mesurais à cet instant précis tout l'amour qu'il avait pour moi, pour ses enfants. Si seulement on avait pu se parler plus tôt on aurait évité bien des choses. Mais bon, la vie en a décidé autrement. Il faut bien que je me rende à l'évidence ; c'est mon départ qui a précipité tout ça et, d'un côté, ça a été plutôt bénéfique, non, alors pourquoi je me culpabilise ainsi ? N'empêche que papa est mourant et que je regrette de ne pas avoir pu profiter davantage de lui. En tout cas d'une autre manière.

Alizée avait perçu mon désarroi et essayait de me rassurer tant bien que mal. Elle finit par apaiser mes tourments en me précisant, que suite à mon départ, j'avais permis une remise en cause de toute la famille et qu'elle, en tout cas, m'en serait éternellement reconnaissante.

- Mais, dis-moi, comment fais-tu pour vivre ? Pour te payer ces séances chez le psy ?

- C'est vrai, j'avais oublié. Je travaille dans une parfumerie. Je m'éclate. La patronne est super et les clientes adorables. Quand je pense que je ne voulais pas travailler. Quelle idiote j'ai pu être.

- Eh bien, ça fait beaucoup de choses en deux ans. J'ai l'impression d'être partie des années. Je suis fière de toi Alizée. Fière de tout ce que tu as mis en place. Si mon départ a pu permettre ça j'en suis ravie. J'étais loin de me douter de l'ampleur que ça prendrait.

- Tu peux être fière de toi aussi Angie. Grâce à toi on a ouvert les yeux et je peux te dire que je suis maintenant heureuse comme je ne l'ai jamais été. Je te dois beaucoup.

- Merci Alizée. Excuse-moi mais la fatigue se fait un peu sentir et je n'ai pas beaucoup dormi la nuit dernière. Tu as eu raison de reporter mes retrouvailles avec papa. Cela aurait été trop difficile pour moi. Je me sens un peu lasse entre mon voyage et tout ce que tu viens de m'apprendre.
- Alors au lit, et vite, si tu veux être fraîche et dispo demain. A quelle heure veux-tu te lever ?
- Ton heure sera la mienne.
- Bonne nuit grande sœur !
- Bonne nuit petite sœur !

Allongée dans mon lit, entourée de tous mes oreillers, je tombai aussitôt dans un profond sommeil.

Ce fut Alizée qui me réveilla le lendemain.
- Allez Angie, il est l'heure. Je t'ai laissée dormir le plus longtemps possible mais maintenant il faut te lever. Une longue journée nous attend.
- Quelle bonne nuit j'ai passée. Je me sens en pleine forme.
- Allez, file à la salle de bain prendre une bonne douche pendant que je prépare le petit déj.

Quel bonheur de se laisser guider, de ne rien faire. Alizée est vraiment parfaite. Comme elle a changé. Dommage que nous n'ayons jamais eu cette complicité entre nous. Elle a dû passer par des moments bien difficiles. C'est drôle tout de même, je suis partie pour me faire une autre vie et, sans le savoir, j'ai provoqué un ouragan dans ma propre famille, les obligeant eux aussi à se remettre en question.
- Bon, il est déjà 10h30. Papa va nous attendre impatiemment. Je lui avais promis que nous serions

auprès de lui en fin de matinée. Il est temps de partir. Tu es prête ?

- Ok, on y va.

Le petit déjeuner fini, la vaisselle rangée, nous prenons la route direction l'hôpital. Durant le trajet je réussis enfin à lui poser la question qui me brûle les lèvres depuis mon réveil.

- Et Thomas ? Tu as des nouvelles de Thomas ?

- J'ai appris que quelques mois après ton départ il était parti lui aussi. Où ? Je ne sais pas. Personne ne sait où il est allé.

- J'avais caressé l'espoir que, peut-être, je le reverrais. Je ne l'ai jamais oublié. Il est toujours là, présent au fond de mon cœur, qui sait, nos chemins se croiseront-ils à nouveau ?

- Tu l'as aimé Thomas ! Tu sais, malgré toutes les méchancetés que j'ai pu te dire concernant votre couple, je vous trouvais parfaits tous les deux, très bien assortis et j'ai été très triste quand j'ai appris que vous vous étiez séparés.

- Merci Alizée. C'est vrai que je l'aimais mais j'avais besoin de me retrouver. La vie auprès de lui ne me convenait plus. Il fallait que je fasse quelque chose. Si nous étions restés ensemble notre histoire aurait fini de la même façon. Peut-être même plus douloureusement. Qui sait.

L'hôpital est à quelques kilomètres du domicile de ma sœur, et, malgré la circulation, à 11h30 pétantes, nous nous garons sur le parking. Mon cœur bat à tout rompre. Je vais le revoir. J'espère qu'il n'est pas trop tard.

Quel choc lorsque nous sommes entrées dans sa chambre. Il est allongé dans son lit, les yeux clos, des perfusions aux bras. Pâle, amaigri. Je l'appelle d'une voix douce, il ouvre les yeux et son visage s'illumine d'un merveilleux sourire.

- Angie, ma petite fille, enfin tu es là ! Tu es venue. Quelle joie de te revoir. Je suis si heureux. J'avais tellement peur que tu ne viennes pas que lorsqu'Alizée m'a annoncé ton arrivée, je n'osais pas trop y croire. Je t'attendais ma fille, comme je te l'ai toujours promis.

- Je sais papa, je sais. Pas un instant je n'en ai douté. Je suis revenue papa, je suis là et je resterai auprès de toi tout le temps qu'il sera nécessaire.

Papa me regardait, les yeux remplis de larmes. Ses mains serraient les miennes. Tout son corps tremblait. J'étais envahie d'une émotion si forte que je restais là, moi aussi, à le regarder. Mes larmes coulaient et tombaient une à une sur nos mains mais nous ne nous en apercevions pas. J'étais debout près de lui. Tout le reste avait disparu. Tant de souffrance, de peur, de joie qui passaient à ce moment-là dans notre regard, notre étreinte. Papa murmurait mon prénom à présent et je me mis à lui caresser doucement le visage, les cheveux, riant enfin du bonheur de le savoir encore présent et d'être auprès de lui. Alizée était sortie, nous laissant nous retrouver. Je finis par m'asseoir sur une chaise que j'avais pris soin de rapprocher de son lit, ne le quittant pas des yeux.

- Angie, ma petite fille tu es là ! C'est merveilleux. Comme je suis heureux. Enfin.

- Moi aussi papa je suis heureuse d'être avec toi.

Petit à petit mon père se calma et essuya ses larmes avec son drap. Alizée était revenue dans la chambre et je la remerciai du regard pour avoir eu la bonne idée de nous laisser seuls un petit moment. Je pense qu'elle a pleuré elle aussi car ses yeux étaient un peu rouges et son rimmel avait coulé.

D'une voix ferme mais cependant bien affaiblie, papa s'adressa à nous :

- Il est temps maintenant que nous ayons cette conversation que je t'ai promise. Maintenant plus que jamais. Je pourrai enfin m'en aller, délivré de tous mes secrets. Prends une chaise Alizée et viens t'asseoir à côté de ta sœur. Ce que j'ai à dire à Angie tu le sais déjà mais il y a une chose que je ne t'ai pas révélée. J'attendais que vous soyez toutes les deux réunies pour vous en parler.

- Si tu es trop fatigué papa nous pouvons remettre tout ça à une autre fois.

- Non, Angie, non. Ce moment que j'ai tant attendu est enfin arrivé et je ne compte pas du tout le remettre à plus tard.

- Comme tu veux, papa, nous t'écoutons.

- Quand j'ai connu votre mère, j'ai eu le coup de foudre. Elle était si belle, si douce. Elle venait d'une grande famille et moi j'étais un petit artisan sans prétention. Nous nous sommes aimés tout de suite. Ses parents voyaient cette idylle d'un très mauvais œil ayant d'autres projets pour l'avenir de leur fille. Pour elle j'étais prêt à faire n'importe quoi, à braver toutes les tempêtes et je les ai bravées. Un soir, votre maman m'a avoué qu'elle était enceinte de quatre mois. Quelques temps avant moi elle avait été séduite par un homme qui lui avait promis monts et merveilles. Elle y croyait, elle, à cette histoire. Mais il avait abusé de sa crédulité et avait disparu un beau matin sans plus donner de nouvelles. Ses parents n'ont jamais été au courant. Seulement voilà, elle s'est retrouvée enceinte de lui et impossible de le dire à quiconque de son entourage. Elle ne savait que faire. Elle ne voulait pas que notre histoire démarre sur un mensonge qu'elle n'aurait pu assumer. Nous avons longuement discuté et pris la décision qu'elle garderait cet enfant et qui plus est, que l'on ferait croire à tout le monde que j'en étais le père. Nous nous aimions et ne voulions pas que cette grossesse puisse gâcher notre amour. Lorsque nous avons fait part à ses parents de notre intention de nous marier et qu'en plus nous attendions un heureux événement, je ne vous explique pas leurs réactions. Nous étions inconscients. J'avais abusé de leur fille et les mettais devant le fait accompli les obligeant par la même occasion à me prendre pour gendre. Ils n'avaient pas le choix et se plièrent à notre décision. Chez les gens aisés, on fait très attention au « qu'en-dira-t-on » et il n'était nullement question que leur nom soit entaché de quoi que ce soit.

Le mariage fut célébré rapidement (avant que la grossesse ne soit trop évidente). Nous avons menti sur l'âge de cette grossesse et fait croire que notre enfant était né prématurément. Personne n'a jamais rien soupçonné. Cet enfant fut un garçon : Romain. Eh oui, mes filles, votre frère est en fait votre demi-frère, ce qui explique peut-être bien des choses. Cette histoire a renforcé notre amour. Romain était merveilleux. Il nous comblait. Angie, tu fus la première de nos enfants à avoir été conçue dans l'amour. Alizée, tu es arrivée cinq ans plus tard et tu nous a aussi comblés de bonheur. Cet amour sans nuage a commencé à se détériorer petit à petit. Romain était alors âgé d'une dizaine d'années.

    Son comportement devenait de plus en plus étrange. Il ne se plaisait pas à l'école. Il n'avait pas d'amis et passait le plus clair de son temps à l'écart, tout seul. On voyait bien que quelque chose clochait. A la maison il restait enfermé dans sa chambre, un casque sur les oreilles, à écouter de la musique. Quand on lui faisait des reproches, qu'on essayait de discuter avec lui, il rentrait dans des colères folles puis finissait par se réfugier dans le silence. Plus d'une fois ses maîtres nous ont alertés, nous disant qu'il fallait l'amener voir un spécialiste. Jeanne ne voulait pas en entendre parler, disant que ça allait s'arranger, que son fils n'était pas fou. Ça a duré plusieurs années. Il ne se rendait même plus à l'école, fréquentait des copains plus que douteux. Nous avons tout essayé, mais devant le refus catégorique de votre mère pour le faire examiner par des spécialistes, j'ai abandonné moi aussi. Je n'aurais jamais dû et le regrette maintenant. Mais elle était tellement persuasive disant que c'était de mauvais moments à passer, qu'il était en pleine adolescence et qu'un jour tout rentrerait dans l'ordre. J'ai fini par la croire et la laisser s'en occuper de la manière qui, pensait-elle, était la plus appropriée. Et puis vous étiez là vous aussi. Il fallait bien qu'on s'occupe de vous.

    Toi, Angie, toujours dévouée, prête à faire plaisir, tu sentais bien qu'il se passait des choses bizarres mais tu étais bien trop jeune pour en comprendre le sens. Ta mère, au fil des années a commencé à te prendre en grippe. Elle avait des vues sur toi mais tu ne te laissais pas faire. Tu t'oubliais complètement pour les autres, trop préoccupée par leur bien-être. Ta mère ne le supportait pas. Aussi, dès qu'elle en avait l'occasion elle te faisait sentir son désaccord en t'accusant en permanence de tout et de rien. Je voyais bien comment elle agissait envers toi mais j'ai préféré prendre la fuite (d'où mes longues absences), ne sachant comment m'y prendre. Je me déculpabilisais en ramenant des cadeaux quand je rentrais à la maison. Je n'ai pas été un père très proche ni très câlin. Je n'ai jamais su y faire ni comment m'y prendre. Je me rends compte à présent que je suis passé à côté de beaucoup de choses. Alizée, toi tu étais son idole. Elle avait compris qu'en te flattant, en passant tous tes caprices, elle pouvait faire de toi tout ce qu'elle voulait. Quand tu t'es mariée elle ne l'a pas supporté et a réussi à faire de ton couple un joli fiasco. Elle te voulait pour elle. Elle voulait te garder.

Il s'arrêta, semblant reprendre son souffle, fixant un point derrière nous, plongé dans ses souvenirs.
Un faible sourire illuminait son visage malgré la fatigue qui se lisait maintenant dans ses yeux. Nous étions sur le point de lui proposer de se reposer quand, devinant notre intention, il mit un doigt sur ses lèvres et reprit son monologue.
Un beau jour, Romain a disparu. Il est parti un matin « faire un tour » et n'est jamais revenu. Moi j'ai été bien lâche dans mon rôle de père. Au début j'ai essayé de seconder votre mère avec tout l'amour dont j'étais capable. Elle a fini par me repousser. Petit à petit je l'ai laissée gérer la maison, votre éducation. Elle m'avait ligoté les mains et les pieds et tenait tout son petit monde sous son joug. J'ai été très malheureux. Je n'avais pas la force de me battre contre elle. Elle avait gagné, j'avais baissé les bras. Le départ de Romain a été

très douloureux pour moi. Je n'avais pas été à la hauteur. Je l'aimais comme mon fils. J'aurais dû écouter mon bon sens plutôt que me ranger aux explications de votre mère.

    Romain m'a envoyé une seule fois une lettre me disant qu'il avait enfin trouvé une famille qui le comprenait et le soutenait. Il vivait au Mexique et était heureux. Quel choc ce fut pour moi de lire ce courrier ! Je ne l'ai jamais dit à votre maman. Elle aurait tout fait pour le ramener à la maison. Alizée, quand tu t'es séparée de Steve, elle t'a de suite proposé de venir habiter chez nous. Elle jubilait de savoir que tu allais revenir auprès d'elle. Elle a d'ailleurs tout fait pour que tu ne retombes pas dans ses bras. Angie, quand tu nous as signifié ton intention de partir, elle est entrée dans une grande colère, m'accusant d'être le responsable de tout. L'air à la maison était devenu irrespirable. Il fallait que je m'en aille moi aussi. J'avais enfin ouvert les yeux et ne voulais plus continuer cette vie qui ne me convenait pas. La suite tu as dû l'apprendre sûrement par ta sœur.

- Et pour toi ensuite, que s'est-il passé ?
- Je me suis trouvé un appartement et j'ai commencé à revivre, oui, à revivre. J'ai retrouvé une vie plus saine, entouré de mes amis que j'avais lâchement laissés tomber. Votre mère, je l'aime toujours, mais je ne peux plus rien faire pour elle. Elle m'a contacté plusieurs fois, tantôt en larmes, me demandant pardon, me suppliant de revenir, mais je savais pertinemment que c'était peine perdue. Tantôt en m'abreuvant d'insultes, me disant que j'étais un lâche, que je courrais à ma perte, qu'elle ferait tout son possible pour faire de ma vie un enfer, ce dont je ne doutais pas une seconde. J'ai essayé plusieurs fois de la raisonner mais

en vain. Elle ne voulait rien entendre, me faisant même du chantage au suicide. Mais j'ai tenu bon malgré tous les bâtons qu'elle a pu me mettre dans les roues. Aujourd'hui, je suis malade, condamné, mais je ne regrette rien. Tu vois Angie, encore une fois, sans le vouloir, tu m'as permis de m'offrir une autre vie et je t'en serai éternellement reconnaissant. Grâce à toi j'ai eu le courage d'affronter votre mère, ce qui m'a permis de me libérer.

    Je n'ai pas été un bon père et si c'était à refaire, je recommencerais tout à zéro, simplement pour vous apporter ce que je n'ai pas pu et pas su vous donner. Je me suis réconcilié avec toi, Alizée, car toi aussi tu as tiré profit de ces moments difficiles. Maintenant je peux partir tranquille. Je sais que mes filles m'ont pardonné et le cadeau que vous me faites en vous retrouvant réunies est le plus beau que vous puissiez me faire.

    Trop ému, il se tut. Nous étions aussi bouleversées que lui.

    Ces confidences nous avaient ébranlées Alizée et moi. A plus de 30 ans nous apprenions que Romain n'était pas notre frère, que maman qui nous paraissait tellement droite, avait succombé, étant jeune, à un inconnu et que papa en avait assumé toutes les conséquences avec une grande force. Si on s'attendait à ces révélations. Ils devaient s'aimer quand même. Quelle histoire. Alizée me regardait, regardait papa, les yeux ébahis, la bouche ouverte ne trouvant rien à dire. Remarquez que je ne devais pas avoir une tête bien différente. Papa souriait maintenant, les mains jointes sur son drap. Il semblait épuisé tout en étant soulagé de s'être libéré de ce fardeau qui devait lui peser depuis tant d'années. Il réclama à boire disant avoir trop parlé. Ce qui contribua à nous sortir de notre stupeur. Une fois son verre avalé, papa reprit la parole.

- Je n'ai pas fini mes filles chéries. Maintenant je dois vous entretenir de ce qui me tient le plus à cœur et qui est un peu difficile à vous demander.

Nous étions prêtes à l'écouter, persuadées que sa requête serait moindre par rapport à tout ce qu'il venait de nous apprendre.

- Angie, Alizée, la dernière chose que vous pourriez faire pour moi serait de retrouver Romain, de lui dire tout ce que je n'ai pu lui dire. J'ai d'ailleurs préparé une longue lettre pour lui. Je veux qu'il sache à son tour combien je l'ai aimé et tous les regrets que j'ai de n'avoir pu être à la hauteur pour l'aider.

Notre réaction ne se fit pas attendre. Il nous demandait beaucoup et son désir de vouloir à tout prix retrouver Romain pour lui remettre sa lettre nous semblait un peu utopique. Le silence s'était installé dans la chambre.

Alizée me regardait, l'œil interrogateur, ne sachant que dire. Je devais avoir quant à moi un regard aussi incrédule que ma sœur car papa nous dévisageait l'une et l'autre d'un regard plutôt inquiet.

- Ce que tu nous demandes là, papa, est énorme. Je ne sais quoi te dire. Certes je peux comprendre ton désir, ton envie de réparer toutes ces souffrances afin de faire la paix avec tout ça, mais, pour Romain, ce n'est pas possible, comment voudrais-tu que nous nous y prenions pour le retrouver ? Il est au Mexique, oui, mais où ? C'est tellement grand le Mexique. Et puis, on ne sait pas s'il y est toujours. Tu n'as plus de nouvelles depuis si longtemps.

- Je sais, je sais Nous avons peu de renseignements et comme tu le dis, Angie, nous ne savons même pas s'il y est toujours. Mais, qui sait, on peut tenter notre chance non ? J'ai fait des recherches car j'avais décidé de m'y rendre moi-même mais la maladie m'a rattrapé et j'en suis bien incapable aujourd'hui. Je sais qu'il vit à Mérida dans le Yucatán et que sa communauté s'appelle « The Birds ».
- Dans le Yucatán ! Comment peux-tu être certain qu'il est bien là-bas ? Et pourquoi cette communauté plutôt qu'une autre ?
- Effectivement, chacune de ces communautés a des aspirations différentes et celle-là correspond tout à fait à ce qu'il recherche. Je sais, c'est peu. Mais on a déjà une piste. En tout cas c'est tout ce que j'ai pu trouver. Je suis désolé, je suis malheureusement conscient que je vous demande beaucoup mais c'est tellement important pour moi.
- Écoute, nous ne pouvons pas prendre de décision comme ça papa, il y a énormément de choses à prendre en compte. Alizée, qu'en penses-tu toi ?

Ma sœur qui n'avait rien dit depuis le début me regardait avec un air interrogateur, incapable de nous donner une réponse précise. Je ne pouvais donc pas compter sur elle. Pas pour l'instant.

Même avec tout l'amour que je pouvais porter à mon père, ma volonté de vouloir lui faire plaisir, d'accéder à sa demande, je ne pouvais pas me décider à lui donner la réponse qu'il attendait ardemment.

Papa semblait épuisé. Il me regardait avec une expression de grande tristesse dans ses yeux.

Nous étions là tous les trois, chacun pris dans nos réflexions :

Alizée s'était levée et marchait de long en large dans la chambre, papa avait fermé les yeux, vaincu par la fatigue et moi, assise auprès de lui, mes mains serrées dans les siennes je le regardais intensément, les yeux pleins de larmes à la pensée du mal que je pouvais lui faire à cet instant précis devant une réponse qui tardait à venir. Non je ne pouvais pas lui dire n'importe quoi. Pas comme ça. Il fallait y réfléchir, en parler avec Alizée, et prendre une décision commune.

Au bout de quelques minutes qui me parurent interminables, papa ouvrit enfin ses yeux et, me fixant d'un regard tendre me lâcha dans un souffle.
- Tu as raison Angie. Ce n'est pas du tout raisonnable ce que je vous demande. Je n'ai pas réfléchi à tout ce que ça peut représenter comme contraintes. Je n'ai pas le droit non plus de vous imposer une tâche que vous n'avez pas à assumer à ma place. Oubliez ce que je vous ai demandé et restez auprès de moi tout le temps nécessaire. Je me sens déjà tellement comblé de vous avoir toutes les deux.
- Écoute papa, nous ne pouvons pas te donner une réponse pour l'instant. Tu as eu raison de nous demander de t'aider dans ta démarche et nous ne te laisserons pas tomber. Donne-nous seulement un peu de temps. Nous devons en discuter Alizée et moi et réfléchir à ce que nous pourrions mettre en place. Il ne faut pas se précipiter.
- Merci Angie, merci. Oui, il ne faut rien précipiter et il faut réfléchir calmement. Pardonnez-moi mais je me sens tellement las. Cette discussion m'a épuisé. J'ai besoin de me reposer maintenant.

A ces mots, Alizée s'était rapprochée du lit de papa et, ayant retrouvé sa voix, lui répondit doucement.

- Nous te laissons papa, nous reviendrons te voir demain après-midi et te ferons part de notre décision. Angie a raison il faut qu'on en discute toutes les deux.

- D'accord mes filles. Voyez entre vous ce qu'il vous est possible de faire. On en reparlera.

- Eh bien, si je m'attendais à ça ! Qu'allons-nous faire maintenant ?

- Je ne sais pas, Alizée. Il s'est passé tant de choses en si peu de temps. Nous avons besoin de réfléchir et voir ce qu'il nous est possible de faire. Moi aussi je me sens désemparée. De voir papa dans cet état me fait tellement de peine que je m'en veux d'être partie et de ne pas avoir pu m'occuper de lui comme il le méritait.

- Tu n'as pas à t'en vouloir Angie. Tu n'es responsable de rien. L'important est que tu sois là maintenant et que tu aies répondu à son appel. Il a besoin de toi tu sais.

- C'est gentil ce que tu me dis. C'est vrai, je peux m'occuper de lui à présent.

Nous étions arrivées à sa voiture et sitôt assise, je fus submergée par mon chagrin. Toutes les larmes que j'avais retenues se mirent à couler sans que je puisse me calmer, secouée de sanglots. Je ressentais un énorme besoin de me laisser aller à ma peine et ma tristesse.

Alizée m'avait prise dans ses bras et me caressait les cheveux en me parlant doucement, calmement.

- Laisse-toi aller Angie. Je suis là, ne t'inquiète pas. Je comprends tellement cette immense douleur que tu peux ressentir. Maintenant c'est à moi de te réconforter et t'aider à t'apaiser. Tu peux compter sur moi Angie. Je t'aime tant.

Je finis par me calmer et une étrange douceur m'envahit. Les bras de ma sœur étaient réconfortants. Elle se balançait et s'était mise à fredonner un air que nous chantait maman quand nous étions enfants et que nous ne parvenions pas à nous endormir. Alizée, sentant ma respiration devenir plus régulière avait relevé ma tête et me nettoyait le visage avec un kleenex. Elle souriait doucement et me fit remarquer que j'avais bien fait de ne pas mettre de mascara, ce qui me fit sourire à travers mes yeux encore embués.

- Dis-moi Angie, que comptes-tu faire maintenant ? J'avais prévu pas mal de choses pour cette fin de journée mais en te voyant si triste je ne sais pas si c'est bien indiqué.

- Je ne sais pas Alizée, c'est vrai que je suis triste. C'est vrai que j'ai vraiment envie de me réfugier tout au fond de mon lit et me laisser aller à mon chagrin ! Mais, qu'avais-tu prévu ?

- Après-midi relax en définitive. Je comptais t'amener au restaurant ce midi. Steve doit nous y rejoindre. Ensuite je pensais faire les boutiques et finir la soirée au vernissage d'une amie qui expose ses peintures. Un vrai régal ! Qu'en penses-tu ?

- Écoute. Je vais faire un effort pour t'accompagner au restaurant. Ça me fera vraiment plaisir de revoir Steve et puis ça me changera un peu les idées. Par contre pour la suite, je verrai, je te dirai au moment venu.

Le restaurant où m'amena Alizée se trouvait dans une rue, pas loin de Montmartre. C'était un endroit tout simple, décoré avec goût. Les murs, en lambris clairs, nous donnaient l'impression de nous trouver dans un chalet de montagne. Un peu partout étaient accrochées des peintures représentant des visages d'enfants, d'adultes tous aussi expressifs les uns que les autres. On aurait dit des photos prises sur le vif. Certaines étaient en noir et blanc et d'autres en couleurs. Dans la salle, les tables étaient elles aussi en bois avec, posés dessus, une nappe et un bouquet de fleurs fraîches.

Alizée devait s'y rendre souvent car, dès que nous avons franchi le seuil, une petite femme au visage tout rond, les yeux rieurs, les cheveux blancs coupés très courts s'empressa auprès de nous et sans hésiter lui demanda :

- Alors voilà Angie ! Cette fameuse Angie dont tu nous as tant parlé.

- Eh oui, Hélène. Voilà Angie, ma sœur. Je t'avais bien dit que je finirais par te la présenter.

- Enchantée de faire votre connaissance mademoiselle. Vous avez une sœur adorable. On lui doit beaucoup, vous savez. C'est elle qui nous a aidés à monter notre projet de restaurant. C'est une personne de grande qualité.

- Oh, arrête Hélène, tu ne vas pas recommencer ! Chaque fois que je lui amène quelqu'un elle me ressort la même chanson. Où nous as-tu placées cette fois ?

- Là-bas, près de la fenêtre. Comme ça vous serez plus tranquilles pour discuter. Apéritif offert par la maison.

En effet, elle avait pris soin de nous mettre un peu à l'écart près d'une grande cheminée décorée d'un chaudron. Au milieu de notre table, recouverte d'une nappe à carreaux rouges et blancs, (le « motif vichy » par excellence, m'avaient appris mes amis artistes toulousains) était disposé un beau bouquet de roses rouges. La fenêtre donnait sur la rue, les rideaux étaient eux aussi à carreaux rouges et blancs retenus par une embrase de mêmes couleurs. On avait vraiment l'impression de se trouver dans une maison provinciale des années 60.

A part la vision de mon père si fragile, si désemparé et la dernière révélation de celui-ci, je me sentais bien. Jamais je n'aurais pu penser que ce retour inopiné allait prendre cette tournure-là. C'est malheureux de l'admettre mais la maladie de mon père nous a beaucoup rapprochées toutes les deux. Nous apprenons à nous connaître et ce que je découvre petit à petit m'est plutôt agréable.

Une fois installées, je remarquai un détail dans le comportement d'Alizée qui allait atiser ma curiosité et qui d'ailleurs se précisa au fur et à mesure de mes journées passées en sa compagnie. Aussitôt assise, elle aligna son verre, son assiette, ses couverts dans un ordre connu d'elle seule. Elle ne remarqua même pas mon air interrogateur. Une fois qu'elle fut bien en place, elle déplia sa serviette et la posa délicatement sur ses genoux. Le léger malaise que j'avais ressenti en pénétrant dans son appartement me revint en mémoire. Que lui arrivait-il ? Je ne l'avais jamais vue se comporter de la sorte. Il faudra que je fasse plus attention.

Peut-être est-ce une coïncidence après tout ?

Quelques minutes après, Steve nous rejoignit. Il n'avait pas changé si ce n'est ses tempes un peu grisonnantes et un léger embonpoint. Il avait oublié ses cravates et était habillé d'un jean et d'une chemise blanche qui faisait ressortir le gris de ses yeux. Alizée avait raison. Leur tendre complicité était évidente. On aurait dit deux jeunes amoureux n'ayant pas encore osé s'avouer leurs sentiments profonds. Comme moi avec Thomas, au début. Thomas, où était-il ? Que faisait-il ? Sa présence me manque terriblement depuis que je suis arrivée. Paris sans Thomas n'est plus Paris.

Le repas était excellent. Hélène et Marcel adorables. Alizée m'expliqua qu'à l'époque où elle vivait encore avec Steve, Hélène était leur femme de ménage. Quand ils se sont séparés, Hélène fut embauchée dans une maison où on lui donnait un salaire de misère et Marcel devait travailler deux fois plus pour couvrir les frais quotidiens. Il y a un an, Alizée et Hélène se sont rencontrées par hasard. Alizée, réserva un accueil chaleureux à son ancienne employée. Lors de leur toute première discussion Hélène fit part à Alizée du projet qu'elle et son mari avaient en tête. Ils voulaient monter un restaurant mais se heurtaient aux banquiers qui hésitaient à leur faire crédit, n'étant pas assez solvables. A partir de ce moment, Alizée avait pris les choses en main. Elle s'était portée caution pour eux auprès de la banque et les avait aidés aux menus travaux qu'ils voulaient entreprendre. Depuis qu'ils sont installés, leur restaurant ne désemplit pas. Il y a toujours du monde. Ils sont même souvent obligés de refuser des clients.

Décidément, j'allais de surprise en surprise. Alizée se montrait très réservée avec moi quant à tout ce qu'elle avait fait pour aider les gens qui l'entouraient. Elle ne voulait pas d'admiration, pas de félicitations. C'était devenu tellement naturel chez elle d'aider les autres.

Notre repas terminé, Steve nous abandonna pour retourner à son travail. Alizée irradiait de bonheur.
- Alors, comment l'as-tu trouvé ? Tu crois que je peux avoir une chance de le reconquérir ?
- Sincèrement ?
- Sincèrement.
- Il n'attend que ça ! Il t'a dévorée des yeux tout le repas. Toi aussi d'ailleurs.
- Ah bon ! Je me suis rendue ridicule ?
- Mais non, grosse nouille. Arrêtez de jouer au chat et à la souris et passez à l'étape supérieure.
- Je vais y réfléchir, Angie, je vais y réfléchir.

Nous avions passé un bon moment mais il n'avait pas comblé ce vide, cette grande tristesse que je ressentais. L'image de mon père dans son lit, faisant des efforts pour aller jusqu'au bout de son idée me revenait constamment à la mémoire. Je ne pouvais me défaire de ce sentiment de solitude que je ressentais. Cette sensation d'être passée à côté de lui, de n'avoir pas su et pas pu rester auprès de lui quand c'était encore possible. J'aurais tant aimé apprendre à le connaître, avoir des souvenirs avec lui. Mais rien, il ne me restait que le goût amer de mon impuissance devant cette mort certaine qui allait me l'arracher définitivement. Il me faut profiter des derniers instants qu'il lui restent à vivre pour m'occuper de lui, lui dire combien je l'aime.

Je me sentais lasse, j'avais envie de rentrer et ne plus penser à rien. Alizée s'en était aperçue. Au moment de quitter le restaurant elle me devança en me proposant de rentrer pour que je puisse me reposer. Je n'avais plus aucun courage, j'aspirais à un grand bain et au silence.

Alizée avait des courses à faire, aussi me laissa-t-elle dans l'appartement, me faisant mille recommandations : Mettre mes chaussons, passer l'éponge dans la baignoire aussitôt mon bain terminé…
- Tu comprends, j'aime quand tout est propre et bien rangé !

Le bain me fit du bien, j'y restai vingt bonnes minutes. Après avoir nettoyé la baignoire je filai dans la cuisine pour me faire une bonne tartine de confiture. Tout dans le frigo était rangé dans un ordre parfait. En bas les légumes, sur l'étagère au-dessus quelques yaourts, du fromage encore emballé, les restes de notre repas de la veille dans une boîte. Sur une autre étagère de la viande dans un Tupperware. Dans la porte du frigo quelques bouteilles, un pot de moutarde, un morceau de beurre dans son beurrier. Je pris un pot de confiture, me coupai une tranche de pain et m'assis à table devant une bonne tasse de café. Une fois mon petit goûter terminé je pris soin de tout nettoyer et ranger. Ni vu ni connu.

Mue par une certaine curiosité, je me mis à explorer cet appartement qui, je n'en doutais plus maintenant, allait me révéler bien des choses concernant le quotidien de ma sœur. Une fois dans sa chambre je découvris une pièce aussi bien rangée que le premier jour de mon arrivée. Dans son armoire tout était plié, rangé couleur par couleur. Même ses sous-vêtements, dans un grand tiroir étaient empilés les uns sur les autres. Chaussettes et collants placés dans une boîte dont elle avait ôté le couvercle.

Je n'en revenais pas. Ma sœur serait-elle devenue maniaque ? Comment en est-elle arrivée là ? Moi qui suis tout son contraire, il faudra que je fasse très attention pour ne pas la contrarier. Ce n'est pas gagné.

De retour dans ma chambre je m'allongeai sur le lit et m'endormis rapidement. Deux heures plus tard, Alizée n'était toujours pas rentrée. Cette petite sieste m'avait fait du bien. Je me sentais ragaillardie. Après un petit tour dans le frigo de la cuisine où je me servis un bon jus d'orange, je me dirigeai vers le salon, posai mon verre sur la table, et m'enfonçai avec un plaisir évident dans son canapé, un livre entre les mains, bercée par la musique d'un CD que j'avais trouvé dans un de ses meubles.

Je ne l'entendis pas revenir. Elle me surprit, allongée sur le canapé, ma tête posée sur un coussin et mes pieds dissimulés sous un plaid que j'avais déniché dans l'armoire de ma chambre.
Sa réaction a été immédiate.

- Mais enfin, Angie, tu ne peux pas rester assise tout simplement ? Ce canapé n'est pas fait pour y mettre ses pieds et encore moins y poser mon plaid dessus. Et ton verre, là sur la table ; tu aurais pu la protéger ! Il va y avoir des marques maintenant.

Son visage avait viré au rouge. Visiblement elle était en colère contre moi. Devant mon air étonné elle murmura :

- Euuuuuuh, je...je...je suis désolée, Angie.

- Mais enfin, qu'est-ce qu'il te prend ? Je ne l'ai pas sali ton canapé. Et puis, je passerai l'éponge sur la table. Il n'y a rien de grave. Que t'arrive-t-il ?

Elle se dandinait maintenant d'un pied sur l'autre, confuse, se tordant les doigts dans tous les sens.

- Écoute ! Je sais que cela peut paraître ridicule mais je tiens à mes petites habitudes. Tu comprends, jamais personne n'est venu passer plusieurs jours chez moi et je ne suis pas habituée qu'on chamboule mon intérieur.

- Mais je ne t'ai rien chamboulé. C'est vrai que j'ai pris un peu mes aises, mais je me sentais tellement bien. Si c'est trop difficile pour toi de me loger, je peux prendre une chambre d'hôtel. Ça ne me dérange pas du tout.

- Non Angie. Tu es mon invitée. Bon j'ai peut-être réagi un peu trop impulsivement mais je tiens à ce que tu restes ici. Je te prie de m'excuser.

Je voyais bien qu'elle était mal à l'aise. Qu'il y avait quelque chose qui la dérangeait, qu'elle ne savait plus quoi dire. Je me levai, lui pris les mains et l'invitai à s'asseoir près de moi.

- Raconte-moi Alizée, dis-moi ce qui se passe .

Mise en confiance, elle se ressaisit et accepta de me parler de cet étrange comportement.

- Comme je te l'ai déjà dit, je suis une psychothérapie depuis un an. Ce travail sur moi m'a permis de me remettre en question et corriger mes erreurs passées. Mais voilà, j'ai développé autre chose à mon insu. Je suis devenue maniaque. Je ne m'en étais pas rendu compte et c'est ma thérapeute qui a mis le doigt dessus lors d'une consultation où elle m'a sentie nerveuse, tendue. J'essayais de mettre le fauteuil dans une position qui me convenait mieux et j'ai dû me relever plusieurs fois avant d'être enfin satisfaite. C'est en me demandant pourquoi je faisais ça, que j'ai réalisé combien ces gestes, qui me paraissaient anodins, et ce besoin de tout vérifier, de placer les choses d'une certaine manière etc., étaient devenus une habitude. Je pense que cette façon de me comporter compense un besoin chez moi de me rassurer en permanence. J'ai dû abandonner énormément de choses de mon passé et il m'a fallu trouver autre chose qui puisse combler ce vide que je ressens très souvent. Elle m'a dit que mon cas n'était pas isolé et que c'était important d'en prendre conscience pour éviter que cela ne prenne une place considérable dans ma vie. Je sais que c'est stupide mais pour moi c'est important de vérifier en permanence que tout est en ordre, bien rangé pour que ça n'affecte pas mon mental. Seulement voilà, plus j'en prends conscience, plus je me sens mal à l'aise. Je ne peux pas m'en empêcher, c'est plus fort que moi. Quand je suis rentrée et que je t'ai vue affalée, vautrée, je n'ai pas pu me retenir. J'agis et je réfléchis ensuite et à ce moment-là je m'en veux de ne pas avoir réussi à me maîtriser. Les gens autour de moi ne s'en sont pas rendu compte, du moins je le pense et j'évite parfois certaines situations pour ne pas me retrouver prise au piège. S'il te plaît ne m'en veux pas. J'essaye de me contenir mais il y a des fois où ça m'échappe et là je ne me contrôle plus.

- Tu as bien fait de m'en parler. Je me doutais bien qu'il y avait quelque chose qui clochait. Je ne te reconnaissais pas mais j'étais loin de m'imaginer à quel point cela pouvait te perturber.

- Ce que j'appréhende le plus est qu'en me débarrassant de toutes mes manies, je ne développe autre chose que j'aurai encore plus de mal à gérer. J'ai énormément de travail à faire sur moi. Il me faut laisser tomber certains préjugés et arriver à me faire confiance. Je doute beaucoup de moi, de ce que j'étais, ce que je suis devenue et ce que je deviendrai. J'avance tout doucement mais sûrement, comme me le dit souvent ma psy. Tu sais, Angie, il ne faut pas te formaliser avec mes manies à partir du moment où elles ne gâchent pas notre entente. Ce sont mes démons à moi et je ne peux pas les combattre du jour au lendemain. Par contre, si jamais tu t'aperçois que je vais trop loin dis-le-moi. Je pense que tu peux m'aider à prendre conscience de certaines choses.

- Ok, je te pardonne. Et cependant je ne supporterai pas que cela puisse jeter une certaine mésentente et un malaise entre nous.

- Je suis d'accord avec toi.

Cette conversation a permis de resserrer encore plus les liens qui commençaient à nous unir. Alizée, rassurée est allée ranger ses courses puis est venue s'installer sur le canapé pour me montrer un album photo qu'elle avait récupéré chez nos parents contenant tous les souvenirs liés à notre enfance.

Vers 18h, ma sœur me demanda quelles étaient mes intentions pour la soirée. Elle avait envie de se rendre au vernissage de son amie et voulait savoir si je me sentais d'attaque pour l'accompagner. Je déclinai son offre, n'ayant aucun désir de me retrouver plongée dans un endroit plein de monde que je ne connaissais pas. On a donc décidé qu'elle irait y faire un tour et reviendrait vers 21h, pour que nous puissions réfléchir ensemble sur la réponse que nous avions promise de donner à papa dès le lendemain.

Dès qu'elle fut partie je commençai à m'interroger sur ce voyage et toutes les conséquences que cela pouvait entraîner. Les deux questions qui se posaient à moi étaient l'argent et les congés :

« J'ai des comptes à rendre à mon patron. Il m'a laissée partir sans discuter mais ça ne devait être que pour quelques jours. Ce qui me paraît être le plus plausible c'est de prendre un congé sabbatique. A-t-on un préavis à donner ? Et de combien ? Si on décide de partir il faudra le faire rapidement. Mais quand ? On ne peut pas laisser papa tout seul. Il a besoin de nous. Son état ne va pas aller en s'améliorant et on se doit de rester avec lui jusqu'au bout. De toute façon à quoi bon penser à prendre un congé sabbatique puisque je n'ai sûrement pas assez d'économies pour couvrir le voyage, les dépenses d'hôtels, de restaurants... Et puis, cela signifie aussi ne pas être payée car même si je fais un crédit comment le rembourser ? »

Je ne savais que faire. Je tournais en rond, incapable de trouver une solution. Il fallait se rendre à l'évidence on ne pouvait pas partir, c'était impensable. Dommage car cette idée d'aller au Mexique ne me déplaisait pas du tout et papa aurait pu partir heureux en sachant que ses filles allaient tout faire pour retrouver son fils.

A 21h, comme elle me l'avait dit, Alizée était revenue, enchantée de sa soirée, les yeux brillants de joie. Rapidement je lui ai fait part de mes réflexions et ma conclusion. Celle-ci me regardait en souriant.

- Bon Angie, écoute-moi j'ai quelque chose à te dire. Je t'ai un peu menti au sujet de ma soirée. En partant j'ai reçu un message de Steve me demandant de le rejoindre dans un bar pas loin d'ici. Tu comprends bien que je n'ai pas hésité. J'ai contacté mon amie pour lui dire que je ne viendrais pas, que tu étais souffrante et que je restais auprès de toi. Je suis donc allée le retrouver et j'en ai profité pour lui parler de mon désir de reconstruire quelque chose avec lui sur de nouvelles bases. A ma plus grande joie il m'a dit exactement la même chose. Il voulait me voir pour m'en parler. J'étais aux anges. Nous avons échangé notre premier baiser depuis notre rupture. Comme c'était bon. Il avait un goût de miel. Doux et profond à la fois.

Au bout d'un moment nous avons parlé de toi, de papa et je l'ai mis au courant de notre dernière conversation. Je lui ai tout raconté. Il a compris son besoin de réparer le passé et m'a demandé ce qu'on avait décidé. Je lui ai répondu qu'on devait en discuter ce soir et que ça restait très compliqué car bien sûr, une des plus grosses difficultés était le côté financier. Tu sais ce qu'il m'a proposé ? Il m'a proposé tout simplement de nous aider en participant aux frais de voyage, hôtels, restaurants. Il compte mettre à notre disposition tout l'argent dont nous pourrions avoir besoin. J'ai refusé, bien entendu, lui répondant que c'était trop délicat et que nous ne pourrions pas l'accepter. Il n'a rien voulu entendre, s'est montré très ferme.

C'est sa façon à lui de nous accompagner. Je lui ai dit que j'en discuterai avec toi avant de lui donner une réponse. Qu'en penses-tu ?

Je restais là, interdite, prise d'une envie irrésistible de crier de joie.

- Je ne sais pas quoi te dire. Sa proposition est énorme et je ne te cache pas que ça réglerait une bonne partie de nos problèmes. Mais c'est une grosse somme tout de même.

- Si je peux te rassurer de ce côté-là, il a toujours bien gagné sa vie et a beaucoup d'argent. C'est ce qui a contribué, en partie, à nous éloigner l'un de l'autre. Souviens-toi !

- Et toi qu'en penses-tu ?

- En revenant j'y ai longuement réfléchi et je pense que son désir le plus profond étant de nous aider il sait qu'en agissant ainsi il nous allège d'un énorme fardeau.

- De toute façon nous n'avons pas trop le choix si nous décidons de partir.

- Effectivement, je pense que le souci principal est d'avoir suffisamment d'argent pour nous payer le voyage et tous les autres frais. Propose-lui quand même de nous permettre de le rembourser d'une petite partie.

- Tu as raison. Comme ça on est quitte, sachant très bien qu'il va refuser. Mais je lui dirai que c'est notre condition.

- Ok. Alors on fait comme ça !

- Donc, si j'ai bien compris, demain on pourra dire à papa qu'on est d'accord pour partir à la recherche de Romain ?

- Oui Alizée, on est d'accord pour partir à la recherche de Romain.

Elle s'était levée, et, le visage radieux, des larmes plein les yeux, s'était mise à tournoyer dans le salon. Je la regardais amusée.

- Comme je suis contente Angie. Et papa, imagine sa joie quand on va le lui dire.

- On l'aura rendu heureux avant qu'il ne nous quitte définitivement. On lui doit bien ça.

Oui, on lui doit bien ça Comme je suis contente. D'ailleurs pour fêter l'événement on va s'ouvrir une bonne bouteille de champagne. J'en ai toujours dans mon frigo.

Sa joie faisait plaisir à voir. Moi-même je n'arrivais pas à réaliser qu'on allait partir ensemble, Alizée et moi. En définitive notre décision avait été prise sans même nous en rendre compte, la question du budget ayant été réglée. Pour le reste on s'en occuperait les jours suivants.

Tout à la joie d'avoir une bonne nouvelle à annoncer à papa, nous nous sommes branchées sur Internet pour partir à la découverte de ce pays lointain que nous ne connaissions pas du tout et avons passé une agréable soirée.

Le lendemain matin, sitôt arrivées à l'hôpital nous avons mis papa au courant de notre décision. Ses yeux s'étaient remplis de larmes, il nous regardait tour à tour, un grand sourire aux lèvres, ne cessant de nous remercier pour la joie immense que nous lui procurions. Une fois calmé, d'un ton joyeux, il nous déclara :

- J'avais oublié de vous dire une chose très importante qui va sûrement vous aider beaucoup. Alizée, ouvre le tiroir de l'armoire et prends la boîte en métal dans laquelle se trouve la lettre que m'a envoyée Romain ainsi que celle que je lui ai écrite. Il y a aussi une autre enveloppe avec de l'argent que j'avais commencé à mettre de côté pour entreprendre ce voyage. Prenez tout, l'argent aussi. Il vous sera certainement très utile.

Dans cette boîte se trouvait effectivement les deux lettres dont papa nous avait parlé ainsi que l'enveloppe qui contenait 6000 euros. Ce qui, effectivement allait bien nous arranger. Papa exultait, ravi de nous aider avec sa participation.

Assise sur le lit, je prenais connaissance de la lettre de Romain. En regardant l'enveloppe j'ai pu vérifier que le tampon indiquait bien Mérida, ce qui nous donnait une bonne indication. Papa ne s'était donc pas trompé. En en-tête du papier il y avait dessiné un oiseau avec le mot « birds », ce qui pouvait correspondre au nom de sa communauté et allait dans le même sens que les conclusions de papa. Nous avions ainsi, peut-être, un peu plus de précision sur l'endroit où pouvait se trouver notre frère.

Avec l'argent de papa et celui que Steve mettait à notre disposition le problème des finances était réglé. Il ne me restait plus maintenant qu'à réfléchir à la manière dont j'allais m'y prendre pour disposer de suffisamment de congés. Je n'en avais pas pris beaucoup cette année et il me restait environ trois bonnes semaines, en enlevant bien sûr les quelques jours que j'avais posés pour venir à Paris. Si nous restions auprès de papa le temps nécessaire avant d'entreprendre ce voyage, avec le peu de renseignements dont nous disposions, il m'en fallait davantage. J'optais donc pour le congé sans solde. Je m'étais renseignée. Je pouvais déjà demander un mois, ce qui me semblait un bon début. Je verrai au fur et à mesure. En espérant que mon patron me l'accorde bien entendu. Financièrement parlant je pouvais payer jusqu'à trois mois de loyer avec l'argent que j'avais pu mettre de côté.

Alizée avait fait les mêmes calculs que moi et pouvait, elle aussi demander un mois de congé sans trop de soucis.

Nos patrons respectifs ne nous ont fait aucune difficulté, comprenant tout à fait l'urgence de la situation.

Il ne nous restait plus qu'à peaufiner notre voyage et nous occuper de papa qui faiblissait de jour en jour. Il dormait, désormais, pratiquement toute la journée. Au moins il ne souffrait pas.

Un après-midi, en sortant de l'hôpital je demandais à Alizée si elle connaissait l'adresse de la maison de retraite où était maman. J'avais envie de la revoir et, peut-être, pouvoir discuter avec elle de tout ce que nous avions appris. Elle ne savait sûrement pas dans quel état était papa et on se devait de la mettre au courant. Alizée était tout à fait d'accord avec moi. Elle y avait pensé mais n'avait pas osé m'en parler par peur de ma réaction.

Nous sommes allées la voir dès le lendemain. Elle était dans une unité Alzheimer, ce qui nous laissait peu d'espoir de pouvoir discuter avec elle. Mais bon, on verrait.

Quel choc nous avons eu en la voyant ! A notre arrivée elle était assise dans la salle commune. C'était « après-midi loto » et elle essayait tant bien que mal de se concentrer sur les numéros qui étaient prononcés d'une voix audible et forte par la personne qui les sortait un à un d'un sac en toile. Nous avons eu beaucoup de mal à la reconnaître. Elle avait bien vieilli. La femme élancée, toujours bien apprêtée que nous avons connue avait disparu. Il ne restait plus qu'une petite grand-mère ridée, aux cheveux blancs coupés très courts, qui nous regardait comme si elle nous voyait pour la première fois. Elle ne nous a pas reconnues. Nos prénoms la laissèrent de marbre. Elle nous demanda si nous étions les nouvelles femmes de ménage qu'elle avait engagées pour nettoyer sa maison. L'infirmière nous confirma que maman, atteinte de la maladie d'Alzheimer, allait beaucoup moins bien depuis quelques temps. Ils étaient obligés de la maintenir dans la journée car, ne tenant pas sur ses jambes, elle se levait et tombait. Elle s'était cassé le col du fémur dernièrement et oubliait qu'elle devait éviter de marcher en dehors de la présence du kiné. La maladie avait fait son chemin et elle avait complètement perdu la mémoire, ne se souvenant plus de grand-chose.

Nous avons été très éprouvées de la voir ainsi. Elle ne se rappelait plus de sa famille, de son mari, de ses enfants. Elle vivait dans un monde où nous n'avions plus de place. Nous nous sommes senties orphelines, sans famille. Un père en fin de vie, une mère Alzheimer et un frère disparu au Mexique. Heureusement que nous nous étions retrouvées et rapprochées.

Papa s'éteignit tout doucement le premier jour du printemps, une semaine après mon arrivée dans la capitale.

Les recherches que nous avions commencées à faire pour retrouver Romain ne nous laissaient pas beaucoup d'espoir. Nous ne possédions que très peu

d'informations et nous n'avions trouvé aucune trace de cette communauté
« The Birds » sur Internet. De toute façon, nous ne pouvions plus faire marche arrière. Nous l'avions promis à papa et nous étions décidées à mettre tout en œuvre pour arriver à nos fins. C'était notre façon de lui rendre hommage une dernière fois.

Il restait une ombre au tableau et elle n'était pas des moindres. Je redoutais de me retrouver seule avec Alizée et ses manies dans un endroit inconnu qui pouvait majorer son comportement. Serais-je capable de la supporter ? Nous en avons discuté. Alizée craignait elle aussi que ça devienne trop compliqué pour elle. Elle allait essayer de faire des efforts et m'avait demandé de l'aider dans cette voie. Nous avons pris l'avion une quinzaine de jours après les obsèques de papa, le temps de mettre tous nos papiers et nos vaccins à jour. Nous sommes revenues voir maman mais son comportement n'avait pas changé.

C'était peine perdue, nous ne représentions plus rien pour elle. Nous avons laissé nos coordonnées téléphoniques à l'équipe soignante afin qu'elle puisse nous joindre au moindre problème. Nos billets d'avion étaient enfin réservés et nous étions prêtes à nous envoler à l'autre bout du monde. Tout compte fait ce voyage nous excitait beaucoup. Nous partions, Alizée et moi, vers l'inconnu et cela, d'ailleurs nous rapprocha énormément.

Chapitre 4

Sur les traces de Romain

> *" On ne va jamais aussi loin que lorsqu'on ne sait pas où l'on va."*
>
> Christophe COLOMB

    Notre avion a décollé tôt le matin pour arriver vers 19h (heure locale), à Mexico. Le décalage horaire en été est de sept heures. Arriver dans la capitale mexicaine à la tombée de la nuit a quelque chose de fantastique tellement cette ville est étendue et illuminée. A la descente de l'avion nous avons été plutôt surprises par la chaleur qu'il y faisait. Les taxis mexicains (essentiellement des Coccinelles) plus nombreux les uns que les autres sont repérables à leurs couleurs verte et blanche. Ces véhicules ne possédant pas de compteur, il est important de négocier le prix avec le chauffeur dès le départ. Alizée et moi restâmes ébahies une fois à l'intérieur, par leur côté magique. A leur bord, se trouvent de multiples trésors qui en disent long sur la vie de leur propriétaire. On dirait une vraie maison ! Un peu partout dans le véhicule on peut y voir des photos de leur famille, des amulettes, grigris, statuettes...

Le tout accroché sur les vitres ou collé sur le tableau de bord recouvert lui-même d'un genre de moquette à poils longs. Le Mexicain est très, très bavard, surtout quand il se retrouve avec deux jeunes filles, Françaises de surcroît. De toute façon on n'a pas compris grand-chose car, malgré quelques souvenirs de l'espagnol appris à l'école, il s'exprimait très vite et ponctuait ses phrases d'un petit rire, n'attendant même pas de réponse.

L'argent utilisé est le peso. Dix pesos équivalent environ à 0,60 euro, ce qui ne revient pas cher du tout pour les Français venus passer quelques semaines dans ce pays.

Arrivées à notre hôtel nous nous sommes empressées de nous changer et de nous rendre au restaurant afin de pouvoir manger quelque chose avant de nous coucher. J'ai goûté ce jour-là, le célèbre guacamole qui n'a rien à voir, bien entendu, avec notre version française. Ici le piment y est très présent, ce qui devient un plat pratiquement immangeable pour qui n'y est pas habitué.

A Paris, au moment de l'achat de nos billets d'avion, nous avions pris soin de réserver nos billets pour Mérida, là où est sensé se trouver notre frère.

Lors de notre recherche de documentations sur Internet pour mieux connaître ce pays, nous avons appris qu'il fallait, par exemple, faire très attention à la nourriture et éviter le plus possible les aliments, comme les entrées lavées avec l'eau du robinet, les jus de fruits frais qui comportent des risques pour les touristes (la célèbre turista). Il nous fallait donc prendre l'habitude, de ne boire que de l'eau gazeuse en bouteille.

Après une bonne nuit de sommeil et un bon petit déjeuner nous avons donc pris l'avion pour nous y rendre et sommes arrivées en milieu d'après-midi sous une chaleur étouffante.

L'hôtel que nous avons trouvé se situe dans une vieille maison dont les chambres sont organisées autour d'une cour, comme le plupart des habitations de cette ville d'ailleurs. Elles disposent d'un gros ventilateur au plafond, faute de climatisation, qui permet de passer des nuits relativement fraîches, le climat à cette époque de l'année, étant plutôt chaud et humide. Chaleur moite qui vous enveloppe dès le réveil pour ne plus vous quitter malgré le nombre incalculable de douches que vous prenez pour retrouver un peu de fraîcheur.

C'est là que les ennuis ont commencé. Sur le Guide du Routard que nous avions emporté avec nous il était spécifié d'éviter de laisser les lits contre les murs car, la nuit, les bestioles, type scorpions, pouvaient se glisser entre nos draps. Il était recommandé aussi de vérifier si des êtres indésirables ne s'étaient pas logés dans le lit avant de se coucher. La première nuit, je sentais Alizée nerveuse. Elle n'était pas du tout rassurée et hésitait à se coucher. Malgré la chaleur elle a tenu quand même à enfiler un pyjama, couverte de la tête aux pieds. Elle n'a pas pu fermer l'œil, trop apeurée à l'idée de sentir quelque chose lui grimper dessus. Tôt le lendemain matin elle s'était levée, lavée et habillée et m'attendait, assise sur une chaise.

- C'est affreux Angie, je ne sais pas comment je vais faire. Rien que de penser que je puisse me faire piquer pendant mon sommeil m'est insupportable. De plus, j'ai transpiré toute la nuit et je n'ai pas osé enlever mon pyjama.

Elle était toute pâle. L'expression de son regard trahissait une terreur indéfinissable. Nous n'étions qu'au tout début de notre voyage et je n'avais aucune proposition à lui faire.

- Et si on mettait les lits côte à côte pour que tu puisses dormir avec moi, ça te rassurerait ?
- Oui, tu as raison. Te savoir auprès de moi va sûrement me rassurer. On n'aura qu'à acheter une housse de drap pour lit à deux places, comme ça il n'y aura pas d'espace entre nous deux.
- Ok, on va s'en occuper.

Nous n'étions pas au bout de nos peines. La chaleur était insupportable aussi bien dedans, malgré le ventilateur, que dehors. Alizée passait son temps sous la douche, ne supportant pas cette moiteur qui la faisait transpirer en permanence. Il fallait trouver une solution, on ne pouvait pas rester indéfiniment dans notre chambre et Alizée passer son temps sous la douche. Autant rentrer tout de suite.

- Non Angie, nous ne sommes pas venues ici pour repartir aussitôt, d'autant plus que c'est à cause de moi si on en vient à se poser cette question. Nous avons fait une promesse à papa et je tiens à la tenir jusqu'au bout. Je vais faire des efforts. Ma psy m'a prescrit des anxiolytiques et je compte bien les prendre pour m'aider à me calmer un peu.

En effet, avec l'aide des médicaments Alizée a réussi à prendre un peu sur elle et être moins envahie par ses manies. Le fait de dormir ensemble lui a permis de passer des nuits plus calmes. Nous nous étions aussi habituées à la chaleur et le besoin de prendre constamment des douches nous était un peu passé. Nous avons passé plusieurs jours dans cette ville et appris à aimer cet endroit chargé d'histoire où les habitants, très chaleureux nous ont communiqué leur joie de vivre et « leur nonchalance ».

A la lecture du « Guide du Routard », nous avons appris que : *Mérida, la ville blanche, est la capitale du Yucatán près de l'épicentre du cratère de Chicxulub. C'est une ville de plus d'un million d'habitants qui possède un riche passé colonial. Fondée en 1542 à l'emplacement d'une ville maya disparue, son nom vient du fait que les bâtiments mayas évoquèrent aux yeux des conquistadors les édifices romains de la Mérida espagnole. Cette ville était décrite comme l'endroit où il y avait plus de maisons de millionnaires que n'importe quelle autre ville dans le monde. Beaucoup de ces maisons ont été restaurées et servent maintenant d'immeubles à bureaux pour les banques et les compagnies d'assurance. Mérida est l'un des plus grands centres historiques dans les Amériques. C'est en regardant un plan acheté dans un petit bureau de tabac que nous nous sommes rendues compte que les rues,* rectilignes, ne portent pas de noms mais des numéros : les impairs caractérisant celles qui vont du nord au sud et les pairs celles qui vont d'est en ouest. C'est un vaste damier formé de rues droites et de carrés parfaits de bâtisses. Le plus impressionnant, ce sont les fenêtres des maisons : Elles sont toutes munies de grilles.

C'est un peu surprenant au début mais on s'y fait très vite et on finit par ne plus les voir. Lors de nos visites, nous avons pu observer que la ville s'étend autour de la Plaza Mayor où se trouvent les bâtiments gouvernementaux et la cathédrale. Le Palais Municipal lui, occupe l'emplacement d'une ancienne pyramide.

Comment nous y prendre pour retrouver les traces de Romain ? Mérida est une ville beaucoup trop grande et tout se ressemble. Où aller, quel endroit privilégier ? De déductions en déductions nous avons opté, en premier lieu, pour les marchés. Les petites communautés doivent sûrement en tirer profit pour vendre leurs produits et ainsi subvenir à leurs besoins.

Nous avons été séduites par ces marchés mexicains. Ils sont vraiment pittoresques. On y trouve de tout. Les étals de fruits et légumes sont très riches en couleur et présentés de manière à vous donner envie d'y croquer dedans. Par exemple : les avocats. Ceux que nous consommons en France n'ont rien à voir avec ceux que nous découvrons ici. Ils sont très gros et conviennent tout à fait pour un repas de deux personnes. Et le goût ! Exquis ! Très parfumé avec un arrière-goût prononcé de noisette. Les étals de viandes et poissons n'ont pas suscité le même engouement de notre part, étalés çà et là, en pleine chaleur. C'est très grisant de se promener dans ces marchés qui jouent à la fois le rôle de spectacle, de diversion et de lieu de rencontre. J'avais flashé sur une sculpture tout en bois (un dieu sculpté à la main) et m'apprêtais à l'acheter sans sourciller quand le vendeur se mit à faire de grands gestes avec ses bras en me montrant les billets. J'étais désemparée, ne comprenant pas ce qu'il me voulait. Alizée le regardait d'un air tout aussi interrogateur que moi. Un touriste qui s'était arrêté au même stand nous donna enfin une explication :

- Il attend tout simplement que vous marchandiez le prix avec lui. Ça fait partie d'un rite ! Si vous ne vous y pliez pas et payez sans discuter il ne va pas comprendre.Vous le mettrez de mauvaise humeur car il va vivre ça comme du dédain de votre part.

Pratique vraiment bizarre que nous avons eue du mal à mettre en place. Mais après avoir vu le sourire illuminer leur visage à la fin de nos différentes transactions, nous n'avons plus hésité une seconde et y avons même pris goût. Ces marchés sont aussi le royaume de l'artisanat. Toutes sortes d'objets foisonnent sur les étalages : bijoux, faïences, articles de cuir, d'étain, de verre, de céramique, jouets, masques…

C'est tellement magique de déambuler dans les allées, à la recherche de l'article qui nous aurait échappé. Nous avions oublié le pourquoi de notre présence dans ce pays tellement nous nous amusions. Même Alizée ne pensait plus à ses soucis de santé. Nous sommes restées longuement à contempler les Mexicaines de tous âges, cheveux d'ébène tressés en deux longues nattes, visages burinés par le soleil, qui tissent, assises sur des tabourets ou à même le sol, des tapis de toutes dimensions aux couleurs très vives. Les enfants aussi s'occupent à confectionner des bracelets en coton en utilisant leurs mains et leurs pieds. Ils font une boucle autour de l'orteil qui va leur servir de support et façonnent ainsi leurs objets avec une rapidité impressionnante.

Nous avons voulu prendre des photos pour immortaliser ces moments mais avons été confrontées au refus de ces femmes et enfants qui tournaient rapidement la tête, refusant de se laisser photographier. Plus tard, alors que nous étions assises à la table d'un restaurant, nous avons vu arriver ces enfants, bracelets accrochés à un cintre, essayant de vendre le fruit de leur production. Bien entendu, comme beaucoup d'autres, nous avons « craqué » et en avons acheté plusieurs. Ils ont la particularité d'être des bracelets « porte-bonheur » : Vous les mettez autour de votre poignet en faisant un vœu et vous attendez qu'ils tombent tout seul pour que celui-ci soit exaucé. Enfin, c'est ce que nous ont expliqué tant bien que mal les vendeurs. Le problème est qu'une fois nos achats faits, d'autres enfants sont apparus. Ils voulaient eux aussi tenter leur chance. Nous étions envahies et avons été obligées de leur faire comprendre que nous ne pouvions pas tout leur acheter. Ce fut un moment très pénible car nous avions bien compris que beaucoup de Mexicains vivent ainsi afin de pouvoir manger au quotidien. Depuis, nous avons évité de leur acheter quoi que ce soit pour ne plus nous retrouver dans cette situation si délicate.

Nous avons erré plusieurs jours dans ces marchés espérant trouver quelque chose nous permettant de nous mettre sur une piste dans le but de retrouver notre frère. Mais rien. Il y avait, bien sûr, différentes communautés présentes mais aucune qui puisse nous intéresser. Il faut dire que la barrière de la langue y est pour beaucoup. Les quelques mots d'espagnol appris à l'école ne nous étaient pas d'une grande utilité.

Cela faisait maintenant quatre jours que nous étions à Mérida et nous n'avions pas avancé d'un pouce. Pas le moindre petit indice. Que faire ? Où aller ? Étions-nous au bon endroit ? Où nous renseigner ?
- Je suis désespérée, Angie, nous avons fait tout ce chemin pour quoi ? Nous n'avons pas suffisamment d'informations pour avoir le moindre petit espoir de le retrouver.
- Nous nous sommes lancées dans cette aventure sans trop réfléchir et maintenant nous voilà bredouilles.
- C'est vrai, tu as raison. Nous ne pouvons pas nous raccrocher à grand-chose. Moi aussi je ne sais plus quoi faire.
- Écoute, tant pis, on laisse tomber. On aura essayé mais je crois qu'il faut se rendre à l'évidence. Cette histoire est insensée.
- Tu veux rentrer alors ? Déjà ? Cela ne fait que quatre jours que nous sommes ici. Donnons-nous un peu plus de temps.
- Oui mais c'est plutôt désespérant tu ne trouves pas ? Et puis c'est très inconfortable pour moi cette chaleur, les chambres ne sont pas très propres et je dois faire constamment attention à tout ce qui nous entoure. Je fais des efforts tu sais mais j'ai beaucoup de mal à me surveiller pour ne pas me laisser envahir par toutes mes conduites d'évitement chaque fois que nous allons quelque part. J'ai toujours peur de ne pas pouvoir faire face aux situations imprévisibles.

- Effectivement je vois bien que tu as du mal parfois à te contrôler mais j'ai pris l'habitude de tes manies et j'arrive à faire avec et j'évite d'en rajouter quand je sens que tu ne peux pas faire autrement. Mais de là à tout abandonner. Tu sais ce qu'on va faire ? Puisque nous avons fait ce voyage et que nous ne savons plus comment nous y prendre je vais te proposer quelque chose. Nous sommes peut-être parties sur une mauvaise piste en nous cantonnant uniquement aux marchés. On va laisser tomber, faire un break et profiter de notre venue dans ce pays pour visiter les alentours. Qui sait, on ne sait jamais, le hasard d'une rencontre. Et puis, peut-être aurons nous d'autres idées de recherche ?

- Alors tu serais d'avis de rester encore un peu et de profiter aussi de ces vacances ? Au fond, pourquoi pas ? Qu'as-tu à nous proposer ?

- Nous avons un plan de la région, ainsi que le Guide du Routard. Regardons d'un peu plus près ce que nous pourrions faire les jours à venir.

Sitôt dit, sitôt fait, nous avons étalé notre plan sur le lit et ouvert le Guide.

- Regarde, nous sommes dans le Yucatán, pas loin de la mer des Caraïbes. Ce serait dommage de repartir sans avoir piqué un plongeon. Et puis il y a aussi de nombreux sites à visiter. Les sites Mayas d'Uxmal, de Chichén Itzá.

- C'est vrai, tu as raison. Plutôt que de rester là à nous morfondre, partons à la découverte de ces endroits et profitons de ces moments tout simplement.

- Alors, voyons, voyons. Pour se rendre sur les sites, possibilité de réserver le bus. Allons faire notre réservation et prendre nos billets.

Ainsi fut fait. Le lendemain matin nous étions à la gare des bus de Mérida, en short et tee-shirt, munies de bonnes chaussures de marche, sac à dos, appareil photos, comme de vraies touristes, prêtes à visiter les anciennes cités Mayas, Chichén Itzá aujourd'hui et Uxmal demain.

Prendre le bus au Mexique, reste quelque chose de très pittoresque. Il faut savoir que le Mexicain « a le temps ». Le bus arrivera c'est sûr, mais impossible de définir l'heure. Il ne faut surtout pas être pressé.
Les routes secondaires sont très étroites et souvent bordées de ravins que le car suit de très près. Combien de fois avons-nous serré les dents lorsque celui-ci avait juste la place pour passer, priant pour qu'un autre véhicule n'arrive pas en face.
Tant qu'il y a des gens sur la route qui attendent son passage, le chauffeur s'arrêtera et on peut facilement se retrouver entassés tout au fond du bus, à trois sur un siège ou tout simplement sur la galerie. Le premier voyage que nous avons fait dans ces conditions n'a pas du tout été simple pour Alizée. Le fait d'être serrés sur les banquettes, en contact étroit avec les Mexicains, bruyants, sentant la sueur, dans la chaleur étouffante du bus, a été une dure épreuve pour elle. Elle se contorsionnait sur son siège, très mal à l'aise, faisant de multiples vérifications pour arriver à calmer son anxiété. Il n'y a pas de clim et le trajet est plutôt long, d'autant plus qu'à chaque arrêt, les paysans montent pour essayer de vendre des fruits ou des légumes. Malgré cet inconfort vécu lors de nos déplacements, ces trajets m'ont permis de me retrouver confrontée à la vraie vie du peuple Mexicain et j'ai pu y découvrir des êtres

gentils, serviables, qui prennent la vie comme elle vient sans le stress que nous vivons dans notre vie quotidienne. Le confort de nos villes n'a plus d'importance dans ces lointaines contrées.

Arrivées à destination, nous restons admiratives devant la beauté de ce site. Perdues au milieu de nulle part, les pyramides se dressent sous un soleil de plomb. C'est quand même fabuleux de savoir qu'elles ont été construites depuis tant d'années sans avoir être altérées. Elles sont vraiment majestueuses. La pyramide du « Castillo » que nous grimpons à même des escaliers façonnés dans la pierre est époustouflante de par sa symétrie et sa perfection. Elle est d'ailleurs dédiée à un grand dieu mexicain : Quetzalcóatl.

Afin de mieux comprendre la culture de ce peuple nous nous sommes renseignées sur son histoire : *Chichén Itzá était une ville sacrée où l'on venait en pèlerinage de toute l'Amérique Centrale. Parmi les divinités honorées figure le dieu de la pluie « Le Chac ». L'adoration du peuple envers lui dépassait l'imagination. Toute l'architecture de cette région en est imprégnée, telle une ardente prière sans cesse répétée. Le sous-sol de la péninsule est parcouru de rivières, formant des cénotes (puits naturels, témoins de la bénédiction divine). Les Mayas construisirent donc leurs villes à proximité de ces orifices magiques. Le cénote devint le centre des cérémonies religieuses. Vers lui se dirigeaient les processions. Contre ses parois lisses étaient précipités les jeunes des deux sexes, lors des sacrifices, munis de bijoux précieux.*

Nous avons tout visité, les cénotes sacrés, les jeux de paumes, le temple des guerriers et le groupe des mille colonnes, la cour des religieuses et le Chac Mool (personnage en pierre représentant la divinité qui participait à un rite cruel : le cercle de pierre sur son ventre servait de plat pour recueillir les offrandes de pulque (boisson fermentée tirée de l'agave) ou du sang humain.

Partout, dans ce site, nous pouvons voir des frises, façades, escaliers qui témoignent de la présence du dieu de la pluie.

Site grandiose, qui semble avoir poussé là, au milieu de la nature et dont les ruines sont évocatrices de toute cette vie lointaine qui fait partie de notre histoire à tous.

Nous sommes rentrées épuisées par la chaleur, le trajet, les escalades mais ravies de notre journée au cours de laquelle nous avons oublié la vraie raison de notre présence dans ce pays.

Uxmal, que nous avons visité le lendemain comporte tout autant d'édifices identiques à ceux de Chichén Itzá. Sur ce site nous avons escaladé (ou plutôt, j'ai escaladé) la Pyramide du Devin, une des seules dont l'ascension se révèle assez pittoresque car les escaliers étant très raides nous sommes obligés d'accéder en haut de cet édifice à l'aide d'une chaîne accrochée sur toute sa longueur. La descente se fait aussi de la même manière. Je suis montée tout en haut, toute seule, Alizée n'ayant pas voulu m'accompagner. Rien que le fait d'y penser a provoqué chez elle un moment de panique qu'elle n'est pas arrivée à gérer. Dommage qu'elle ne soit pas venue avec moi. La vue, une fois en haut de la pyramide est vraiment à vous couper le souffle et la façon dont on accède au sommet est impressionnante et inoubliable. Quelle belle et étrange sensation vertigineuse de se retrouver tout en haut. Seule au monde. Face à la beauté de la nature.

La descente a été un peu plus ardue car il faut faire très attention où l'on met les pieds et bien se tenir à la chaîne. D'ailleurs Alizée n'a pas hésité à me faire part de son inquiétude quand elle m'a vue redescendre :

- Tu es folle Angie ! Quand j'ai vu ta tête, je t'assure que j'ai pris peur. Je me voyais déjà t'amener à l'hôpital. Ne me refais jamais ça.

Sa réaction m'a beaucoup amusée mais je fus tout de même touchée par les sentiments qui l'ont animée à ce moment-là et, pour la remercier de sa sollicitude, je l'embrassai tendrement.

Sur le trajet du retour nous avons discuté avec un jeune Mexicain, se débrouillant très bien dans la langue française. Il nous avait repérées et avait pris soin de se mettre à côté de nous dans le bus. Il se prénomme Tonio. De taille moyenne, cheveux bruns coupés très courts, yeux noirs très expressifs, une barbe naissante sur le menton. Il a rapidement engagé la conversation et proposé de nous servir de guide. Nous avons vite été séduites par sa gentillesse et sa spontanéité. Nous avons ainsi fait plus ample connaissance avec Mérida, ses monuments, dont le Palais Municipal, énorme bâtisse d'un étage, percée d'arcades aux murs recouverts de peintures d'artistes yucatèques. Le palais du Gouverneur avec de grandes salles où figurent de gigantesques fresques murales de Fernando Castro Pacheco qui représentent les faits marquants de l'invasion du Yucatán par les conquistadors, l'esclavagisme des Mayas et la destruction de leur culture, au nom de la religion. Tonio nous a beaucoup appris sur l'histoire de son pays. Leur culture, leurs croyances, leurs habitudes. Il en parle avec beaucoup d'admiration et de respect. C'est un guide génial et son prochain voyage étant la France nous lui avons promis d'être ses guides à notre tour.

C'est en parlant des raisons de notre venue à Mérida qu'il nous apprit qu'au marché artisanal situé dans un grand bâtiment où se vendent exclusivement des objets, des produits naturels, selon le jour de la semaine, des communautés y louent un petit emplacement. Si nous voulions avoir une chance de trouver celle que nous cherchions, c'était là qu'il fallait aller. Nous avons donc convenu avec lui de se retrouver dès le lendemain afin qu'il nous y accompagne pour nous servir d'interprète !

A 9h30 nous étions sur place, sous une chaleur étouffante et dans un brouhaha incessant. Nous avions tellement envie de trouver enfin ce que nous cherchions que, contrairement aux premiers jours de notre arrivée, nous n'avons pas pris le temps de flâner parmi les différents stands pour admirer toutes ces réalisations artisanales. Nous reviendrons y faire un tour, c'est promis.

Après de multiples détours, alors que, de guerre lasse, nous étions prêtes à repartir, Tonio attira notre attention vers un petit étal un peu en retrait que nous n'avions pas aperçu en arrivant. Nous nous sommes approchées. Un sigle, le même que nous avions vu sur la lettre de Romain, était dessiné sur un écriteau posé au milieu de la table. Nous n'en croyions pas nos yeux.

 Était-il possible d'avoir enfin trouvé ce que nous cherchions ? Alizée me regardait, un sourire rayonnant sur ses lèvres. Tonio était déjà entré en relation avec le jeune qui tenait le stand.

 - Bonjour, vous êtes bien de la communauté des Birds ?

 - Oui, effectivement. Vous avez déjà entendu parler de nous ? Vous recherchez quelque chose de précis ?

 - Eh bien, en fait, j'accompagne ces deux jeunes femmes françaises qui sont à la recherche de leur frère Romain qui ferait partie de votre communauté depuis quelques années déjà.

 - Romain ? Vous dites Romain ? Non, je ne vois pas. Vous dites qu'elles sont à sa recherche ? Que c'est leur frère ? Et depuis quand le recherchent-elles ?

 - C'est une trop longue histoire. Elles sont au Mexique depuis une bonne semaine et sont venues uniquement pour le retrouver. Elles viennent de Paris où leur frère les a quittées il y a maintenant une quinzaine d'années, pour venir vivre ici. La seule chose qu'elles savent c'est qu'il vit dans une communauté dans cette ville.

 - Vous dites qu'il les a quittées il y a quinze ans et maintenant elles le recherchent ? Après tout ce temps ? Elles doivent avoir de bonnes raisons pour venir jusqu'ici.

 - Elles ne sont pas venues pour le ramener à Paris, seulement pour le revoir et lui remettre une lettre de leur père à qui elles ont fait la promesse, avant qu'il ne quitte cette terre, qu'elles le retrouveraient pour la lui donner.

- Alors, si c'est pour aller au bout d'une promesse faite à leur vieux père, je ne puis que m'incliner. Mais franchement, Romain, je ne connais pas. A quoi il ressemble ce Romain ?

Au fur et à mesure qu'ils parlaient, Tonio nous traduisait leur conversation.

- Alizée, Angie, vous avez une photo de votre frère ?

- Justement nous en avons amené une, au cas où. C'était avant qu'il ne s'en aille. Elle est peut-être un peu trop vieille.

C'était la seule que nous avions. Romain devait avoir dans les 18 ans. Il avait dû bien changer depuis mais nous n'en avions pas trouvé de plus récente.

- Ce visage me dit quelque chose. Vous savez, je ne suis ici que depuis cinq ans, je ne connais pas tout le monde. Allez voir le mec là-bas, avec les rastas et le tee-shirt bariolé. C'est le plus ancien de la bande. Il s'appelle Paco. Il en saura sûrement un peu plus que moi.

Paco n'eut pas besoin de regarder longtemps la photo. Rapidement il s'exclama :

- Bien sûr que je le connais ! Même avec quelques années de plus on le reconnaît bien. Mais il ne s'appelle pas Romain. Son prénom est Hervé.

Devant les yeux étonnés de Tonio nous avons tout de suite compris qu'il se passait une chose à laquelle nous n'avions sûrement pas pensé.

- La personne sur la photo n'est pas Romain mais Hervé.

- Hervé ? Pourquoi Hervé ? Aurait-il changé de nom ?

- Ça arrive souvent vous savez. J'en ai vu des jeunes arriver ici, des jeunes paumés qui veulent changer d'existence, vivre près de la nature, loin de la société. Ils changent souvent d'identité pour qu'on ne les retrouve pas et pouvoir ainsi rentrer vraiment dans la peau d'un autre personnage.

- Quoi qu'il en soit, êtes-vous sûr que c'est lui ?

- Sûr, je ne sais pas. On n'est jamais sûr de rien. En tout cas si ce n'est pas lui, il lui ressemble beaucoup. Au fait, est-ce qu'il est gaucher ou droitier ?

- Votre frère, il est gaucher ou droitier

- Gaucher. D'ailleurs il portait en permanence, à l'index, un anneau en argent avec un serpent gravé dessus.

- Tout juste. Alors là, les filles, je crois que nous parlons de la même personne.

Tonio était ravi. Apparemment on avait enfin trouvé où vivait Romain. Quel bonheur !

- Par contre, là, tout se complique car d'après Paco, votre frère, Romain, Hervé, eh bien, il n'est plus là.

- Il n'est plus là ? Et depuis quand ? Où est-il allé ?

- Il se propose de nous expliquer mais pas ici. Êtes-vous d'accord pour qu'on le retrouve dans une petite heure, là-bas, au bar d'en face ? Il faut d'abord qu'il s'occupe de ses clients et qu'il trouve quelqu'un pour le remplacer.

Cette heure nous parut interminable. Enfin Paco nous rejoignit et nous nous sommes retrouvés tous les quatre attablés au bar devant une bouteille d'eau minérale pour Alizée et moi, une bière pour Tonio et un café pour Paco. La conversation se déroulait en espagnol et nous devions attendre que Paco ait fini de parler pour que Tonio puisse nous faire la traduction en français.

- C'est moi qui ai accueilli Hervé à son arrivée il y a de cela une dizaine d'années. Il était plutôt mal en point. Très fatigué. Nous l'avons accueilli et, une fois bien reposé il s'est rapidement mis au travail, très gentil avec tout le monde. On voyait bien tout de même que quelque chose n'allait pas.

- Les années passant, il s'isolait de plus en plus, devenant facilement irritable. Il communiquait de moins en moins avec nous. Il a même disparu une semaine entière ! On ne savait pas où il était. Il est revenu, hirsute, avec un comportement étrange, nous disant être espionné par des caméras, faire partie de la CIA et avoir besoin de se cacher. Nous avons bien essayé de le rassurer mais rien n'y faisait. Il nous prenait à tour de rôle pour ses ennemis. Devant son état nous avons dû le faire hospitaliser en psychiatrie. Cela fait maintenant deux ans qu'il est parti. Nous ne l'avons jamais revu. Il n'a plus jamais donné de ses nouvelles.

- En psychiatrie ? Mais pourquoi en psychiatrie ? Ça fait deux ans qu'il est parti ? Il ne doit plus y être ? Il a dû sortir depuis deux ans ? Il doit vivre quelque part ? Peut-être même qu'il est retourné à Paris ? Vous n'avez aucune nouvelle de lui ? Depuis deux ans ?

- Oui, j'ignore ce qu'il est devenu. Au début nous sommes allés lui rendre visite mais nous avons dû abandonner, le psychiatre nous expliquant que le fait de nous revoir réactivait ses angoisses et que nous étions devenus ses persécuteurs. Voilà c'est tout ce que je peux vous dire le concernant.

Maintenant que nous avions réussi à le localiser on apprend qu'il n'est plus là. Nous étions désespérées. Tous ces kilomètres pour nous entendre dire qu'il n'est plus là. Et comment le retrouver ? Par où commencer ?

- A quel endroit a-t-il été hospitalisé ?
- A Mexico ! Je peux vous donner l'adresse si vous voulez.
- Oui, pourquoi pas ? C'est peut-être par-là d'ailleurs qu'il faut commencer ? Sa piste s'arrête à l'hôpital. C'est notre dernière chance.

Après avoir réfléchi quelques secondes Paco se tourna vers Tonio et lui fit la proposition suivante.

- Nous allons faire mieux que ça ! Mexico n'est pas la porte d'à côté, et puis, ne sachant comment les aider, je peux essayer de téléphoner à l'hôpital pour savoir où il est vraiment d'autant plus que ce n'est pas toujours facile de se faire comprendre quand on ne parle pas la même langue.

- Paco se propose de téléphoner dans le service où votre frère a été hospitalisé pour savoir s'il y est toujours. Qu'en pensez-vous ?

- Mais oui, c'est une bonne idée. S'il peut téléphoner pour en savoir davantage. Cela nous évitera sûrement bien des désagréments. Mais accepteront-ils de lui donner des infos par téléphone ?

- Il va essayer. Il leur avait laissé ses coordonnées au cas où.

Une fois que Tonio fit part de notre réponse à Paco, celui-ci nous proposa de revenir avec lui vers son stand où il avait laissé son téléphone portable.

Le numéro trouvé et composé, il attendit que quelqu'un décroche. Nous étions suspendues à ses lèvres, espérant qu'il ait une réponse qui puisse nous renseigner. Il parla longtemps. On se doutait bien, à sa voix et ses gestes que la partie n'était pas gagnée. Généralement les soignants ne donnent pas de renseignements comme ça, au premier venu et surtout pas par téléphone. Enfin il raccrocha, un sourire aux lèvres.

- Bon, eh bien, je crois que j'ai bien fait de les contacter. Au moins on est fixé maintenant. J'ai eu du mal à avoir les infos mais une fois que je leur ai expliqué la situation ils ont été d'accord pour me renseigner. Romain est resté hospitalisé un bon moment et, une fois qu'il a été stabilisé ils ont décidé de le rapatrier en France, plus exactement à L'hôpital Saint-Anne à Paris. Mais malheureusement il a disparu. Lors d'une permission de sortie de quelques heures il en a profité pour s'échapper et n'est pas revenu dans le service où il était suivi. Étant en Placement Libre, personne n'est allé à sa recherche. Il y a quelques mois il a été ramené à l'hôpital par le SAMU, au plus mal. Ils ne l'ont pas gardé longtemps et l'ont transféré à l'hôpital Sainte-Anne à Paris au mois de juillet de cette année.

- Non, ce n'est pas possible ! On a fait tout ce chemin pour rien alors ? Nous partons de Paris pour aller le retrouver au Mexique alors que lui a déjà quitté Mexico et est à Paris ! Ce n'est vraiment pas de chance. Si on avait su, il aurait même pu voir papa avant qu'il ne meure.

- Nous ne pouvions pas penser à tout ça, Alizée ! Nous n'étions même pas certaines de le retrouver. Comment aurions-nous pu nous imaginer qu'il fallait chercher ailleurs ? Ce n'était pas possible. Estimons-nous heureuses d'avoir rencontré Tonio et Paco aussi facilement alors que les éléments que nous possédions étaient bien minces.

- C'est vrai, dans le fond, tu as raison. En tout cas, grâce à Romain nous avons entrepris ce voyage et je ne suis pas fâchée d'avoir fait connaissance avec ce pays. Il ne nous reste plus qu'à rentrer maintenant et prendre contact avec l'hôpital Sainte-Anne.

- Tu veux rentrer tout de suite Alizée ? Il nous reste encore quelques endroits à visiter. Nous avions prévu d'aller du côté des Caraïbes et passer un peu de temps à Mexico avant de reprendre l'avion. Nous n'aurons sûrement plus l'occasion de revenir au Mexique, alors, vu les circonstances, je te propose de faire ce que nous avions prévu avant de retourner en France. Nous nous occuperons de notre frère quand nous serons rentrées. Plus rien ne presse maintenant. Il est en France, à l'hôpital et on s'occupe de lui. Qu'en penses-tu ?

- Ta proposition est fort séduisante et j'avoue que j'ai bien envie de me ranger de ton côté. Mais sais-tu ce qui me fait hésiter ? J'ai tellement hâte de revenir chez moi, retrouver mes habitudes.

- Écoute, il nous reste peu de jours avant de partir et ce serait tellement dommage de ne pas aller au bout de notre voyage. Connaître un peu mieux ce pays merveilleux qui abrite tellement de trésors.

- Ok je vais faire encore un petit effort. Après tout on a bben mérité nos vacances non. Tonio, remercie Paco, s'il te plaît pour tout ce qu'il a fait. Il nous a vraiment aidées et c'était très gentil de sa part.

- Y a pas d'quoi les filles. Profitez bien de notre pays, vous avez raison, il est fascinant.

Je pourrais être intarissable sur tout ce que nous avons pu découvrir au cours de notre voyage, toutes les petites anecdotes qui ont jalonné notre périple, mais là n'étant pas l'objet de mon récit je me contenterais de citer quelques monuments, visites, qui nous ont le plus marquées, en espérant vous donner l'envie, qui sait, de partir vous aussi à la découverte de ce magnifique pays.

Comme nous l'avions prévu, nous sommes allées faire un tour du côté de Cancún (site touristique le plus important de la région), qui longe la mer des Caraïbes. Cette ville ne nous a pas vraiment séduites : beaucoup trop touristique à notre goût. Nous avons préféré séjourner deux jours vers le site de Tulum qui a la particularité de surplomber la mer. Site fabuleux avec des vues magnifiques sur les Caraïbes.

L'hôtel que nous avions retenu était situé « au milieu de nulle part », en bout de route. Une bâtisse en rez-de-chaussée avec plusieurs chambres et, en face, un autre bâtiment tenant lieu de restaurant. C'est dans cet endroit précisément qu'Alizée a fait une crise d'angoisse qui a mis nos nerfs à rude épreuve .

Vous est-il déjà arrivé d'être réveillé, la nuit, par le coassement de crapauds ou de grenouilles ? Eh bien je peux vous dire que c'est assez lugubre tout en étant très impressionnant. Enfin pour moi. Alizée, quant à elle, n'a pas du tout apprécié « ce chant » et a voulu qu'on laisse la lumière allumée toute la nuit. Elle n'a d'ailleurs pas fermé l'œil.

Il a plu sans interruption et, au petit matin, quelle ne fut pas notre surprise, en ouvrant la porte de notre chambre, de nous retrouver les pieds dans l'eau jusqu'aux chevilles, avec toujours le coassement des crapauds. Le petit déjeuner se faisait mérite. Malheureusement, traverser cette étendue d'eau, n'était pas du tout du goût de ma sœur. Elle refusa tout net de sortir. Terrorisée ! Je ne l'avais jamais vue dans un tel état de panique. Même les comprimés qu'elle prenait régulièrement ne lui ont été d'aucun secours. Elle hurlait tout en m'accusant d'être la responsable de ce qui lui arrivait. Elle avait été d'accord pour me suivre et je l'avais embarquée dans une situation qu'elle ne maîtrisait plus du tout. Elle en avait marre de moi, de mes idées saugrenues et regrettait de s'être lancée dans cette aventure. J'étais médusée. En un rien de temps je retrouvais l'Alizée que j'avais hélas trop connue. Je ne pouvais pas la laisser me parler comme ça. Je n'étais responsable de rien ! Je suis allée déjeuner toute seule, la laissant avec sa colère. Une fois revenue dans la chambre elle s'était calmée et je la retrouvai assoupie sur le lit.

Enfin réconciliées nous sommes allées nous baigner dans la mer. C'était magique. Un moment sublime. Nous étions seules sur une plage de sable blanc s'étendant à perte de vue. Nous nous serions crues au Paradis. Cette eau limpide, d'un bleu cristallin, aussi chaude que l'air ambiant. Quel bonheur. Nous nous sommes amusées comme des enfants, courant dans l'eau, nous faisant des croche-pattes, nous aspergeant, riant. Une tendre complicité nous unissait. Nous partagions un moment intense que rien ni personne n'aurait pu nous enlever. J'aurais voulu que cet instant se prolonge encore longtemps. Continuer à partager cette joie de vivre était une occasion unique, merveilleuse en présence de ma sœur. Je regardais Alizée d'un air tellement attendrie qu'elle s'approcha de moi, me prit dans ses bras et, comme si elle répondait à mes questions me gratifia d'un gros baiser sur le front accompagné de ces quelques mots :

- On est bien là toutes les deux, à des milliers de kilomètres de chez nous. Tu te rends compte de tous ces petits moments dont nous nous sommes privés par bêtise ? Je suis tellement contente que nous nous soyons retrouvées et que nous puissions être là, ensemble, sur cette plage, près de cette eau si belle, si limpide, ce calme, cette douceur de vivre. Je t'aime tant Angie ! Tu as bien fait d'insister pour rester encore un peu. On ne pouvait pas quitter ce pays sans venir dans cet endroit féerique.

Après notre petite escapade dans le Nord du Mexique, nous sommes revenues sur Mexico afin de pouvoir visiter un peu la capitale avant notre retour en France. Nous avions décidé d'y rester deux jours.

La ville de Mexico jouit d'un climat printanier presque toute l'année même si les nuits sont froides et les matins encore frais. La température peut monter de vingt degrés de l'aube à midi.

Il y a tant de choses à voir dans cette ville que nous avons dû faire des choix. Un endroit toutefois incontournable est le Zocalo, vaste place qui attire des foules de provinciaux et de touristes. Il fait bon s'y promener, prendre le temps de s'asseoir sur un banc et regarder les gens qui s'activent autour de vous.

Nous nous y sommes rendues le soir, avant la tombée de la nuit, pour profiter de la fraîcheur de la fin de journée, à l'ombre des arbres. On peut y retrouver des mères de famille avec leurs enfants, des personnes plus âgées alanguies sur un banc ou discutant avec leurs voisins, de jeunes amoureux qui ne se quittent pas du regard, absents à toute cette agitation autour d'eux. Bref, c'est le cœur de la ville, le moment où les Mexicains sortent, se retrouvent. Tout d'un coup, cette place plutôt calme dans la journée, s'anime de rires, de cris d'enfants, de discussions en tout genre. Il y a beaucoup de monde. Les cireurs de chaussures en profitent pour attirer les touristes venus de partout en leur proposant, moyennant une somme modique, leurs services. Nous avons eu tout le temps de les observer. Ils se promènent, leur tabouret d'une main et la boîte à cirage de l'autre et, en quelques minutes, les chaussures sont cirées, brillantes, avec seulement un peu de produit et beaucoup
« d'huile de coude ».

    La tour Latino-Américaine dont nous avons gravi les 180 mètres dans un ascenseur panoramique nous a permis, 42 étages plus haut, de contempler tout Mexico avec sa vallée et, comme toile de fond les deux grands volcans enneigés du Popocatépetl et de l'Iztaccihuatl. La vue est époustouflante ! Nous sommes restées un long moment à contempler le paysage qui se dressait devant nous. Mexico est une ville très étendue. Ces montagnes enneigées, tout au fond sont majestueuses. On se croirait devant un immense tableau coloré.

    Cette tour est considérée comme l'édifice le plus élevé du monde. Estimation logique si l'on pense que la capitale du Mexique est située à une altitude de 2240 mètres !

Avant de quitter Mexico nous sommes allées visiter le Palais des Beaux-Arts, œuvre magnifique dessinée par un architecte italien, construite tout en marbre de Carrare et décorée de sculptures de bronze. Édifice somptueux qui fait la fierté des Mexicains. Et pour cause. Fait marquant : le poids de l'ensemble est tel que depuis la fin des travaux, il y a plus de soixante ans, il n'a cessé de s'enfoncer dans le sol marécageux.

Après une dizaine de jours passés au Mexique nous avons repris l'avion direction Paris où nous attendaient encore bien des difficultés. Il fallait maintenant retrouver la trace de Romain et se rendre à l'hôpital psychiatrique où il avait été interné. S'il y était toujours.

Nous garderons des souvenirs inoubliables de ce lieu magique, plein de beauté et de richesse. Les Mexicains sont très hospitaliers. Ils prennent le temps de vivre. J'ai vraiment été séduite et j'espère bien y revenir et qui sait, peut-être m'y installer. C'est donc avec beaucoup de tristesse que nous avons quitté ce pays enchanteur. Même Alizée qui s'est retrouvée bien souvent en difficultés m'avoua avoir le cœur serré à l'idée de revenir en France.

Chapitre 5

Au-delà de toute raison

*" La maladie mentale est une incapacité
à s'ajuster, dans des limites raisonnables,
à des règles tacites en perpétuelle évolution.*"

Milos FORMAN

Nous avons atterri à Paris de bon matin, sous un beau soleil, ravies d'avoir passé ensemble ces quelques jours au Mexique. Aussitôt arrivées chez Alizée nous avons contacté l'hôpital Sainte-Anne afin d'obtenir un rendez-vous avec le psychiatre qui s'occupe de Romain. Nous devons le rencontrer demain à 14h30. Fatiguées par le décalage horaire nous avons passé la journée à flâner dans l'appartement de ma sœur.

C'est seulement maintenant, alors que nous allons en savoir un peu plus sur notre frère, que nous prenons conscience de cette douloureuse réalité. Notre frère est fou ! Il est à l'hôpital psychiatrique parce qu'il est fou. Comment en arrive-t-on à ce stade-là ? Pourquoi lui ?

Demain nous connaîtrons la vérité. Nous saurons enfin de quoi souffre Romain.

N'empêche que la perspective de ce rendez-vous nous plonge dans un état où se mêlent à la fois de la curiosité et de la peur. Une peur immense de revoir Romain après toutes ces années.

Allons-nous le reconnaître ? Et lui se souviendra-t-il de nous ? Et puis, dans quel état va-t-on le trouver ? Shooté, comme la plupart de ces malades, pouvant à peine parler, les yeux perdus dans le vague, nous parlant dans un langage incompréhensible ? Fait-il partie des personnes que l'on considère comme dangereuses ? Depuis le temps qu'il est hospitalisé il doit être bien malade quand même. Peut-être est-il tout simplement incurable et ne pourra-t-il plus revivre dans un monde normal ?

Que de questions qui se bousculent dans nos têtes ce soir-là, assises devant nos assiettes de lasagnes faites maison.

Oui, nous avons la trouille ! La trouille aussi de rencontrer ce psychiatre. A quoi ressemble-t-il ? Que va-t-il nous dire, nous apprendre ? Va-t-il accuser nos parents d'être responsables de sa maladie ? Va-t-il nous écouter, nous comprendre ou nous parler comme si, nous aussi étions malades ?

Et puis, les infirmiers. Peut-on leur faire confiance ? S'occupent-ils bien de lui ? Le comprennent-ils ? Ne sont-ils pas trop violents avec lui ?

Tout cet univers qui nous échappe, que nous ne connaissons pas, nous plonge dans un sentiment étrange mêlé d'incrédulité et de désarroi.

La psychiatrie ! On n'en entend pas beaucoup parler si ce n'est quand un patient a commis l'irréparable. Qui connaît la psychiatrie à part les personnes qui y travaillent et celles qui y sont soignées ?

L'hôpital ! Tout le monde a été un jour ou l'autre dans un hôpital ou une clinique pour un petit bobo, une opération ou tout simplement pour rendre visite à quelqu'un.

L'hôpital psychiatrique, on n'y va pas comme ça, ou si on y va on évite d'en parler car on ne parle pas d'une hospitalisation en psychiatrie !

On oublie cet univers qui ne fait pas partie de la *normalité*. Ce sont les oubliés de la société. C'est un espace clos, à l'abri des regards. Il y a tout un passé, toute une histoire qui véhicule des idées plutôt négatives autour de cette maladie de l'âme, de la tête. Bien sûr, la société a évolué, la prise en charge de la maladie a évolué elle aussi, les traitements sont mieux tolérés et puis on ne dit plus « l'asile » mais « l'hôpital psychiatrique ». Les personnes soignées souffrent de multiples maux, qui, si ce lieu n'existait pas, ne sauraient comment apaiser leur souffrance.

La psychiatrie ! Monde à part dont nous ne pouvons même pas soupçonner à quoi il correspond vraiment ! Beaucoup d'idées reçues sont associées à cet univers où se concentrent beaucoup de mal être, de douleur.

Nous avions allumé la télévision pour nous changer les idées mais nos pensées revenaient sans cesse à ce rendez-vous de 14h30.

Après une nuit assez agitée et un bon petit déjeuner nous nous sommes rendues au marché du coin prendre un bain de foule et nous acheter de quoi manger pour midi.

14H30. Jour J. Heure H. Nous voilà devant ce grand bâtiment sans trop savoir vers quoi nous allons et ce que nous allons y trouver.

L'hôpital Sainte-Anne, situé dans le 14ème arrondissement de Paris se présente comme une ville dans la ville. Nous accédons à l'entrée principale par un porche qui nous amène devant une grande bâtisse assez austère avec de multiples fenêtres, au milieu d'un grand parc. Romain se trouve au secteur 15. Heureusement de petits panneaux nous indiquent l'endroit où nous devons nous rendre. Nous avançons lentement, tous nos sens en alerte, envahies par une certaine appréhension.

A notre arrivée, l'accueil est plutôt chaleureux. On nous indique le service dans lequel nous avons rendez-vous. Les patients que nous croisons sur notre passage se promènent seuls ou accompagnés de soignants et nous dévisagent, se demandant sûrement qui nous sommes et à qui nous venons rendre visite. Les soignants eux tiennent dans leurs mains un trousseau de clés qui serviront à ouvrir et fermer les différentes portes menant aux endroits où ils doivent se rendre.

Ces portes qui se referment derrière vous sur un monde secret auquel vous ne pouvez avoir accès, les clés qui tintent, les patients qui errent dans les couloirs, ces hommes, ces femmes qui vous interpellent en vous répétant inlassablement la même chose. Toutes ces personnes qui se déplacent lentement, sans but précis, se mettent à courir puis s'arrêtent semblant chercher autour d'eux, perdus. Toutes ces personnes, résument à elles seules, d'après moi, l'univers psychiatrique.

L'infirmière qui nous accueille arbore un grand sourire qui se veut rassurant. Elle nous demande de patienter un moment et nous amène dans une salle d'attente.

Ma première confrontation avec cette maladie a été plutôt déstabilisante. Je découvrais une forme de misère, de souffrance et d'abandon dont je n'avais jamais soupçonné l'existence. Tous ces patients, assis, les uns à côté des autres devant une télévision allumée qu'ils ne regardent, pour la plupart, même pas ! Certains ont des regards absents, hagards alors qu'au contraire d'autres sont perçants, inquisiteurs. Certains jouent aux cartes entre eux ou en présence des soignants, d'autres lisent, d'autres encore discutent.

Alizée non plus ne semble pas très rassurée. Elle se tient près de moi, se tordant les mains. Je vois bien qu'elle est mal à l'aise et, en sœur attentive, je lui prends le bras en le mettant sous le mien pour qu'elle puisse se donner une bonne contenance.

Afin de détendre l'atmosphère je me penche vers elle et, d'un air mi-amusé, mi-sérieux, lui murmure tout bas :

- Appuie-toi sur moi pour qu'on ne voie pas ton trouble sinon ils vont penser que tu viens te faire hospitaliser.

Ce à quoi elle me répondit par un regard appuyé qui en disait long sur ce qu'elle pensait de mes paroles. En souriant, je l'assurai que ce n'était qu'une boutade visant à nous détendre toutes les deux.

En regardant autour de moi, je me fis la réflexion sur la difficulté que peuvent ressentir les infirmiers à travailler dans cet endroit quand on sait combien la maladie mentale peut, quand elle apparaît dans un cercle familial, faire exploser cette cellule dans laquelle on se croyait à l'abri, protégé contre ce qui ne peut s'expliquer mais qui laisse des marques profondes à jamais indélébiles. Certains patients sont là depuis des années, sans aucun espoir d'un ailleurs, parce qu'ils représentent un danger pour eux-mêmes ou pour les autres ou qu'ils n'ont pas d'endroit où aller, leurs familles ayant renoncé depuis longtemps. Pourtant, dans cet univers clos, ils se sentent bien, à l'abri d'eux-mêmes et des autres.

Enfin le Docteur Filippo apparaît, nous tendant une main très chaleureuse. Pas du tout le genre de personne à laquelle nous nous attendions mais plutôt un homme d'une quarantaine d'années, grand, brun, visage rond souligné d'une fine moustache, et portant une paire de lunettes rondes de couleur grise.

La pièce dans laquelle nous pénétrons se compose d'un mobilier assez sommaire : trois fauteuils, un bureau, une armoire et plusieurs tableaux représentant des paysages, accrochés sur les murs de couleur crème qui donnent à cet endroit une impression de douceur et d'apaisement. Ce qui, d'ailleurs, a permis de nous détendre un peu.

Le docteur nous met de suite à l'aise en nous exprimant son contentement de rencontrer des membres de la famille de Romain. Il nous assure avoir pris toutes ses dispositions afin de nous accorder le temps nécessaire pour nous expliquer la situation et répondre à toutes les questions que nous pourrions lui poser.

- Romain est arrivé à Sainte-Anne, rapatrié de l'hôpital de Mexico et accompagné par des infirmiers du service où il était hospitalisé. A son arrivée il présentait un délire que nous avons mis du temps à faire céder. Nous avions peu d'éléments auxquels nous raccrocher. Il ne parlait jamais de sa famille ni de comment il avait vécu auparavant, si ce n'est les quelques renseignements fournis par ses amis lors de sa première hospitalisation à Mexico.
- De quoi souffre-t-il au juste Docteur ? Que lui est-il arrivé ?
- Votre frère, mesdames, souffre d'une maladie appelée
« schizophrénie ».
- Schizophrénie ? Cette maladie dont on entend autant parler ? Romain serait schizophrène ? Mais, pourquoi Romain ? C'est quoi au juste cette maladie Docteur ?
- Avant de vous expliquer j'aurais besoin de vous poser certaines questions car vous seules pouvez me

donner des indications sur l'enfance, l'adolescence de Romain. Je pourrai ainsi vous dire de manière plus précise ce dont souffre votre frère sans rentrer dans des généralités qui risquent de vous embrouiller. Parlez-moi de lui, quels sont les souvenirs que vous avez de lui ? Comment était-il ?

Alizée me fit signe de répondre :

- Romain a toujours été très secret. C'est vrai que des fois il avait un comportement bizarre. Maman n'a jamais voulu le faire examiner. Elle pensait que ça passerait, qu'il fallait le laisser tranquille.

Alizée ajouta :

- Nous n'avons pas beaucoup de souvenirs de lui. Il parlait peu, ne s'amusait pas beaucoup avec nous. Il passait le plus clair de son temps dans sa chambre à écouter de la musique. Il avait d'ailleurs très peu d'amis.

- C'est vrai, ce que tu dis, Alizée. L'école ne lui plaisait pas du tout, et il s'est très vite retrouvé en échec scolaire. Adolescent, il faisait l'école buissonnière.

Alizée avait repris la parole :

- A la maison il lui arrivait de se montrer agressif, irascible. On avait toujours l'impression qu'il était ailleurs. Il ne s'est jamais comporté avec nous comme un frère. C'était presque un étranger pour nous.

- Je te laisse la parole, Angie.

- Quand Romain est parti de la maison on ne savait pas du tout où il était allé. Il est parti comme ça, du jour au lendemain. Maman pensait qu'il allait revenir mais elle a bien dû se rendre à l'évidence qu'elle ne le reverrait plus. Elle ne s'en est d'ailleurs jamais remise. Quand papa s'est retrouvé hospitalisé (il est décédé il y a un mois et demi d'un cancer de la prostate), il nous a appris que Romain lui avait envoyé une lettre six mois après son départ, lui disant qu'il était dans une communauté au Mexique et qu'il avait trouvé un endroit où enfin on le comprenait et l'écoutait.

Je fis une pause, pour reprendre mon souffle, je regardai Alizée fixement. Elle comprit instantanément qu'elle devait parler :

- Par la même occasion il nous a révélé que Romain était notre demi-frère, maman étant enceinte quand ils se sont rencontrés. Papa s'en est toujours voulu de ne pas avoir su s'occuper de lui comme il aurait dû le faire. Avant de mourir il nous a demandé de partir à sa recherche et lui remettre la lettre qu'il lui avait écrite dans laquelle il lui faisait part du secret de sa naissance et de tous les regrets qu'il nourrissait à son égard. Voilà Docteur !

Avant que le docteur ne réagisse à nos propos, j'ajoutai :

- Nous avons retrouvé la communauté dans laquelle il vivait et nous voici aujourd'hui devant vous pour enfin le revoir et lui remettre l'enveloppe de papa.

Un silence d'immense respect du docteur envers nous se fit.

- Je vois, en effet, que les souvenirs liés à votre frère sont peu nombreux.

- Je vais cependant, au vu des éléments que vous m'avez donnés, vous expliquer plus précisément la maladie de Romain.

« La schizophrénie est une maladie mentale qui rentre dans le cadre de la psychose et est caractérisée par la désintégration de la personnalité et la perte du contact avec la réalité ». Le début peut se manifester de différentes manières. Dans ce cas précis elle semble s'être installée au moment de l'adolescence où vous avez pu percevoir un frère absent, secret, renfermé, songeur, qui avait décroché sur le plan scolaire. Tous ces signes sont souvent minimisés par l'entourage qui pense qu'il est en pleine crise de l'adolescence. Il se montrait plutôt froid, indifférent, sans élan affectif, s'isolant de plus en plus et abandonnant ses investissements extérieurs. Pas d'amis, irascible, hostile quand il se trouvait au sein de sa propre famille. Ce qu'il faut savoir c'est qu'à ce moment-là, l'adolescent qu'il est se met à lutter instinctivement contre la dépersonnalisation qui le menace. Il va s'attacher alors à une idée, un concept religieux, un idéal politique, un système philosophique autour duquel il va tenter de se rassembler. Avez-vous eu connaissance qu'il fumait et plus particulièrement du cannabis, ou autre ?

Alizée me fit signe de la tête, de répondre.

- Romain fumait énormément. Maman d'ailleurs se mettait souvent en colère quand elle rentrait dans sa chambre, la plupart du temps très enfumée. Elle avait tenté plus d'une fois d'en parler avec lui mais il se mettait à rire et lui répondait que ça ne la regardait pas et qu'elle n'avait pas à faire intrusion dans son univers sans son autorisation. Quant à fumer du cannabis ?

- Sachez en tout cas que cette substance précipite les sujets fragiles vers cette maladie mentale, et une consommation excessive peut les faire basculer plus vite. D'après ce qu'on a su, votre frère fumait beaucoup de cannabis, marijuana. Il aurait même pris des champignons hallucinogènes, ce qui a sûrement majoré son délire et ses hallucinations. Pour lutter contre cet envahissement, ce mal-être, il a fugué, peut-être dans l'espoir qu'ailleurs il irait mieux. Il a trouvé cette communauté dans laquelle il s'est installé. Petit à petit, la maladie évoluant, il a commencé à avoir des hallucinations auditives sous formes de voix imaginaires souvent étranges ou persécutrices accompagnées d'un délire où il pensait que les personnes qui le regardaient, ou le croisaient dans la rue, étaient là pour l'espionner, le surveiller, le persécuter. Convaincu qu'on peut lire dans ses pensées, d'où la sensation que ses camarades lui voulaient du mal, le surveillaient. Au vu de ce comportement étrange, voire même dangereux, ceux-ci l'ont fait hospitaliser à Mexico.

J'interrompis soudain le psychiatre :

- Mais, Docteur, ça fait longtemps maintenant qu'il est à l'hôpital. Pourquoi est-ce que c'est si long ?

- Le propre de cette maladie c'est que la personne est tellement ancrée dans son délire qu'elle est persuadée que ce sont les autres qui vont mal et que c'est elle qui détient la vérité d'où la difficulté à se soigner et se prendre en charge. Elle est incapable de critiquer tout ce qu'elle peut voir ou entendre et a donc beaucoup de mal à adhérer à son traitement. C'est ce qui s'est passé à Mexico. Romain, comme la plupart des patients avait pris l'habitude de recracher ses comprimés sans que les soignants n'y prennent garde, d'où la difficulté à le stabiliser.

- Prend-il son traitement ?

- Il va beaucoup mieux. Il est toujours hospitalisé car encore très fragile. Depuis peu il se rend plusieurs fois par semaine en hôpital de jour où il s'occupe d'animaux, il apprend à jardiner. Il s'y plaît énormément et rentre toujours enchanté. Nous projetons, s'il continue à s'améliorer de la sorte, de lui trouver un appartement afin qu'il puisse reprendre contact avec le monde extérieur.

Je balbutiai :
- Mais, est-il capable de vivre en appartement ?

Le fait de vivre seul ne veut pas dire qu'on ne s'occupera plus de lui. Au contraire, nous continuerons à le suivre afin qu'il puisse se sentir entouré et épaulé. En espérant que le fait de se retrouver seul ne le fasse pas retomber dans la prise de cannabis ou autre. C'est notre plus grosse crainte.

- Mais, Docteur, est-ce qu'il va guérir ?
- Je ne suis pas en mesure de pouvoir répondre à votre question. Ce qui est certain c'est que pour l'instant, votre frère a besoin de son traitement et de façon régulière. La thérapeutique a bien évolué en ce qui concerne cette maladie. Le seul inconvénient reste dans la prise régulière de ces médicaments qui est vécue comme une contrainte pour beaucoup. La personne souffrant de schizophrénie va, à un moment donné, penser qu'elle est guérie et donc qu'elle n'a plus besoin de se soigner. Elle ne peut comprendre que si elle va mieux c'est grâce au traitement et que si elle l'arrête elle risque fort de replonger dans la maladie. Pour pallier ce problème de prise quotidienne de comprimés, nous proposons souvent une injection à faire environ tous les quinze jours en moyenne sans prise d'aucun autre médicament. Nous gardons, par la même occasion, un œil sur le patient car ces injections se font ou chez lui ou dans des services adaptés où il vient en consultation et où il bénéficie d'un suivi régulier avec les infirmiers et les psychiatres ou psychologues. Je vous aurais bien proposé de le voir mais, lorsqu'il se rend sur l'hôpital de jour, il ne revient dans le service que vers 18h. Je peux

donc vous proposer de venir plutôt samedi en début d'après-midi afin d'être certaines de le rencontrer.

J'étais enthousiaste et je déclamai :

- Pas de problème pour samedi.

Alizée surenchérit :

- Vous allez lui faire part de notre venue et de notre prochaine visite ?

- Bien entendu ! Il sera prévenu afin qu'il y soit préparé et qu'il puisse prendre ses dispositions.

- En tout cas, merci Docteur pour tout ce que vous faites pour lui et toutes les explications que vous avez pu nous donner sur sa maladie. Maintenant nous sommes plus en mesure de comprendre ce qui, pour nous, était de l'ordre de l'inexplicable. A samedi donc.

- Ravi d'avoir fait votre connaissance. Surtout n'hésitez pas à me demander si vous avez la moindre difficulté concernant votre frère ou besoin davantage de précisions. De toute façon les infirmiers du service sont là aussi pour vous aider et vous aiguiller si besoin.

Les explications du docteur Filippo nous avait permis de mieux cerner la personnalité de Romain. Ça restait tout de même déchirant de savoir notre frère atteint d'une maladie mentale qui, à nos yeux, était une maladie très grave et incurable. Heureusement que papa ne l'a jamais su. Il se serait senti doublement coupable.

Une fois sorties de l'enceinte de l'hôpital nous sommes rentrées chez Alizée, pressées de prendre une bonne douche et nous familiariser ainsi avec tout ce que nous avions pu voir et entendre aujourd'hui. Pour une fois, moi aussi j'avais besoin de me savonner et sentir l'eau couler sur moi. « Me laver » en quelque sorte, comme le faisait si souvent Alizée.

Nous étions jeudi et il nous restait deux jours avant de revoir ce frère que nous ne connaissions pas beaucoup en fait. Et lui, se souvient-il de nous ? A-t-il envie, lui, de nous voir ? Il n'a jamais parlé de sa famille. Nous n'existons peut-être pas pour lui ? Le fait de réapparaître dans sa vie va peut-être le déstabiliser à nouveau ? Non ! Le docteur nous l'aurait dit s'il pouvait y avoir une quelconque crainte.

    Ce soir-là nous avons décidé d'aller manger dans une bodega à la mode où l'on déguste des tapas tout en dansant. Steve nous y rejoignit, invité par Alizée. Cela faisait bien longtemps que nous ne nous étions pas amusées comme ça. Nous avions besoin de nous évader, penser à autre chose. Le fait d'être allées à l'hôpital, avoir parlé de Romain, notre enfance avait amené beaucoup de nostalgie, de tristesse et nous éprouvions une envie de souffler un peu, rire et nous détendre. Nous avons mangé, bu et dansé toute la nuit. Nous nous sommes fait draguer bien entendu. Enfin plutôt moi, Alizée étant accompagnée.

    J'avais oublié combien c'est agréable de sentir que je puisse plaire et qu'il ne suffirait de presque rien pour ramener un homme dans mon lit. D'ailleurs, si l'occasion se présentait, je pense que je me laisserais tenter. Mais l'occasion ne s'est pas présentée. J'étais peut-être devenue trop vieille et exigeante car je trouvais toujours des raisons pour que la personne ne me convienne pas, au grand désespoir de ma sœur. Quoi qu'il en soit nous avons passé une super soirée et sommes rentrées vers 5h du matin sacrément éméchées mais ravies.

Alizée, bien sûr, avait saisi l'occasion pour inviter Steve dormir chez elle, ce qu'il n'a pas refusé.

Le lendemain, Steve rentré chez lui, et après avoir flemmardé une bonne partie de la journée, nous sommes retournées voir maman. Hélas rien n'avait changé. Elle ne nous a même pas regardées.

Le samedi nous nous sommes rendues à l'hôpital comme convenu. A notre arrivée, une infirmière vint nous informer que Romain avait disparu. Il n'était pas rentré au service hier soir comme il le faisait habituellement. Ils n'avaient aucune nouvelle.

- Vous l'aviez prévenu de notre visite aujourd'hui ?

- Oui. Nous l'avons mis au courant le soir même de votre venue. Il semblait plutôt plutôt content de vous revoir. Il nous a dit qu'il croyait que vous l'aviez oublié ! On ne comprend pas ce qui a pu se passer. Il allait beaucoup mieux et nous avions même commencé à diminuer le traitement actuel en vue de le mettre sous injection. Nous sommes désolés. Nous ne savons que vous dire. Il n'a jamais disparu comme ça. D'ici dimanche soir peut-être sera-t-il revenu ? L'embêtant c'est que, sans traitement pendant plusieurs jours, il risque d'être à nouveau déstabilisé et ainsi décompenser.

Alizée répartit immédiatement :

- Que faites vous dans ces cas-là ? Vous partez à sa recherche ?

- On a refait tout le trajet qu'il fait chaque jour sans succès ! Malheureusement il est majeur et en service libre. Nous n'avons aucun moyen de le faire revenir. Nous ne pouvons engager des recherches.

Laissez-nous vos coordonnées pour que l'on puisse vous contacter quand il reviendra.

Pourquoi Romain est-il parti alors que nous sommes si près du but ? Est-ce sa façon de nous faire comprendre qu'il ne désire pas nous revoir ? Peut-être qu'il ne veut plus entendre parler de sa famille ?
Nous ne savions comment interpréter sa fuite. Et s'il ne revient plus, comment allons-nous pouvoir lui remettre la lettre que papa nous a confiée ? Nous sommes parties au Mexique pour le retrouver et nous voilà à Paris avec cet espoir de le revoir enfin, mais non, encore une fois il nous échappe.

Mon congé touchait à sa fin et j'allais devoir rentrer à Toulouse, bredouille. Une chose certaine cependant, est que j'ai trouvé une sœur, la seule personne qu'il me reste de ma famille et ça, c'est devenu capital pour moi surtout que je ne m'y attendais vraiment pas.
Dès les jours suivants, Alizée et moi-même, en avons profité pour reprendre contact avec mes amis que je n'avais plus revus depuis mon départ. Certains étaient partis vivre ailleurs. D'autres s'étaient mariés. Les quelques personnes que j'ai retrouvées avaient bien changé. Tout comme moi d'ailleurs. Le charme était rompu. Nous étions tous passés à autre chose et ce qui nous avait réunis un temps, nous séparait maintenant. Plus rien ne me retenait dans cette ville où j'avais passé toute mon enfance. Même Alizée, qui n'avait jamais été aussi proche de moi, se préparait à entamer une nouvelle vie avec l'homme qu'elle avait toujours aimé et qu'elle avait retrouvé.

Cela faisait une semaine que nous étions allées voir Romain, quand un après-midi, le téléphone d'Alizée se mit à sonner. C'était l'hôpital. Romain était réapparu le matin-même amené par les pompiers. Il avait été retrouvé, errant dans un quartier de la ville, complètement délirant, interpellant toutes les personnes qu'il rencontrait en leur parlant dans un langage incompréhensible avec un comportement étrange et inadapté. Il avait été admis en hospitalisation d'office car il refusait de suivre les pompiers et troublait l'ordre public. Tout le travail qui avait été fait avec lui en amont était réduit à néant. Il fallait tout recommencer. Apparemment il avait retouché au cannabis et peut-être même plus selon les dires du personnel soignant. Pour l'instant on ne pouvait lui rendre visite. Il fallait attendre que son état s'améliore. De toute façon, l'hospitalisation d'office ne lui permettait pas d'avoir la visite de qui que ce soit pendant un temps déterminé. Cela pouvait prendre quelques semaines.

  Il fallait que je rentre sur Toulouse, pour reprendre mon travail.

  Nous avons convenu avec les infirmiers que nous leur remettrions la lettre de papa afin qu'ils puissent la donner à Romain quand ils le jugeraient utile et qu'il serait prêt à faire face à ces révélations. Nous les avons assurés que nous nous tenions à leur disposition au cas où Romain émettrait le désir de nous revoir.

  Alizée devait, en fin de semaine, partir vivre chez Steve. Elle avait repris son travail et, tout heureuse de se remettre en ménage, n'avait plus beaucoup de temps à me consacrer. Elle m'accompagna à la gare et me fit jurer de ne plus nous perdre de vue et prendre le temps de nous retrouver régulièrement. Elle comptait d'ailleurs venir me rendre visite avec Steve d'ici la fin du mois.

  Eh voilà, j'étais montée sur Paris pour assister aux derniers instants de papa, retrouver une maman qui ne nous reconnaissait plus, partir avec Alizée au Mexique à la recherche d'un frère qui, en définitive était un demi-frère, et qui, chaque fois que nous étions sur le point de le revoir, nous échappait. Qui sait, un jour peut-être, aurons-nous la chance de nous retrouver tous les trois ?

Chapitre 6

L'implacable vérité

*" L'amnésie est dans certains cas psychologique .
Elle représente la meilleure fuite qui soit.
On fuit, en oubliant ce qui faisait mal."*

Michelle GUERIN
<u>Le ruban de Moebius</u>

Voilà, Docteur, vous savez tout maintenant.
- Hum ! Je vois. Savez-vous, Angie, pourquoi vous êtes ici ? Et depuis combien de temps ?
- Non. Je ne sais pas. Je suis à l'hôpital, c'est ça ?

- Effectivement, vous êtes à l'hôpital Sainte-Anne depuis quelques semaines. Vous souvenez-vous des circonstances de votre venue ici ?

- Non, je sais pas. Je sais rien. Je n'y comprends rien.

- C'est une bien longue histoire. Êtes-vous prête à entendre tout ce que j'ai à vous dire ?

- Ce que vous avez à me dire ? Mais... Pourquoi ?

- Tout d'abord, je tiens à vous dire que cette discussion, nous l'avons eue plusieurs fois déjà. Votre vie, vous me l'avez déjà racontée. Chaque fois que nous avons eu un entretien tous les deux, quand j'ai essayé de vous dire ce qui va suivre, vous n'avez jamais accepté d'entendre quoi que ce soit et vous finissiez par vous mettre en colère, me disant que tout ça n'était que mensonge, que je n'étais là que pour vous faire du mal et que vous étiez victime d'un complot. Aujourd'hui cependant, je me rends compte qu'effectivement vous êtes prête à entendre la vérité. Depuis quelques jours votre comportement a changé et c'est vous qui avez demandé que l'on se rencontre aujourd'hui.

- Oui c'est vrai. Je... j'ai demandé à vous voir. Je suis perdue. Je comprends rien...

- Bien, je tiens à vous dire que ce que vous allez entendre maintenant risque de vous blesser et vous laisser encore plus dans l'incertitude et l'incompréhension la plus totale. Mais, si vous voulez comprendre et reconstituer les pièces manquantes de votre vie, vous devez en passer par là.

- Bon, si vous le dites. Oui je veux savoir. Je n'arrive pas à mettre de l'ordre dans ma tête. Je ne sais pas ce que je fais ici et pourquoi je suis venue. Je ne sais même pas qui je suis !

- Il y a exactement un mois vous avez eu un grave accident de la route.

- Un accident de la route ? Comment ? Où ? Pourquoi je ne m'en rappelle pas ?

- Nous ne connaissons pas les circonstances de cet accident. L'automobiliste qui vous suivait vous a vue quitter subitement la route et vous encastrer contre un arbre après avoir fait plusieurs tonneaux. Vous avez été éjectée, ce qui vous a d'ailleurs sauvé la vie, votre voiture prenant feu. Les secours sont arrivés rapidement grâce à la présence d'esprit du seul témoin de cet accident. Vous êtes restée trois jours dans le coma. Pas de fractures, juste quelques ecchymoses. Au bout de ces trois jours, lors de votre réveil vous avez été incapable de nous dire qui vous étiez. La seule chose dont vous sembliez être vraiment certaine était votre prénom : Angie ! Tous vos papiers ont brûlé et donc nous n'avons pas pu vérifier votre identité. Vous avez été admise rapidement dans notre unité afin de pouvoir vous suivre de plus près en espérant qu'un jour enfin, la mémoire vous revienne.

- Mes papiers, ma voiture ? Ils ont brûlé ? Je suis restée dans le coma ? Trois jours ? J'ai perdu la mémoire ? Mais non, je viens de vous raconter toute ma vie. Je ne peux pas faire mieux.

- Eh oui, Angie, vous avez perdu la mémoire et je peux comprendre ce vide que vous pouvez ressentir. Aussi nous sommes là pour vous aider du mieux possible à retrouver votre passé. Depuis votre admission dans notre service vous nous avez raconté, petit à petit, tout ce que fut votre vie jusqu'à ce jour, nous affirmant avoir recouvré la mémoire. Personne ne vous ayant jamais réclamée, nous avons commencé à nous poser beaucoup de questions. Pourquoi, malgré toutes les personnes dont vous nous parliez, aucune ne s'est jamais manifestée ? Nous nous sommes donc permis de diffuser votre photo par le biais de la télévision demandant à tous ceux pouvant vous reconnaître, de nous contacter. Il y a quinze jours environ, un homme est venu se présenter nous disant vous avoir bien connue et nous donner ainsi tous les renseignements dont nous avions besoin. Vous l'avez d'ailleurs rencontré mais, hélas, vous ne vous souveniez pas de lui. Ce qui va suivre, risque d'être très douloureux pour vous ! Désirez-vous vraiment que l'on continue ?

- Mais... mais... c'est quoi tout ça ? Bien sur que je veux continuer. Je ne comprends pas trop tout ce que vous me dites et pourquoi ça va être douloureux.

- Cet homme que nous avons rencontré se prénomme Steve, mais ce n'est nullement votre beau-frère. Cet homme est le gardien de l'immeuble dans lequel vous habitiez avec vos parents, ici, à Paris. Angie, vous n'avez ni frère ni sœur. Vous êtes fille unique !

- Quoi ? Qu'est-ce que vous dites ? Fille unique ? Mais...Romain, Alizée... ce sont bien mon frère et ma sœur ! Je les ai connus, j'ai grandi avec eux ! Qu'est-ce que vous me racontez ? Ça va pas !

- C'est là où ça devient compliqué. Romain et Alizée n'ont jamais existé. Peut-être que ces prénoms sont bien réels mais en tout cas ce ne sont pas les membres de votre famille. Votre père travaillait dans une entreprise du bâtiment qui malheureusement a déposé le bilan et celui-ci s'est retrouvé au chômage. Il ne l'a jamais supporté et s'est mis à boire régulièrement. Il est décédé il y a maintenant dix ans d'un cancer du foie. Votre mère, pour ramener de l'argent dans le foyer, se prostituait. Elle est décédée elle aussi il y a cinq ou six ans d'une overdose. On l'a retrouvée un matin, chez elle, dans son lit.

  Le Docteur Filippo fit une courte pause, observant Angie du coin de l'œil. Elle n'avait pas bougé. Elle se tenait devant lui, droite comme un I, les yeux et la bouche grands ouverts.

  - Tout ce que je vous dis, nous le tenons de votre concierge, Steve ! Vous aviez sympathisé avec lui. Vous alliez souvent le voir quand vous étiez triste. Il vous aidait à faire vos devoirs. Il voyait bien que ça n'allait pas dans votre famille mais jamais vous n'avez dit quoi que ce soit contre vos parents. Vous ne vous plaigniez pas. Il avait beaucoup de doutes sur ce qui pouvait se passer chez vous mais jamais vous ne lui avez raconté ce que vous viviez. Un jour, alors que vous veniez d'avoir 18 ans, vous vous êtes rendue chez lui, en pleurs, lui disant que c'était fini, que vous aviez pris la décision de partir, que vous en aviez besoin pour pouvoir survivre. Mais survivre à quoi ? Vous lui avez donné un cahier dans lequel vous aviez écrit votre quotidien (c'était votre journal), et vous lui avez fait promettre de le garder sans le lire sauf au cas où il vous arriverait quelque chose. C'est exactement ce qu'il a fait quand il a vu votre photo au journal télévisé.

  Le Docteur Filippo s'arrêta à nouveau, se racla la gorge avant de reprendre devant Angie qui commençait à montrer une certaine agitation.

  - Ce qu'il a trouvé dans ce journal l'a stupéfié. Outre les questions que peut se poser une jeune fille de votre âge, vous y parliez de votre vie au quotidien. Votre père qui passait ses journées devant la télé à fumer et à boire. Votre mère qui ramenait, la nuit venue, quand votre père était trop saoul pour bouger le petit doigt, des hommes, les uns derrière les autres. Plusieurs fois elle vous a obligée à venir vous joindre à eux. D'abord elle vous a demandé de les regarder puis, à la demande d'un de ses clients, moyennant une forte somme d'argent, elle vous a laissée là, avec lui, vous assurant qu'il ne vous ferait aucun mal. Bien au contraire.

Vous deviez tout simplement l'écouter et faire tout ce qu'il vous demandait sans rechigner. Vous n'aviez alors que 12 ans et, malgré le dégoût que pouvait vous inspirer cette situation, vous avez écouté votre mère, sachant que c'était la seule façon de ramener de l'argent à la maison. Une fois cet homme parti vous vous êtes enfermée dans votre chambre, maudissant votre corps, vos parents et vous jurant que, dès que vous auriez atteint votre majorité, vous les quitteriez et partiriez ailleurs. Ce fut le début de longues années très éprouvantes pour vous. Certains clients, plutôt gentils avec vous, vous donnaient un peu plus d'argent et vous avez réussi à vous constituer une bonne petite cagnotte jusqu'au jour de votre majorité où, estimant que vous en aviez assez pour pouvoir vous suffire à vous-même, vous avez mis votre plan à exécution et ainsi pu partir sans la moindre culpabilité.

Au fur et à mesure que le docteur me parlait, je sentais mon visage se décomposer. J'avais l'impression qu'il me racontait l'histoire d'une personne totalement inconnue de moi et dont il voulait à tout prix que je m'approprie sa vie. Pourquoi ? Ça ne pouvait pas être moi ! Il se trompait. Tout le monde se trompait. Je n'étais pas folle tout de même ! J'avais envie qu'il s'arrête. Je ne voulais pas en entendre davantage et pourtant je restais là à l'écouter, me tordant les mains. Un malaise grandissait en moi. J'avais la nausée. Il me fallait me lever, sortir de cet endroit, fuir à toutes jambes mais celles-ci ne répondaient plus .J'étais là, clouée sur cette chaise, le corps secoué de tremblements. J'essayais de reprendre mon calme, je me disais que je devais réagir, qu'il me fallait faire quelque chose, me lever, hurler, partir en claquant la porte, loin de cette pièce où l'on cherchait à me faire endosser une vie qui n'était pas la mienne. Et puis, quel genre de parents peut faire ça à son enfant ? C'est impossible ! Cette idée-là, je ne pouvais la faire mienne, c'était inconcevable ! C'était hors de question ! Il fallait que ça s'arrête, que les choses redeviennent normales, acceptables. J'allais me réveiller.

Voyons Angie, ce n'est pas de toi dont il parle, tu as un frère Romain, une sœur Alizée, un homme que tu as aimé, Thomas, un père mort d'un cancer, une mère atteinte de la maladie d'Alzheimer, un boulot à Toulouse. Tu n'as pas pu inventer tout ça quand même ! Non, il fait erreur, ce n'est pas moi cette personne dont il parle. Ce n'est pas moi.

- Bon, écoutez, je crois que vous vous trompez. Ce n'est pas de moi dont vous parlez.

- Angie, malheureusement c'est la stricte vérité. Nous avons fait notre petite enquête. Les personnes dont vous parlez n'ont jamais existé. Romain, Alizée, Thomas, ils n'existent pas. Vous vous appelez bien Angie. Votre mère n'a jamais été dans la maison de retraite dont vous nous avez parlé, votre père n'a jamais été hospitalisé pour un cancer de la prostate. Votre travail sur Toulouse, le café dont vous nous avez fait mention, vous n'y avez jamais travaillé. Par contre la seule chose dont nous sommes vraiment certains est que vous vous appelez Angie et que c'est vous qui avez écrit ce journal amené par Steve votre concierge. Lui seul vous a formellement reconnue.

- Non, non, non, ce n'est pas possible. Ce n'est pas moi, vous entendez, ce n'est pas moi ! Vous faites une grave erreur.

- Comme vous voulez, Angie. Je comprends que vous ne puissiez admettre ce qui pourtant est bien la réalité. Écoutez, cette journée a été bien rude pour vous. Nous allons donc en rester là. Allez vous reposer, je vous reverrai demain.

- Laissez-moi partir. Vous n'avez pas le droit ! C'est vous qui cherchez à me rendre folle. Vous n'avez pas le droit, pas le droit !

Dans ma fureur je m'étais levée, rouge de rage. Je ne voulais plus rien entendre. Les mains sur les oreilles, je me mis à hurler. Je voulais m'enfuir, me cacher. Je ne sais pas, mais fuir, m'en aller loin, très loin.

Le médecin, debout devant moi, ne bougeait pas et me regardait d'un air compatissant, avec beaucoup de douceur. Il était là, il attendait. Devant cet air si doux, si calme, je m'arrêtai de hurler aussi soudainement que je m'étais mise en colère et j'éclatai en sanglots, dans ses bras. J'ai pleuré longtemps. Petit être fragile, terrassée, bouleversée, abasourdie. Ce que je venais d'entendre me laissait vide, vide de penser, de contrôler quoi que ce soit. Enfin, au bout d'un bon quart d'heure, je finis par me rasseoir, encore toute ébranlée. Petit à petit je retrouvais mes esprits. Il fallait que je rassemble mes idées, que je puisse réfléchir à cette situation qui me paraissait encore insensée.

- Vous avez raison, il faut que je me repose. J'ai besoin d'être seule, faire le vide. Je peux vous demander quelque chose ?
- Évidemment. Dites-moi !
- Je pourrais être enfermée dans ma chambre quelques jours ? Je ne veux voir personne. Qu'on me laisse tranquille.
- Angie, croyez bien que je suis désolé mais je ne puis accéder à votre requête. C'est trop risqué. Ce que vous venez d'entendre aujourd'hui vous a beaucoup remuée et nous ne pouvons savoir ce qui pourrait vous passer par la tête. Nous sommes responsables de vous Angie.
- Je vous promets que je ne ferai rien pour vous embêter. Je veux simplement rester seule.
- Non, je ne peux pas me le permettre. Par contre je peux vous proposer quelque chose qui rassurera, je pense, tout le monde. La chambre d'isolement est inoccupée pour l'instant. Vous pouvez vous y installer. Dans cette pièce il y a moins de risque et nous pourrons vous surveiller plus facilement.
- La chambre d'isolement ? Cette chambre sinistre où tout est scellé ?
- Oui Angie, cette chambre sinistre où tout est scellé. Le seul endroit d'ailleurs où vous pourrez vous sentir complètement rassurée et où personne ne viendra vous déranger.
- De tout façon, là ou ailleurs ! Bon, je suis d'accord. Merci pour cette proposition. Je pourrai aussi

prendre ce journal qui soit disant m'appartient, avec moi ?

- Bien sûr. Je pense même que c'est plutôt une bonne idée.

Inutile de vous dire combien ma nuit fut agitée malgré le somnifère que m'avait donné l'infirmière.Sommeil peuplé de cauchemars. Je me voyais, perdue dans le brouillard, à un carrefour d'où partaient deux chemins, sombres, tortueux, semés de cailloux, de trous, avec de chaque côté, des arbres aux branches sinueuses. Je suis là, plantée, habitée par une terreur indicible, ne sachant où me diriger. J'ouvre la bouche pour appeler, crier, mais aucun mot ne sort. Plus d'une fois je me suis réveillée en sueur, ne sachant plus qui j'étais ni où je me trouvais. La fatigue aidant ou le comprimé faisant son effet, je finis par m'endormir.

J'ai dormi jusqu'en milieu de matinée. A mon réveil mon angoisse s'était un peu dissipée laissant la place à une irrépressible envie de pleurer. Mes larmes coulaient malgré moi. J'ai laissé faire, consciente qu'elles m'apporteraient peut-être le soulagement dont j'avais tant besoin.

Vers midi je me dirigeai vers mon lavabo et contemplai longuement mon visage. Traits tirés, yeux bouffis, pleins de tristesse. Oui, l'angoisse que j'avais pu éprouver durant ces deux jours faisait place à une profonde tristesse. Qui étais-je en somme ? Une pauvre fille, seule au monde, abandonnée ? Une pauvre fille cherchant désespérément à faire la paix avec elle-même ? Il me fallait accepter cette terrible vérité. Mais pour en faire quoi ? Je ne savais pas du tout où me diriger, vers quoi, vers qui ? Personne ne se soucie de moi, personne ne sait que j'existe. Moi-même, je ne sais même pas qui je suis, ce que j'ai pu faire de ma vie. Rien, aucun souvenir si ce n'est ce journal que j'ai écrit. Bien mince. Pourtant c'est bien mon écriture, c'est bien moi qui l'ai écrit !

J'ai passé une bonne partie de l'après-midi à le lire, le relire cherchant quelque chose qui puisse me revenir, tellement les descriptions que j'y ai faites sont brûlantes de vérité. Mais rien, rien du tout. Pas une seule chose à laquelle je puisse me raccrocher.

Comment ai-je pu en arriver là ? Alizée, Romain, Thomas, je n'ai pas pu les inventer tout de même ? Pourquoi me suis-je tant persuadée que cette vie-là était la mienne ? Comment est-ce possible de s'inventer une vie qui n'est pas la sienne ? Je me sens si lasse, si désemparée.

Les jours qui suivirent ne m'apportèrent aucun soulagement. Je suis restée deux jours enfermée dans cette chambre qui me sécurisait. Là au moins, personne ne pouvait m'atteindre. Je n'ai pas quitté mon lit. Tout juste pour me laver le bout du nez ou avaler un peu de repas que les infirmières m'apportaient.

Diverses émotions m'assaillaient sans cesse : tantôt un énorme découragement faisant venir des larmes qui me laissaient vide, entièrement vide, tantôt une envie de disparaître, m'endormir, ne plus jamais me réveiller ! Qui m'aurait pleurée d'ailleurs ? Mon passage sur cette terre était passé pratiquement inaperçu. Tantôt il me prenait encore une envie de me secouer, réagir, savoir.

Au bout de ces deux jours je réintégrais ma chambre (le personnel ayant besoin de ma cellule). Je ne voulais voir personne. Les seuls moments où je me retrouvais en contact avec les autres patients étaient ceux du repas que je partageais avec eux au réfectoire.

Envie de fuir tout ça, ne plus me poser de questions. Complètement étrangère à tous ceux qui m'entouraient. Même le personnel semblait démuni face à mon attitude. Ils attendaient eux aussi que tout ce tumulte intérieur s'apaise et guettaient patiemment le petite signe qui montrerait que je commençais enfin à émerger.

Peu à peu je sombrais dans un état dépressif. Cette vie, ma vie, ne signifiait plus rien pour moi. Je passais de longues heures couchée dans mon lit ou tapie contre le mur, jambes repliées sous moi. Je n'avais aucun passé, très peu de présent et le futur me paraissait inexistant. Ma vie s'était arrêtée à 18 ans pour ressurgir à 37. Vingt années oubliées, effacées !

Non seulement je ne savais rien de moi mais il me fallait encore accepter que ce que je pensais être ma vie, ma famille, tout ça n'existait pas, n'avait jamais existé. Inventé de toute pièce ! De A jusqu'à Z ! Pourquoi ? Ma vraie vie, ma vraie famille, mon père, ma mère, m'avaient-ils seulement désirée, aimée ? Quels parents sont capables d'infliger à leur enfant ce qu'ils m'ont fait subir ? Comment peut-on faire autant de mal à son propre enfant pour que celui-ci en oublie même jusqu'à son existence ? En arriver à s'inventer une vie plus confortable et, surtout, arriver à y croire tellement qu'elle fait partie intégrante de son histoire. Et pour quoi en somme ? Pour me protéger ? Garder mon intégrité ? J'ai dû énormément souffrir pour en arriver là ! Oui mais maintenant, j'en fais quoi de tout ça ? Je deviens folle ou je le suis déjà ? Si je pouvais ne plus exister ça en serait bien fini de tous ces doutes, toutes ces questions auxquelles je ne peux apporter de réponse.

Disparaître, ne plus souffrir, trouver enfin la paix ! J'aurais bien voulu mettre un terme à tous ces tourments. Pas un jour ne passait sans que je sache de quelle façon me supprimer mais, même là, je n'ai pas eu assez de courage pour aller jusqu'au bout ! Fermer les yeux et ne plus me réveiller, jamais.

Je ne sais pas si c'est le traitement qu'on m'a donné mais toujours est-il qu'au bout de deux bons mois je sortais enfin de ma léthargie. Peu à peu l'espoir revenait. Si j'avais été capable de supporter toutes les difficultés rencontrées dans ma vie, toute cette cruelle réalité, je pouvais encore supporter incontestablement bien d'autres choses. Que pourrait-il m'arriver de pire aujourd'hui ? Plus j'y réfléchis et plus j'en viens à la conclusion que la seule personne qui puisse m'aider à l'heure actuelle, me donner quelques explications est ce concierge, Steve ! Peut-être que si je le rencontrais à nouveau, maintenant que je sais, va t-il m'aider à recouvrer un petit bout de mémoire ?

Sitôt debout, je fais part à l'infirmière de mon désir de rencontrer à nouveau le docteur Filippo qui, par chance, doit passer dans le service en fin de matinée. J'ai donc le temps de prendre une bonne douche et rassembler les questions que je veux lui poser.

- Bonjour Angie. Je suis content de voir que vous allez mieux. Dites-moi, où en êtes-vous ?

- Bon, je pense que je n'ai pas trop le choix. Il me faut accepter quelque chose à laquelle, franchement, je ne comprends pas grand chose. J'ai pu réfléchir à ma situation et voilà ce que j'en ai conclu. Je dois savoir qui je suis, d'où je viens et ce que j'ai bien pu faire de ma vie entre le moment où je suis partie de chez moi et le jour de mon accident. Je me suis dit qu'avant d'entreprendre quoi que ce soit, il faut d'abord que j'existe, que je retrouve mon identité. Je n'ai aucun papier sur moi pouvant me donner ma date de naissance et mon nom de famille. C'est dingue, je ne sais même pas comment je m'appelle !

- Vous avez raison. Commençons par le commencement. Vous vous appelez Angie Parado et vous êtes née le 18 août 1976 à Paris. Vous avez donc 38 ans. Madame Farmont, l'assistante sociale, s'est occupée de vos papiers. Nous ne devrions pas tarder à les recevoir.

- Alors je m'appelle Angie Parado ? Ce nom ne me dit rien du tout. En attendant d'avoir mes papiers, qu'est-ce que je pourrais faire ? Vers qui me tourner ? Je pourrais peut-être prendre contact avec ce Steve qui est le seul d'ailleurs à s'être manifesté. Qu'en pensez-vous Docteur ?

- Je pense que c'est une très bonne idée. Si vous le voulez je peux le contacter afin de prévoir un rendez-vous ?

- Oui, je pense que, pour l'instant c'est la seule chose à faire.

- Je m'en occupe tout de suite et vous tiens au courant. Restez prudente cependant, votre santé est encore bien fragile. Vous êtes très courageuse mais gardez à l'esprit que vous n'êtes sûrement pas au bout de révélations plus ou moins désagréables.

- Je sais, je sais. Mais qu'est-ce que peux découvrir de pire que ce que je viens de vivre ?
- Soyez prudente ! Protégez-vous Angie. Vous venez de vivre une expérience très douloureuse. Vous ne savez pas ce que peut vous réserver la suite.

Le soir même le rendez-vous avec Steve était déjà programmé pour le lendemain. Le docteur Filippo avait eu la délicatesse de réserver un des bureaux de l'accueil de l'hôpital afin que l'on puisse se retrouver dans un endroit neutre pour pouvoir discuter.
Je ne vous cache pas que la perspective de cette rencontre m'a mise dans un état de tension extrême. J'allais enfin rencontrer celui qui me connaissait le mieux, celui qui allait me permettre de me reconstituer, d'exister ! Il allait inévitablement me parler de moi, ma famille, ma vie. Quelle enfant j'étais ?

Le jour J j'étais déjà installée, bien avant l'heure, dans la pièce où l'on avait pris soin, pour la circonstance, de remplacer le bureau par une petite table ronde afin de rendre cet endroit moins solennel. Je ne pouvais rester assise, tant mon angoisse montait. Et s'il ne venait pas, s'il avait pris la décision de me laisser là toute seule avec ce nombre incalculable de questions qui se précipitaient dans ma tête ? S'il oubliait le rendez-vous ? S'il avait un accident ? Je regardais nerveusement ma montre, me dirigeais vers la fenêtre, m'asseyais, me relevais. Déjà deux minutes de retard. Mon dieu, faites que... Je n'eus pas le temps d'aller plus loin .
La porte s'ouvrit tout doucement et Steve fut enfin devant moi. Il était plutôt petit, cheveux dégarnis, des yeux bleus tout ronds qui me dévisageaient avec

appréhension. Lui aussi semblait tendu. Il restait là, sans bouger, me regardant intensément. Au bout d'un moment qui me parut une éternité il fit l'ébauche d'un sourire et s'approcha de moi.

- Bonjour Angie, c'est moi, Steve !

Cette voix, cette voix si douce avec un léger accent. Cette voix ne m'était pas totalement inconnue. Je l'avais déjà entendue, j'en étais certaine. Par contre, l'homme qui se dressait devant moi ne me disait rien du tout. D'une voix tremblante, pleine d'émotion, je réussis à dire ces quelques mots.
- Bonjour Steve, c'est bien moi, Angie !
Tant de mots qui se précipitaient en cet instant sur mes lèvres. Mots que je ne parvenais pas à formuler tellement ma tension était grande. Il m'avait pris la main et, me regardant droit dans les yeux, continua de cette voix qui résonnait étrangement dans mon cœur.
- Angie. Enfin ! Si tu savais comme j'ai attendu ce moment. La dernière fois que je t'ai vue tu ne m'as pas reconnu, tu m'as même accusé d'imposteur. J'ai eu beaucoup de peine de te voir dans cet état et je suis reparti tout penaud. J'ai pris régulièrement de tes nouvelles et j'ai su les moments difficiles auxquels tu as dû faire face. Quand le docteur Filippo m'a téléphoné pour me dire que tu souhaitais me voir je n'en croyais pas mes oreilles. Je m'étais fait à l'idée que je ne te reverrais plus et j'en avais pris mon parti. J'ai tellement envie de t'aider, t'accompagner, pouvoir encore m'occuper de toi. Tu as bien changé, mais je reconnais bien dans cette adulte que tu es devenue, la fillette puis la jeune fille que j'ai connue.

Je restai là, interdite, le regardant sans pouvoir prononcer une seule parole. Cet homme-là, devant moi, était le seul homme qui me connaissait vraiment et m'avait vu grandir. Prise par l'émotion, sentant mes jambes vaciller, je me précipitai sur le fauteuil derrière moi, invitant Steve, d'un geste de la main à faire la même chose. Il se tenait à présent, face à moi, souriant, heureux, ne cessait-il de me dire, de m'avoir retrouvée. Peu à peu, je recouvrais l'usage de la parole et, c'est d'une voix hésitante, que je parvins à lui dire :

- Steve ! Je peux enfin mettre un visage sur ce prénom, cette personne qui me permet, aujourd'hui d'en savoir un peu plus sur ma vie, il y a de cela pas mal d'années. Je suis tellement contente de vous voir. J'ai tellement envie que vous me parliez de cette enfant que j'étais, de cette vie qui est la mienne et dont je ne me souviens pas. J'ai tant besoin de savoir.

- J'ai apporté quelques photos de toi que nous avions prises un soir d'été alors que tu avais une dizaine d'années. Ce soir-là tu étais venue me voir. Tu étais bien triste. Je voyais bien que tu venais de pleurer mais tu as fait comme si tout allait bien, comme d'habitude. Nous avons joué au jeu des mimes et nous nous sommes pris en photo. Tiens regarde !

- C'est moi là ? J'avais 10 ans ? Ça fait drôle de me voir si petite. J'ai l'air tellement fragile ! Vous ne pouvez pas savoir le bien que ça me fait de me voir là, si petite. Je sais que je suis bien réelle, que c'est bien moi. Je me reconnais. J'ai enfin un passé, comme tout le monde, et ces photos me le prouvent, comme le journal que vous avez gardé et apporté quand vous êtes venu voir le docteur Filippo. S'il vous plaît, Steve ! Je peux vous appeler Steve ? S'il vous plaît parlez-moi de moi !

Nous sommes restés plus de deux heures assis, l'un en face de l'autre. J'ai beaucoup appris sur moi, alors que je n'étais qu'une enfant. Il ne me cacha rien, me parla de mon père, ma mère. J'ai beaucoup pleuré. Ça m'a fait énormément de bien de me laisser aller à toutes ces émotions. Lui aussi a pleuré. Il était content de m'avoir retrouvée car j'avais été son rayon de soleil et, sans le savoir, l'avais empêché de sombrer dans le désespoir. Sa femme l'avait quitté au bout d'un an de mariage. Elle était partie avec un de ses collègues de travail et il n'avait jamais réussi à l'oublier. Il s'était attaché à moi et s'est retrouvé bien seul quand je suis partie. Je ne lui avais jamais donné de nouvelles sauf, au début, où je lui avais envoyé une carte du Mexique. Il pensait que je l'avais oublié mais gardait l'espoir qu'un jour ou l'autre je reviendrais. Ne lui avais-je pas confié mon journal intime ?

Ainsi donc je lui avais envoyé une carte du Mexique. Je suis bien allée là-bas. Mais pour quoi faire ? Dans quel but ? Je connaissais quelqu'un dans ce pays ? En tout cas j'avais une petite piste, aussi maigre soit-elle, à explorer.

Il m'a prise dans ses bras et serrée très fort me disant qu'il ne m'abandonnerait pas, qu'il serait toujours là, près de moi. Nous nous sommes quittés difficilement. Je me sentais tellement bien avec lui.

Le retour dans le service où j'étais hospitalisée m'a été très pénible. Je n'avais plus envie de rester là, plus envie qu'on s'occupe de moi. Il était temps que moi,

je m'occupe de moi. Il me fallait avancer, vivre ma vie !
MA VIE.

Ma décision était prise. Je devais m'en aller. Voler de mes propres ailes, me prendre en main. Oui mais, pour aller où ? Mes papiers n'étaient pas prêts, je n'avais aucun endroit où aller. Pas d'argent sur moi, pas de travail. Par où commencer ?

C'est décidé. Demain matin je vais demander à voir le docteur et l'assistante sociale pour leur faire part de mes intentions. La rencontre avec Steve m'avait donné l'envie de ne pas en rester là. De refaire surface. J'avais droit, moi aussi à un peu de bonheur sur cette terre.

Je m'appelle Angie Parado, j'ai 38 ans. Ma vie a été ce qu'elle a été et j'ai l'intention de la continuer, pleinement consciente de mon existence.

Chapitre 7

Le prix de ma liberté

> *" Plonger au fond du gouffre,*
> *Enfer ou Ciel qu'importe ?*
> *Au fond de l'inconnu*
> *pour trouver du nouveau."*
>
> Charles BAUDELAIRE
> <u>Les Fleurs du Mal</u>

Aujourd'hui, jeudi, je m'apprête à recevoir Angie, comme tous les 30 du mois. Cela fait un an maintenant que je la suis régulièrement ! Angie est une de mes patientes dont j'attends ce rendez-vous mensuel avec beaucoup d'impatience. Bien sûr, elle vient au Centre Médico Psychologique en début de mois rencontrer

Céline, l'infirmière qui la suit depuis sa sortie de l'hôpital et l'accompagne dans le déroulement de sa prise en charge. Angie est une femme intelligente et très courageuse. Quand je pense aux conditions dans lesquelles nous l'avons admise à l'hôpital et tout le chemin parcouru depuis, je peux dire aujourd'hui, que, malgré les moments difficiles que nous avons vécus, l'équipe infirmière et moi-même, nous avons réussi à lui redonner espoir en la vie et croire à un possible avenir.

Son désespoir, sa détresse nous a très souvent fait douter de nous-mêmes. Nous ne savions comment lui venir en aide. Nous avons cheminé à son rythme, ne demandant rien, n'attendant rien. Simplement être présents au jour le jour.

Il arrivera cependant bien un moment où elle n'aura plus besoin de nous et il faudra qu'on sache la laisser partir. Pour l'instant, le soutien qu'on lui apporte lui permet de se consolider et continuer dans toutes les démarches qu'elle a pu entreprendre. Son travail de serveuse lui a permis de tisser beaucoup de liens. Elle a pu trouver un appartement dans la résidence où travaille toujours Steve, ce qui lui permet de veiller sur elle et maintenir cette forte amitié qui les lie à présent. Elle m'a même dit un jour qu'elle le considérait comme un père et qu'elle ne pouvait envisager de vivre loin de lui. Elle a beaucoup avancé depuis un an ! Grâce à cette force qui émane d'elle, elle a pu se reconstruire petit à petit, accepter tout ce qu'elle a enduré et même pardonner à ses parents. Elle a réussi à mettre pas mal d'argent de côté pour se rendre au Mexique, où, dit-elle, elle aura enfin la réponse à toutes ses questions.

Angie sera là à 17h. Comme à chaque fois, avec toujours quelques minutes d'avance. C'est mon dernier rendez-vous de la journée et, à celui-là je consacre tout mon temps.

17h, je passe devant la salle d'attente, personne ! Je me dirige vers le secrétariat. Joëlle, la secrétaire me fait « non » de la tête.
- Je ne sais pas quoi penser Docteur, d'habitude elle est déjà là !
- Elle n'a pas téléphoné ? C'est étrange tout de même. Elle qui est toujours à l'heure. On attend encore dix minutes puis vous essayerez de la recontacter. Après, vous pourrez vous en aller, je resterai là. J'ai pris les clés ce matin, je fermerai avant de partir.

17h15, Joëlle rentre dans mon bureau. Angie n'est toujours pas là. Ça fait cinq minutes qu'elle essaye de l'appeler sur son portable mais celui-ci est éteint. Répondeur. Étrange !

- J'ai encore quelques dossiers à finir, je vais en profiter pour les rentrer dans l'ordinateur avant de partir. Qui sait, peut-être qu'elle se manifestera ? Laissez-moi son numéro de téléphone. J'essayerai de la contacter d'ici quinze à trente minutes. Bonne soirée Joëlle. A demain.
- A demain Docteur Filippo.

Mon travail achevé j'en profite pour composer son numéro. Rien ! Toujours sa messagerie. Ce n'est pas son genre, il lui est sûrement arrivé quelque chose. Elle n'a pas pu interrompre son suivi tout de même. La dernière fois que Céline l'a reçue elle l'avait trouvée plutôt en forme avec plein de projets en tête. Elle aurait même rencontré quelqu'un qui l'apaise beaucoup et avec qui elle parle énormément. Il lui aurait proposé, si l'envie lui prenait de partir au Mexique, de l'accompagner. Elle a commencé à faire des recherches de ce côté-là mais pour l'instant ça n'a pas donné grand-chose. En fait, elle est peut-être partie mais, si c'était le cas, elle nous aurait tenus au courant.

Seconde tentative d'appel, il est 18h. Toujours rien. Peut-être que Steve, lui, pourrait me renseigner ? Non laissons-le tranquille pour aujourd'hui et ne l'alarmons pas inutilement. C'est juste un rendez-vous manqué. Ça arrive parfois. Demain, sûrement qu'elle nous contactera pour s'excuser et reprendre rendez-vous. Oui, c'est ça ! Attendons demain.

Une fois les dossiers rangés, je fermai le service et me mis au volant de ma voiture assailli par beaucoup de questions.

Le lendemain, alors que je venais tout juste d'arriver à l'hôpital, je reçus un coup de fil de Joëlle me demandant si je pouvais passer dans la journée car, dans le courrier du matin se trouvait une lettre écrite de la main, lui semblait-il, d'Angie.

En début d'après-midi je passai donc au Centre Médico Psychologique, impatient de savoir ce que contenait ce courrier. C'était bien l'écriture d'Angie. Je l'ouvris et y trouvai trois feuilles recto-verso puis une autre enveloppe tout aussi épaisse.

" Docteur Filippo,

A l'heure où vous lirez cette lettre je ne ferai plus partie de ce monde. Je ne peux plus continuer à vivre après la découverte que je viens de faire. Je me sens trop sale, trop laide. J'ai commis quelque chose qui, à mes yeux, est de l'ordre de l'irréparable. Je ne mérite plus de vivre ! Je suis un monstre et ça, personne ne pourra me faire changer d'avis. Je n'en peux plus. Ma souffrance est trop grande cette fois pour pouvoir la supporter. Vous aviez raison, je n'étais pas au bout de mes peines. L'horreur que m'inspirent les actes que j'ai pu commettre ne me laissera jamais en paix. Je préfère me retirer, m'en aller définitivement.

Docteur, je vous ai menti mais c'était de bonne guerre. J'ai voulu mener mon enquête toute seule afin de pouvoir un jour vous faire la surprise de ce que j'avais découvert me concernant. Malheureusement, les choses ne se sont pas passées comme je l'espérais. J'ai honte, honte de moi, de ma vie. Pardonnez-moi pour le mal que je peux vous faire aujourd'hui mais j'ose espérer que vous me comprendrez comme vous l'avez toujours fait vous et votre équipe. Je tiens à vous remercier pour tout ce que vous avez fait pour moi. Sans vous je ne sais pas ce que je serais devenue. Vous m'avez permis d'espérer à nouveau dans la vie, de croire qu'enfin j'étais libérée et que j'avais droit, moi aussi de mener une vie comme tout un chacun. Merci ! Aujourd'hui je n'ai plus le courage de continuer. La seule issue que j'entrevois est de mettre fin à mes jours. Je dois me libérer de tout ça et surtout, surtout, ne plus souffrir. Je suis épuisée, épuisée.

Docteur, je vous dois des explications. Je vais donc vous faire part de tout ce que j'ai pu entreprendre secrètement et des résultats que j'ai obtenus. Résultats qui m'amènent à penser aujourd'hui que je ne suis pas digne de continuer à vivre ! J'ai bien réfléchi depuis 15 jours et je n'ai rien trouvé, rien, qui puisse me raccrocher à cette existence. Ma seule délivrance réside dans la mort et c'est d'un pas serein que je mets un terme à cette vie qui fut la mienne !

Angie."

- Non, ce n'est pas possible ! Qu'est-ce qu'elle a fait, qu'est-ce qu'elle a fait ?

Mais les mots étaient là, dans cette lettre. Je ne pouvais comprendre leur sens, je ne voulais pas.

J'ai repris ma lecture.

J'allais enfin savoir, comprendre le geste fatal d'Angie. Au fur et à mesure que je prenais connaissance du contenu de ce courrier, je sentais mon cœur battre plus fort dans ma poitrine. L'insoutenable vérité était là, sous mes yeux. C'était indéniable. Trop de souffrance, de rage, de colère. Un cri déchirant, puissant ! Une description parfaite de ce que fut le calvaire d'Angie, jusqu'à cette fin tragique, désespérée !

Joëlle, s'était précipitée dans mon bureau et prenait part, en même temps que moi, à la lecture de cette longue confession. Nous étions là, abasourdis, sans voix, devant l'inéluctable.

Épilogue

Cela fait maintenant une année qu'Angie a mis fin à ses jours.

Aujourd'hui restera pour moi Docteur Filippo et mon équipe un jour mémorable et important.

Il y a un an, nous l'avions retrouvée chez elle, dans son appartement. Elle avait pris des barbituriques (suffisamment pour ne pas être réveillée), deux jours avant l'arrivée de sa lettre. Tout avait été minutieusement préparé ! Elle avait téléphoné la veille à Steve, lui disant qu'elle partait deux jours avec son amoureux afin qu'il ne s'inquiète pas de son absence. A son amoureux elle avait dit qu'elle partait deux jours chez une amie car elle avait besoin de réfléchir à leur relation et à la proposition qu'il lui avait faite de vivre ensemble. Elle devait le recontacter à son retour.

Cela fait donc maintenant une année qu'Angie n'est plus là.

Alors que mon dernier rendez-vous vient tout juste de partir, Céline, affolée, se précipite dans mon bureau.

- Docteur, il y a là deux jeunes gens qui demandent à nous parler de toute urgence. Ils s'appellent Romain et Alizée et disent avoir des révélations à nous faire.

- Romain et Alizée, dites-vous ? Comme c'est étrange. Quelle coïncidence tout de même ! A moins que... Faites-les entrer Céline, et venez, vous aussi assister à notre entretien.

Dès qu'ils eurent pénétré dans mon bureau, je les reconnus aussitôt. Ils ressemblaient étrangement à la description que m'avait faite Angie il y a de cela quelques années quand elle me parlait de son frère et de sa sœur.

- Romain, Alizée ! Ce n'est pas possible. Tout cela était bien vrai alors ! Vous existez vraiment !

- Oui Docteur. Nous tenions à vous rencontrer pour parler avec les seules personnes (à part Steve) qui ont vraiment connu notre mère. Nous avons besoin de savoir qui elle était vraiment.

- Avant de vous parler d'elle, dites-moi plutôt ce que vous en savez.

Romain prit la parole :

- Quand notre maman est partie à l'âge de 18 ans, elle est venue se réfugier au Mexique dans une communauté qui l'a recueillie alors qu'elle faisait du stop sur une route menant à Mérida. Là, elle est tombée amoureuse de Thomas, notre père, avec qui elle a eu deux jumeaux : nous deux, Romain et Alizée. Elle aurait, paraît-il, toujours refusé cette grossesse, et notre venue au monde n'a fait qu'accentuer ses angoisses.

Alizée enchaîna :

- Un beau jour maman a disparu et nous n'avons plus jamais eu de ses nouvelles. Tout ce que nous savons, nous le tenons de notre père. Papa était originaire de Toulouse et était arrivé à Mérida un an plus tôt que maman. Il voulait changer de vie, partir à l'étranger et avait opté pour le Mexique qui était un pays qu'il aimait beaucoup. Dès qu'ils se sont rencontrés ils sont tombés fous amoureux l'un de l'autre. Quand maman est partie, le laissant seul avec nous, il a entamé des recherches mais ne l'a jamais retrouvée. Papa ne s'en est pas remis.

Alizée, trop émue fit signe à Romain de continuer :

- Papa nous disait tout le temps qu'elle l'avait quitté mais qu'elle lui avait fait le plus beau cadeau qui soit en nous ayant mis au monde ! Très tôt nous avons appris ce qui c'était passé, et papa nous parlait d'elle en permanence. Il nous disait qu'il n'avait jamais perdu espoir et qu'il savait qu'elle nous reviendrait un jour. Nous sommes restés tous les trois dans notre communauté. C'était notre famille ! Nous avons été choyés, entourés et n'avons manqué de rien. Papa nous a appris le français, sa langue maternelle, nous disant que c'était aussi celle de maman, et que le jour où elle reviendrait elle serait ravie de nous voir parler couramment sa langue !

A son tour, ému, Romain invita sa sœur à parler :

- C'est maman, qui, un jour, il y a deux ans environ, après de multiples recherches sur Internet et de nombreux recoupements, a retrouvé notre communauté et papa ! Elle a pu communiquer avec lui par mail et elle lui a écrit toute son histoire. Elle lui faisait part aussi de son désir de savoir enfin ce qu'elle avait bien pu faire durant toutes ces années. Papa a trouvé ce mail bizarre. Il ne comprenait pas ce qu'elle lui disait, ce qu'elle lui demandait. Pour lui les choses étaient claires. Que s'était-il passé pour qu'elle ne se souvienne de rien ? Du coup, il lui a parlé de son arrivée dans la communauté, leur amour, notre naissance et sa fuite. Elle n'a pas voulu le croire, l'a traité de menteur, d'imposteur. Puis elle a coupé court à toute conversation.

Alizée, ne pouvant continuer, Romain prit le relais :

Le dernier mail qu'elle a envoyé à papa lui faisait part de son suicide, lui expliquant que cette révélation était trop pour elle, qu'elle ne pouvait l'accepter, que ce qu'elle avait fait était bien pire que ce que lui avaient fait ses parents. Maman ne pouvait assumer une telle chose. Elle n'avait plus le droit de vivre. Elle se maudissait.

Un lourd silence s'était installé. Après un profond soupir Alizée se lança :

- Maman a ensuite demandé pardon pour tout le mal qu'elle avait pu nous faire à lui et ses propres enfants. Elle ne méritait pas d'être mère car elle nous avait lâchement abandonnés ! Maman a fini son courriel disant être en paix maintenant qu'elle savait que tous les prénoms qui avaient jalonné son existence et surtout les nôtres étaient bien liés aux seules personnes qu'elle a le plus aimées au monde. Mais c'était trop tard, elle ne pourrait jamais réparer tout ce qu'elle avait pu nous faire.

Les larmes coulaient sur les joues d'Alizée. Romain visiblement aussi ému que sa sœur, enchaîna :

- Maman lui a parlé de l'existence de Steve et de tout le soutien que vous, Docteur, ainsi que votre équipe, lui avez apporté. Elle espérait, qui sait, que nous finirions par lui pardonner et avait envoyé une lettre pour nous, ses enfants, à votre adresse. C'était maintenant à nous de prendre la décision ou non de vous rencontrer pour savoir qui maman avait vraiment été et savoir enfin ce que fut sa propre existence.

Alizée reprit la parole :

- Quand papa nous a fait part de ce dernier message, nous lui avons clairement répondu que pour nous, Maman n'avait jamais existé et que nous n'avions pas envie d'en savoir davantage. Il ne nous en a jamais fait de reproches. Cependant, après l'annonce de la mort de maman, nous avons bien vu qu'il avait changé. Il était devenu triste, ne s'alimentait pratiquement plus, comme si, une fois maman disparue à jamais, il n'avait plus lui non plus le droit de vivre. Il est tombé malade quelques mois après la mort de maman. Cancer de la prostate. Avant de nous quitter il nous a demandé de pardonner à maman et de venir en France vous rencontrer pour nous réconcilier avec elle. Nous le lui avons promis. Papa est décédé depuis un mois et nous voilà, fidèles à notre promesse.

Romain ne laissa pas finir sa sœur :

- A notre arrivée, nous nous sommes d'abord rendus chez Steve qui nous a longuement parlé de son enfance. Avant de se suicider maman lui avait envoyé une lettre avec son journal intime, lui demandant de nous le donner si un jour nous manifestions un peu d'intérêt à son égard. Son journal nous a permis de mieux comprendre tout ce qu'elle a pu endurer étant petite, et ainsi lui pardonner. C'est en sa mémoire et celle de papa que nous sommes là aujourd'hui, prêts à faire enfin la paix avec nous-mêmes.

Cette longue confession semblait avoir épuisé Alizée et son frère. Ils se tenaient devant le Docteur Filippo qui les regardait tour à tour avec un léger balancement de la tête. Au bout d'un long silence il leur dit à son tour :

- C'était une femme formidable et très courageuse. Elle a connu beaucoup de drames dans sa vie et avait réussi à refaire surface après ce terrible accident dont elle avait été victime et toutes les révélations qu'elle a connues par la suite. Elle a bien laissé une lettre pour vous qu'elle m'avait demandé de conserver précieusement si un jour vous veniez me voir. Ce qu'elle espérait de tout cœur. Dans son dernier courrier votre maman m'avait parlé de votre existence mais n'avait jamais mentionné vos prénoms. Je pense qu'elle a voulu me faire un dernier clin d'œil le jour où vous auriez décidé de venir me rencontrer. Elle ne s'est pas trompée. Elle savait au fond d'elle-même que vous viendriez !

Nous sommes restés plus de deux heures à parler d'Angie. Quand Alizée et Romain nous quittèrent c'est avec beaucoup d'émotion qu'ils nous remercièrent pour toute l'aide que nous avions pu lui apporter. Ils avaient compris que sa fuite, alors qu'ils n'étaient encore que des enfants, n'était nullement liée à leur existence mais à la quête désespérée d'une mère qui n'avait pas su et pas pu les aimer comme elle l'aurait vraiment souhaité.

Ils partirent, la lettre de leur mère, Angie, dans leurs mains serrées.

Une dizaine d'années se sont écoulées

NOTE A L'ATTENTION DE MES LECTEURS

Les aventures de mon héroïne continuent. Dans cette deuxième partie vous allez trouver des prénoms identiques avec des personnages différents. Afin de vous éviter toute confusion et arriver à bien suivre le fil de mon histoire, j'ai volontairement modifié l'orthographe de leurs différents prénoms.

« Angie » : La sœur d'Alizée deviendra Anjie.
« Alizée » : La sœur d'Anjie restera Alizée.
« Alizée » :   La sœur jumelle de Romain deviendra Alysée.
« Angie » :   La mère d'Alysée et de Romain restera Angie.

Pour vous aider visuellement, vous trouverez un arbre généalogique sur la page suivante.

PREMIÈRE PARTIE :

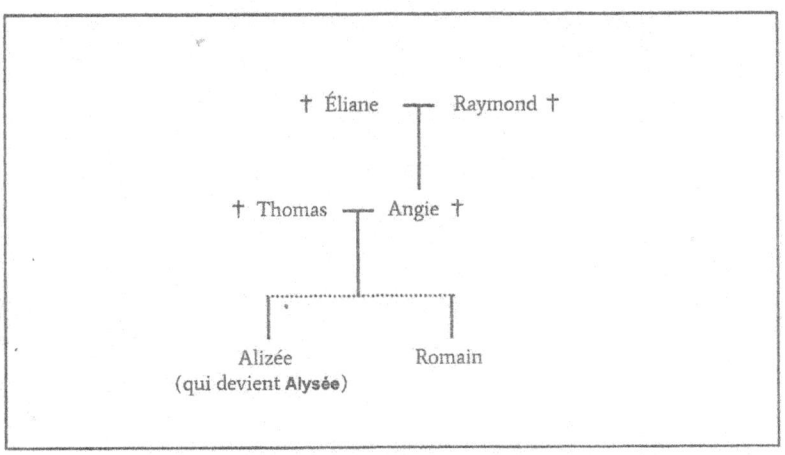

———— filiation directe
·········· jumeaux/jumelles

" *Je me souviens de longues périodes sombres et froides où j'éprouvais la tristesse avec honte, je voulais en guérir comme d'une maladie, tandis que la joie ressentie me paraissait juste et belle et aujourd'hui encore je voudrais l'éprouver J'appelle le miracle : un jour, me réveiller, heureuse, sans poids. Je sais que la Terre a tremblé, la faille existe, elle fait partie de ma nouvelle géographie, je la connais, mais je voudrais qu'elle s'arrête de saigner.*"

Anne Philipe

PROLOGUE

- Allo Alysée ?
- Romain ? C'est toi Romain ? Comme je suis contente d'avoir de tes nouvelles. J'étais un peu inquiète tu sais. Ça fait plus d'un mois que j'essaye de te joindre et j'ai toujours le répondeur : " messagerie pleine ". Tu vas bien au moins ? Tu n'as pas de soucis ?
- Non rassure-toi. Je me porte comme un charme. Excuse-moi pour ce silence un peu long, mais je suis parti dans l'Archipel de San Blas réaliser des photos pour un livre et, je te l'avoue, je me suis volontairement coupé de tout le monde. J'en ai profité pour faire un break.
- Tu étais où ? Dans l'Archipel de San Blas ? C'est où ça ?
- Ouh, c'est très très loin. C'est du côté de la mer des Caraïbes, sur la côte nord du Panama qui est un pays d'Amérique Centrale.
- Merci. Et pour être plus précis ?
- Ah ma chère sœur, toi et la géographie ! Regarde donc une carte du Monde ou un planisphère. Panama est frontalier avec la Colombie au sud-est, et avec le Costa-Rica au nord-ouest. Ça y est tu te situes mieux là ?

- Ah ben oui, si tu m'avais dit dès le début que c'était dans le " grand coin du Mexique, là-bas, là-haut " j'aurais compris de suite. Ok. Effectivement ça fait un peu loin. Donc tu y es parti pour faire des photos, c'est ça ? Et c'est pour ton boulot ? Mais c'est super ! Ça veut dire que ça marche alors ? Tant mieux. Tu vas pouvoir sortir un peu la tête hors de l'eau. Mais, dis-moi, ce silence, est-ce qu'il n'aurait pas un lien avec la dernière dispute que tu as eue avec Vincent ? Quand tu es parti de la maison ce soir-là, tu avais l'air tellement triste et abattu. J'aurais bien voulu qu'on en reparle tous les deux mais l'occasion ne s'est pas présentée et, n'ayant plus de nouvelles, je me suis vraiment posé beaucoup de questions.

- Désolé de t'avoir laissée dans l'inquiétude. C'est vrai que ce qui s'est passé avec Vincent a été la goutte d'eau qui a fait déborder le vase, et m'a fait accepter ce contrat. Ma récente rupture avec Camille m'a beaucoup ébranlé et je voulais mettre de la distance. J'avais besoin de me refaire une santé, penser à autre chose, me couper de mon quotidien et pouvoir faire le point sur ma vie. Cette proposition de partir à l'étranger est arrivée quand il fallait. Après un instant d'hésitation, j'ai dit oui, sans vraiment réfléchir. C'était une opportunité et je m'en suis emparé. Cette mise à distance m'a permis de faire le vide et je reviens changé, plus heureux, apaisé. J'ai décidé de reprendre ma vie en main.

- Si ça t'a permis de refaire surface et retrouver la joie de vivre j'en suis ravie pour toi. Tu m'as beaucoup manqué tu sais.

- Ah ouais, je t'ai manqué ? Eh bien moi, j'te dis : tu m'as manqué puissance 1 milliard.

- Ah, c'est malin ! Je me marre.
- Ok, ok, j'arrête. Si ça peut te consoler je vais t'avouer une chose que je n'ai dite à personne. Plus d'une fois j'ai eu envie de t'appeler, t'écrire, mais je ne l'ai pas fait. De toute façon, là où je me trouvais il était impossible de se connecter à un quelconque appareil et du coup j'en ai profité pour ne pas donner de mes nouvelles. Tu me croiras si tu veux, mais curieusement, ça ne m'a pas du tout manqué. Et tu sais quoi : Le fait de rester silencieux et n'avoir aucune nouvelle de qui que ce soit m'a permis de réfléchir à ma situation, mes envies, mes besoins Et toi, sœurette. comment vas-tu ? Ton boulot ? Ton homme ?

- Le train-train quotidien. Au boulot je ne m'éclate plus. Je trouve mon travail plutôt ennuyeux. Je songe à m'inscrire dans une formation mais pour l'instant je ne sais pas trop vers quoi me diriger. Quant à Vincent, on vit un moment difficile. Je n'en suis plus éperdument amoureuse. Il s'est passé beaucoup de choses tu sais. Je pense qu'il a une liaison. Enfin bref. Dis-moi, si tu m'appelles aujourd'hui ce n'est pas par hasard non ? Tu as quelque chose derrière la tête ?

- Ouais. Comment as-tu deviné ? Décidément je ne peux rien cacher à ma jumelle préférée. Figure-toi que la semaine dernière il m'est arrivé un truc dingue concernant maman. Tu sais combien c'est important pour moi de retracer son histoire, l'histoire de notre famille ! Je pense être sur une piste très sérieuse et j'ai besoin de t'en parler.

-........

- Alysée, tu m'entends ?   Réponds-moi s'il-te-plait !

- Je suis là. Je t'écoute. Tu ne vas pas

recommencer hein ? Je pensais qu'on en avait fini avec cette histoire. A quoi ça te sert de vouloir remuer tout ce passé ? Qu'espères-tu trouver ?

- Et voilà, c'est reparti ! Je me doutais bien que tu serais en colère. Je suis désolé, j'en ai besoin. Je veux savoir. Pour elle, pour papa, pour nous.

- Je sais, je sais, tu me l'as déjà dit. Tu connais mon opignon la-dessus. Pourquoi faut-il toujours que tu gâches tout ? Si tu as autant que ça envie de savoir, fais ce que bon te semble mais ne m'en mêle pas.

- Tu sais bien que je ne ferai rien sans toi. Si tu ne veux pas le faire pour toi, fais le pour moi. Écoute au moins ce que j'ai à te dire.

- Hum... Tu sais... Bon, d'accord, ok, j'accepte que tu m'en parles. J'ai trop envie de te voir et du coup je suis prête à tout accepter. J'ai posé la journée de vendredi et je suis libre ce week-end. Vincent est en déplacement et m'a bien fait comprendre qu'il ne rentrerait pas avant lundi matin. Tu es où ? Sur Paris ?

- Ouais, je suis encore sur Paris et je comptais descendre dans la semaine. J'ai quinze jours de congés devant moi. Je peux m'arranger pour venir vendredi matin, si tu es d'accord bien entendu.

- Oui, c'est parfait. Ok pour venir chez moi. Je peux même t'héberger tout le week-end ! Samedi soir nous sommes invités chez mon amie, Mélanie, pour son anniversaire. Vincent ne viendra pas (et d'ailleurs ce n'est pas plus mal), mais toi, tu serais d'accord pour m'accompagner ?

- J'y réfléchirai et te donnerai ma réponse vendredi. J'ai un avion qui arrive vers 18h à Toulouse. Je pense donc être chez toi entre 10 et 11h. Je t'invite à manger.

- Ben si tu veux. Tu viens comment à Albi ? Tu veux que je vienne te chercher ?
- Je louerai une voiture sur place. Ça sera plus facile pour moi pour me déplacer.
- Super. Je suis tellement contente de te revoir. La semaine va vite passer. Youpi.
- A vendredi, Alysée !
- A vendredi, Romain !

Chapitre 1

SOUVENIRS AMERS

*« Le dernier souvenir de mon enfance
est le plus douloureux aussi.
J'aimerais l'oublier, l'arracher
de ma mémoire comme une mauvaise herbe
dans un jardin, mais c'est impossible. »*

Anne-Laure Bondoux
Le temps des Miracles

Et voilà, il a suffi d'un simple coup de fil pour que tous ces souvenirs qu'Alysée avait pris soin d'enfouir au plus profond d'elle-même remontent à la surface. L'appel de Romain l'a ramenée cinq années en arrière. Cinq années douloureuses à essayer de combler un manque, un vide. Enfoncée dans son fauteuil, le visage ravagé par des larmes trop longtemps retenues, elle se souvient :

Angie, sa mère, leur mère qui les a abandonnés alors qu'ils n'étaient encore que des bébés. Angie, qui n'a pas pu, qui n'a pas su les aimer comme ils l'auraient voulu, comme ils en avaient le droit. Angie dont ils avaient perdu la trace depuis si longtemps. Angie qui, un beau matin avait disparu, les laissant seuls avec Thomas, leur père, qui, malgré son immense chagrin, son incompréhension, avait su les protéger, les élever sans jamais se plaindre, sans jamais dire le moindre mal de cette femme qu'il avait aimée plus que de raison. C'est grâce à cet accident où elle avait perdu la mémoire qu'ils avaient retrouvé sa trace. Cette inconnue qui ne se souvenait même pas de leur existence, même plus d'ailleurs de ce que fut sa vie.

Quel étrange parcours, tout de même ! Elle s'était inventée une famille, une sœur, un frère alors qu'elle était fille unique. Elle a dû passer par des moments douloureux pour en arriver là. Et puis, quand elle avait découvert d'où elle venait vraiment, le choc avait dû être terrible. Malgré toutes ces révélations elle avait réussi à se relever. Quelle force de caractère ! Mais tous les espoirs qu'elle avait mis dans sa reconstruction avaient fondu comme neige au soleil quand elle avait découvert ce qu'elle-même avait pu faire à ses propres enfants : eux, Romain et Alysée.

Leur venue au monde aurait pu lui permettre de se réparer mais non, tout s'était écroulé comme un château de sable. Elle avait mis un terme à sa vie, n'ayant plus le courage de se battre.

Ce qui reste étrange tout de même ce sont ces prénoms. Prénoms qu'elle croyait être ceux de son frère et de sa sœur alors qu'en définitive elle les leur avait donnés, à eux, ses propres enfants. *Étrange ! Vous ne trouvez pas ?*

Sa vie fut un grand mystère.

- Quand je pense que Romain veut éclaircir tout ça. Comprendre, savoir ! pourquoi s'acharne-t-il ainsi ? Qu'espère-t-il trouver ? N'en sait-on pas assez ? Pourquoi tout vouloir remuer ? Dans quel but ?

Alysée se sentait tellement triste, malheureuse. Elle ne réussissait pas à pardonner à sa mère. Elle lui manquait atrocement. Un grand vide l'habitait. Un doute l'assaillait auquel elle savait qu'elle n'aurait jamais de réponse : Les avait-elle seulement aimés ? Elle-même ne souhaite pas avoir d'enfants, pourquoi ? Elle dit bien que c'est parce qu'elle ne se sent pas prête mais est-ce vraiment la véritable raison ? A bien y réfléchir, elle la connaît la réponse : Et si elle se comporte comme sa mère, dans l'impossibilité de s'occuper de ses propres enfants ? Elle qui n'a pas connu l'amour d'une mère. Comment serait-elle capable de se comporter vis-à-vis de ses propres enfants ?

Comment Angie avait-elle pu les abandonner sans jamais chercher à les revoir ?

La colère l'avait envahie. Elle s'était levée, marchant de long en large dans son salon, révoltée contre sa mère. Comment avait-elle pu les abandonner sans jamais chercher à les revoir ? Et son frère ; pourquoi s'obstinait-il ? Pourquoi voulait-il en permanence l'embarquer dans ses idées, ses envies ? Elle lui avait bien dit qu'elle souhaitait ne plus rien attendre de toute cette histoire ; Mais non, il s'en foutait, ne tenant pas compte de ses états d'âme. Une immense envie de hurler la tenaillait, un besoin de laisser sortir enfin cette rage qu'elle contenait depuis si longtemps.

    Passant devant le miroir posé sur la commode, elle s'arrêta brusquement, contemplant son visage. Le reflet qu'il lui renvoyait ne lui déplaisait pas. Elle se trouvait plutôt jolie avec ses grands yeux, très expressifs, qui illuminaient son visage dès qu'elle souriait. Sa bouche plutôt pulpeuse qu'elle avait l'habitude de mettre en valeur avec un rouge à lèvres dans les tons grenat. L'ovale de son visage, qui lui rappelait celui de son frère. Le seul trait d'ailleurs justifiant de leur gémellité. C'est vrai, ils ne se ressemblaient pas beaucoup, se dit-elle, soudain songeuse. A qui ressemblait-elle ? Lui ressemblait-elle ?

    Thomas, leur père, leur avait donné une photo de famille prise peu après leur naissance. La seule d'ailleurs qu'ils possédaient. Angie avait toujours refusé de se laisser photographier mais s'était laissé convaincre par les arguments de son compagnon : *pour avoir un souvenir de leur naissance quand ils seront plus grands* ! Il ne croyait pas si bien dire. Oui elle avait cette photo ! Mais où ? Qu'en avait-elle donc fait ? Pourquoi tout d'un coup tout cela devenait-il aussi urgent ? Elle avait soudain très envie de la voir, envie de savoir si elle lui ressemblait et ce qui pourrait la rapprocher d'elle ou l'en éloigner.

    - Ah oui, ça y est. Je me souviens. L'an dernier en faisant du tri, j'ai rangé toutes mes photos dans le petit album que j'avais acheté sur le marché de Noël. Mais où ai-je pu le mettre maintenant ?

    Tremblante, elle se dirigea vers sa chambre, ouvrit la porte de son armoire et en sortit une boîte en carton. Elle y trouva rapidement ce qu'elle cherchait fébrilement, rangé au milieu d'objets, dessins... qui représentaient toute son enfance au Mexique. Une forte émotion l'envahit à la vue de ces souvenirs heureux et douloureux à la fois. Elle s'empara de l'album dont elle tourna vivement les pages. La photo tant cherchée se trouvait là, devant elle. Sa mère les tenait tous les deux dans ses bras, sourire aux lèvres. " Elle avait l'air si heureuse " ! Sans hésiter, elle s'en empara et s'assit sur son lit face à sa psyché, la photo de famille dans sa main gauche, à hauteur du visage.

Son sourire ! Elle avait son sourire. Et ses yeux, ses yeux verts qui semblaient la regarder fixement. Les cheveux d'Alysée étaient longs et noirs. Noirs et aussi épais que ceux de son père. Ses lèvres, beaucoup plus charnues, n'avaient rien à voir avec celles de sa mère. Alysée était troublée. Troublée de se retrouver là, pour la première fois à contempler et comparer leurs visages. Que lui arrivait-il ? Une immense tristesse l'avait à nouveau envahie et ses yeux s'étaient remplis de larmes. Sans s'en rendre compte elle s'était mise à lui parler :

- Maman, maman, pourquoi nous as-tu quittés ? Pourquoi nous as-tu abandonnés ? J'ai tant besoin de toi. Tu m'as tellement manqué, tu me manques tellement. Je n'ai aucun souvenir que je pourrai partager avec toi. Aucun ! Les seules choses que je sais de toi c'est papa qui nous en a parlé. Dis-moi maman, m'as-tu prise dans tes bras ? M'as-tu embrassée ? M'as-tu consolée, câlinée quand je pleurais ? As-tu murmuré à mon oreille comme le font toutes les mamans ? M'as-tu chanté des chansons pour m'aider à m'endormir ? Bien sûr on n'a manqué de rien, ni de l'amour de papa, ni de la tendresse de maminou qui nous a pratiquement élevés. Mais toi, maman, toi, tu n'étais pas là. Deux enfants d'un coup, ça fait beaucoup, je peux le comprendre, mais nous étions TES enfants ! Maman, le son de ta voix je ne le connais même pas. Je n'ai rien, rien de toi qui puisse me raccrocher à quelque chose. Rien !

Tout en parlant elle s'était allongée sur le lit, laissant ses larmes couler. Finalement, épuisée, elle s'endormit.

C'est Vincent qui, en rentrant quelques heures plus tard, l'avait trouvée, étendue sur la couette, toute habillée, recroquevillée sur elle-même dans la position du fœtus.

Depuis cinq ans que c'était-il passé ? Alysée et Romain, suite à leur visite au docteur Filippo s'étaient rendus sur la tombe de leur mère puis étaient retournés dans leur pays, le Mexique. Depuis leur séjour à Paris ils s'étaient promis de revenir en France et qui sait, de s'y installer. Ils n'avaient plus leur père et avaient envie de connaître le pays de leurs parents. Romain, passionné de photos rêvait de monter son propre laboratoire, et Alysée un CAP de secrétariat en poche voulait tenter sa chance dans la capitale. Thomas leur avait laissé suffisamment d'argent pour leur permettre de faire le voyage et commencer à s'installer. Leur projet était déjà bien avancé quand le hasard les mit sur la route d'un groupe de touristes français avec qui ils sympathisèrent très vite. Vincent, beau jeune homme blond, aux yeux d'un bleu profond, allure décontractée, ne laissait pas du tout indifférente Alysée. Sentiment qui d'ailleurs semblait partagé. Rapidement une idylle s'était installée entre eux et, trois jours avant leur départ, alors qu'Alysée avait confié à Vincent leur désir de venir vivre en France, celui-ci leur proposa de rentrer ensemble sur le continent. L'opportunité s'offrait à eux et ils s'en emparèrent. Romain resta à Paris et Alysée suivit son amoureux jusqu'à Albi, ville où il habitait. Elle s'installa dans un studio refusant d'aller chez lui et trouva rapidement un travail de secrétaire au centre hospitalier. Vincent, quant à lui, originaire d'Albi, titulaire d'un bac pro dans la cuisine était allé faire ses armes sur Toulouse puis était revenu dans sa ville natale pour y monter son restaurant. Au bout de six mois, voyant qu'ils passaient constamment leur temps chez l'un ou chez l'autre, Alysée accepta de venir vivre chez lui.

Romain, ayant de réelles dispositions dans la photo suivit une formation pour se perfectionner dans cet art et avoir toutes les bases indispensables pour monter sa propre affaire. Aujourd'hui, il est installé à son compte et fait des expositions de temps en temps. Son nom commence à être connu.

La semaine fut interminable pour Alysée. Elle était toute excitée à l'idée de revoir son frère et en même temps une angoisse sourde l'avait envahie et ne la quittait pas. Elle n'avait plus d'entrain, semblait ailleurs, perdue dans ses pensées. Ses collègues lui avaient même demandé si elle n'était pas malade. Vincent l'avait interrogée plus d'une fois sur ce qui la tracassait mais elle n'avait pas voulu lui confier ses tourments. Elle n'en avait pas envie. De toute façon il n'aurait pas compris. D'ailleurs, qui peut comprendre ? Cet appel de Romain l'avait complètement anéantie. Sans le savoir il avait rouvert une blessure qu'elle croyait bien refermée. Il fallait qu'elle se fasse violence ! Elle n'avait pas à faire subir ses états d'âme aux personnes qui l'entouraient.

Pourtant, Alysée n'attendait qu'une chose. Être enfin à vendredi matin pour revoir son frère et lui confier son désarroi, cette sensation de solitude qu'elle éprouvait chaque fois qu'il était loin d'elle. Lui seul pouvait la comprendre et elle avait énormément besoin de sa présence.

La veille de ce jour tant attendu, elle avait très peu dormi, trop enthousiaste à l'idée de le retrouver. Réveillée très tôt, elle s'était levée, lavée, habillée et avait pris un bon petit déjeuner. Il ne lui restait plus qu'à l'attendre.

A 10h30 très précises la sonnette de la porte d'entrée retentit. Alysée ne put s'empêcher de sourire. Elle reconnaissait bien là Romain. Toujours à l'heure. Elle ouvrit précipitamment la porte. Il se tenait là, devant elle, le sourire aux lèvres, les bras grands ouverts, l'invitant à s'y pelotonner. Ce qu'elle fit d'ailleurs sans hésiter, avec un plaisir évident.

Tu es magnifique Alysée, plus belle encore que dans mes souvenirs.

- N'en rajoute pas, veux-tu ?

Toujours enlacés, ils se souriaient. Alysée, d'un geste tendre lui caressa la joue, lui disant d'un air malicieux.

- Dis-moi, Romain, tu n'as pas maigri ? Hum, ça te va plutôt bien tout compte fait ! J'adore ton côté mal rasé. Il te sied à merveille. Tu es beau comme un dieu.

- Merci pour le compliment. Pour tout te dire je me plais bien comme ça moi aussi. Je suis dans l'air du temps.

- Allez entre, installe-toi, fais comme chez toi. Tu as une valise, un sac ou quelque chose ?

- Oui, j'ai mes affaires dans la voiture, je vais les

chercher.

C'est vrai qu'elle le trouvait beau son frère tout de jean vêtu. Pantalon, chemise, blouson. Visage bronzé, les mêmes yeux noisette que son père et qui la regardent avec une immense tendresse, cheveux noirs en bataille et cette barbe de quelques jours qui lui donne un charme fou. Il semble avoir mûri en l'espace de quelques mois. Il se dégage de lui une assurance mêlée d'une sensualité qui doit faire se retourner beaucoup de filles sur son passage.

Romain s'était avancé dans le salon et installé sur le canapé, les pieds sur la table basse. Alysée avait déjà préparé le café et n'eut qu'à le servir accompagné de biscuits qu'elle avait achetés à la boulangerie de son quartier.

- Alors frangin, raconte-moi tout ce que tu as fait pendant ces deux longs mois.

- Je te trouve bien curieuse ! Mais puisque c'est toi, je vais te dire tout ce que tu voudras. Tu sais, mon aventure avec Camille et surtout ma rupture ont été très douloureuses. Quand il m'a appris qu'il me quittait, tout s'est écroulé autour de moi. Je lui en voulais, je n'avais plus goût à rien, je me suis renfermé sur moi. J'ai pensé plusieurs fois t'appeler mais je n'en avais même plus le courage. Je me suis jeté dans mon travail et j'ai réalisé plusieurs expositions de mes dernières photos. J'ai d'ailleurs eu pas mal de succès. Au cours de ma dernière expo j'ai fait la connaissance d'un gars très emballé par mes productions. Après la fermeture nous sommes allés boire un verre et il m'a fait une proposition. Il s'appelle Marc, est écrivain et a en projet d'écrire un livre, plutôt documentaire, sur les Indiens Kunas.

A la recherche d'un photographe, il s'est

retrouvé par hasard dans ma galerie et a été très touché par la qualité de mon travail qui correspond à la vision qu'il a de la photo et de ce que l'on peut faire passer à travers des clichés. Il avait prévu de se rendre dans l'Archipel de San Blas pour une durée d'un ou deux mois et m'a demandé si je voulais l'accompagner. Je n'en revenais pas. Je suis resté là à le regarder stupidement, sans voix. Sur le moment je ne me suis pas engagé, sonné par cette proposition. D'autant plus que je ne le connaissais pas du tout et que, partir comme ça, à l'étranger pour un ou deux mois, ça demande un tantinet de réflexion !

J'avais besoin d'un peu de temps, ce qu'il accepta sans sourciller me demandant seulement de ne pas tarder à donner ma réponse car il pensait partir le plus rapidement possible. Une fois seul, ma décision a été vite prise. Un courant de sympathie s'était instauré naturellement entre nous. J'avais la possibilité, à travers son œuvre, de me faire connaître moi aussi. J'étais plutôt déprimé suite à ma rupture et partir me permettrait de faire un break. Bref, cette idée me séduisait et j'en avais très envie. Le soir même je l'appelais pour lui faire part de ma décision. Le samedi suivant nous étions dans l'avion.

Il dû s'interrompre car, Alysée les yeux rivés sur ceux de son frère, engloutissait, sans s'en rendre compte, les biscuits les uns derrière les autres.

- Ben dis donc, ils ont l'air bien appétissant ses gâteaux. Je peux y goûter ?

La bouche pleine, celle-ci, tendit l'assiette à son frère en bredouillant quelques mots d'excuse. Une fois servi, Romain repris son histoire.

- Ça m'a fait du bien de partir. Ces deux mois

passés loin de notre civilisation ont été salvateurs. Je me suis plongé à fond dans mon travail. Nous étions complémentaires. Il me donnait ses idées sur le sujet qu'il souhaitait aborder et me laissait carte blanche pour effectuer mes clichés. Il semblait ravi chaque fois que je lui présentais mes différentes photos me disant que j'avais exactement saisi ce qui lui paraissait primordial de faire passer. Nous nous sommes immergés dans le quotidien de ces peuplades et avons beaucoup appris sur leur mode de vie, loin du tumulte des grandes villes. Ils sont heureux de vivre car se contentent de peu, ne demandent rien, vivent au jour le jour. Une philosophie de vie qui ne laisse pas de place à la jalousie, la compétition, le jugement, les a priori. Tu sais, on en aurait bien besoin dans notre société. Ça a été un peu rude au début car le dépaysement était complet. Plus de téléphone ! On avait décidé d'un commun accord qu'on laissait tomber tous ces appareils le temps de notre voyage pour se plonger vraiment dans le quotidien de ces Indiens. Plus d'ordinateurs. Que du papier, un micro et un appareil photo. Nous avons dû nous habituer à une culture, une façon de vivre et de manger différente. Une formidable leçon de vie ! Cette mise à distance nous a beaucoup rapprochés et nous a donné l'occasion de faire plus ample connaissance. J'ai pu discuter avec lui de ma vie actuelle et de mes difficultés. Il m'a écouté et donné de précieux conseils. Sa vie n'est pas toute rose non plus. Il est en plein divorce et a des problèmes avec son épouse pour la garde de leurs enfants.

- Il a combien d'enfants ?

- Deux enfants de trois et six ans. Il voudrait la garde alternée mais elle n'est pas d'accord avec ce principe car elle pense que c'est plutôt déstabilisant pour

leur âge. Enfin. Elle a quand même accepté d'en rediscuter avec lui.
- Tu me montreras les photos que tu as faites ?
- Bien sûr. Tu verras, ce sont des paysages magnifiques avec une luminosité extraordinaire ! Les enfants, au début, étaient très intrigués par mes appareils puis une fois qu'ils se sont rendu compte qu'ils ne craignaient rien ils me tournaient constamment autour me demandant de les prendre en photo à tout bout de champ, dans des positions différentes. Quand il a fallu repartir nous avons eu beaucoup de mal à les quitter tellement cette plongée dans l'essence même de la vie nous a permis de nous poser les bonnes questions et rester à l'essentiel.

Camille, en définitive, il n'était pas fait pour moi, j'étais aveuglé par ce qu'il représentait et j'ai réalisé que l'amour que je pouvais lui porter n'avait jamais été partagé, en tout cas pas comme je l'aurais souhaité. Le Romain que tu vois aujourd'hui près de toi est un nouveau Romain, heureux, joyeux et plein d'humilité. J'ai pris le temps aussi de réfléchir à la dispute que j'avais eue avec Vincent. J'ai été profondément touché et vexé de sentir le mépris qu'il a pu manifester à mon égard ce jour-là quand on en est venu à parler de mon homosexualité. Jamais je n'aurais pensé qu'il ait une vision aussi restrictive. Je me suis demandé ce que tu pouvais bien lui trouver mais jamais je ne me serais permis de te faire le moindre reproche. Mon silence était aussi en partie lié à cette altercation.

- Figure-toi que je m'en suis doutée. On se ressemble trop toi et moi et j'avais compris et respecté cet éloignement que tu m'as imposé. Je t'en ai quand même voulu car je me sentais très malheureuse, privée de ton soutien, ta présence. Cette dispute que vous avez eue m'a permis à moi aussi de réfléchir à ma relation avec Vincent. J'ai commencé à porter sur lui un autre regard. Quand je faisais allusion à toi il rentrait dans des colères folles, me disant que j'avais un frère anormal, qu'il fallait que tu te fasses soigner. Nous avons commencé à nous disputer régulièrement. Il me disait que moi aussi je n'étais pas normale, que ma famille était folle et que, peut-être, la seule personne qui avait été la plus sensée était sûrement maman puisqu'elle avait eu le courage de se supprimer. Tu te rends compte ! Oser me dire ça ! Comment peut-on être aussi méchant ? Je t'avouerai que ses attaques m'ont souvent laissée sans voix, surprise que j'étais par ses propos insultants. Petit à petit il a commencé à rentrer de plus en plus tard du travail. Je pense qu'il a quelqu'un. La semaine dernière j'ai trouvé dans la poche de sa veste une boucle d'oreille. Quand il m'a annoncé qu'il serait absent jusqu'à lundi matin je n'ai rien dit pour éviter des reproches et des accusations. Je suis persuadée qu'il est parti avec elle. Je suis atterrée et en même temps je me sens comme délivrée d'un grand poids.

- Ah ben mince alors, si je m'attendais à ça ! Le bel hidalgo est en train de révéler sa vraie nature ? Que comptes-tu faire ?

- Je ne sais pas encore. Une chose dont je suis sûre aujourd'hui c'est que je ne finirai pas ma vie avec lui.

- Bien. Au moins ça a le mérite d'être clair. Tu te doutes bien que je ne vais pas te blâmer et lui trouver mille excuses. En tout cas n'oublie pas que je suis là, tu peux me faire confiance et compter sur moi. Je te protégerai. Il n'a pas intérêt à te faire du mal. Même homo, je suis tout de même capable de me défendre et surtout si on attaque ma sœur ! Laissons tout ça de côté pour l'instant, il n'en vaut pas l'intérêt. Pour commencer, tu vas aller te changer, te maquiller et te faire belle si tu veux que je t'emmène au restaurant.

Alors qu'elle s'était levée en se dirigeant lentement vers la salle de bains, elle se retourna subitement et vint se planter devant son frère :

- Il faut que je te dise quelque chose Romain. Ton dernier appel m'a beaucoup interpellée et je ne te cache pas que j'ai passé des moments plutôt difficiles. Il a suffi que tu apparaisses pour que cette angoisse que je ressens depuis quelques jours s'apaise. Tu me fais du bien tu sais.

- Tu m'en vois charmé ma chère sœur et je partage les mêmes sentiments à ton égard. Maintenant file te changer si tu veux qu'on aille manger.

Sitôt dit sitôt fait, Alysée, d'un pas léger, s'était enfuie vers la Salle de bains dans un grand éclat de rire.

Romain restait soucieux cependant. Il fallait qu'il lui parle de son projet mais avait peur de sa réaction. Il savait que la moindre allusion qu'il pouvait faire concernant leur mère, Angie, engendrerait chez sa sœur des sentiments contradictoires mêlés à une profonde tristesse. Elle lui avait déjà dit qu'elle ne voulait plus en entendre parler, que pour elle, elle n'avait jamais existé, tout comme eux d'ailleurs n'avaient jamais existé pour elle. Pourtant, il fallait bien qu'il lui parle, qu'elle accepte de le suivre. Il avait besoin d'elle et de son accord. Il ne se sentirait mieux que quand il aurait réussi à lever ce voile entourant la vie de sa mère. Il fallait qu'il sache !

Pris dans ses réflexions il n'avait pas vu sa sœur

revenir. Elle se tenait debout devant lui, souriante. Elle avait passé une jupe noire, un chemisier vert amande de la même couleur que ses yeux. Ses cheveux lâchés lui donnaient l'apparence d'une fragilité qui lui allait à merveille. Ses yeux maquillés relevaient l'intensité de son regard. Le rouge à lèvres, dans les teintes rosées, qu'elle avait posé sur ses lèvres lui conférait une sensualité dont elle n'avait pas conscience.

-Waouh Alysée, tu es sublime. Si je n'étais pas ton frère !

Radieuse, elle s'était approchée de lui et, le serrant dans ses bras, elle lui colla un gros baiser sur les joues.

Chapitre 2

UNE ÉTRANGE RESSEMBLANCE

*« Les rencontres dans la vie
sont comme le vent.
Certaines vous effleurent juste la peau,
d'autres vous renversent. "*

Florence Lepetitdidier-Rossolin

Le restaurant qu'avait trouvé Romain était situé dans une ancienne ferme à quelques kilomètres d'Albi. L'intérieur avait conservé le charme des vieilles maisons et la décoration toute simple invitait à la décontraction. Une table, recouverte d'une jolie nappe en lin, leur avait été réservée, dehors, à l'ombre d'un grand marronnier. Il y avait peu de monde et la douce musique diffusée par les hauts-parleurs leur permettait de pouvoir se parler sans avoir à hausser le ton.

Leur tendre complicité était belle à voir.

- Dis moi, Romain, tu veux bien me parler de ton voyage ? Je suis curieuse de savoir ce que tu as fait là-bas. Tu en parles avec tellement d'enthousiasme.

- Je te vois venir ma vieille. J'ai attisé ta curiosité. Tu veux vraiment savoir ce que j'ai fait de mes deux mois ? Il y aurait beaucoup trop de choses à dire mais j'accepte tout de même de t'en dévoiler un peu. Déjà, tu connais la mer des Caraïbes. Je ne vais donc pas te décrire la transparence de l'eau, la blancheur du sable et le bonheur de se prélasser en bord de plage, les pieds dans l'eau. Nous avions loué une voiture pour nous rendre chez les Indiens Kunas. Pour y aller nous devions traverser une forêt. Malheureusement nous nous sommes embourbés, impossible de sortir la voiture de la boue. Ce sont deux Indiens qui nous ont récupérés et amenés dans un refuge pour ensuite nous conduire dans l'archipel San Blas. Il faut savoir que cet archipel comprend 365 îles dont 50 sont habitées par les Kunas.

- Et c'est qui ces Indiens Kunas ?

- Les Kunas sont un peuple riche et orgueilleux de leurs traditions. En 1925 a eu lieu une révolte provoquant le soulèvement des indigènes contre les autorités officielles et plus spécifiquement la police qui ne respectait pas leurs traditions et tentait de les obliger à s'intégrer à la vie quotidienne du reste du pays. Elle voulait d'ailleurs supprimer complètement cette tribu. Depuis, chaque année, au mois de février, a lieu une grande fête rappelant cet événement. Leur histoire et leur passé sont très important pour eux. Ce sont d'ailleurs les femmes qui sont les dépositaires de leurs traditions et de leur culture .

- Ah ouais ! Je comprends mieux maintenant pourquoi tu disais que tu avais été coupé de notre civilisation.

- Exactement. Nous avons été principalement sur l'île Ukuptupu. Nous étions logés dans des cabanes en bambou sur pilotis. Il n'y avait pas d'électricité et l'eau était essentiellement de l'eau de pluie. Tous les jours on nous emmenait sur une autre île en bateau. Ces bateaux sont creusés dans un tronc d'arbre de cocotier. C'est leur principal moyen de déplacement car ils se rendent sur le continent pour cultiver des légumes, des fruits.

- Vous arriviez à communiquer avec eux ? Vous mangiez quoi ? Quelle était leur hygiène de vie ?

- Certains parlaient l'espagnol mais ils étaient peu nombreux. Nous dormions dans des hamacs et mangions beaucoup de langoustes principalement bouillies avec du riz. Pour l'hygiène de vie, par exemple, ils utilisent des wc dont le siège est en bois. Les excréments vont directement dans l'eau et ce sont les crabes qui s'en nourrissent. Pour se laver il y avait une cuve pleine d'eau de pluie et on se rinçait avec une coquille de coco. Le lavage des dents aussi était assez folklorique : on crachait directement dans la mer et on se rinçait ensuite avec les coquilles de coco.

- Tu es arrivé à t'y faire ? Ça a dû être assez difficile non ?

- En définitive on s'y fait très rapidement vu qu'il n'y a rien d'autre.

- Les femmes, les enfants ? Est-ce qu'ils ont des pratiques ou habitudes particulières ?

- Oh que oui ! Les femmes se fabriquent des

bracelets en coton qu'elles se mettent sur les bras et les jambes pour les garder fines. Elles ont un anneau dans les narines de la naissance jusqu'à leur mort. Quant aux enfants il n'ont pas de nom jusqu'à la puberté. Ils ont un surnom " les jeunes " jusqu'à l'adolescence. Ils portent des vêtements très colorés. Actuellement il doit rester 50 000 Indiens qui se battent pour résister à l'industrialisation touristique car toutes leurs terres sont menacées par des intérêts financiers, constructions d'hôtels. Voilà, je t'ai fait un bref résumé de ces deux mois passés au milieu de cette tribu. Si tu veux, je te montrerai des photos. Elles sont l'illustration fidèle de tout ce que j'ai pu vivre au milieu de ces indigènes.

- Bien sûr Romain. J'espère bien que tu me montreras ces photos. Tu parles de cette aventure avec un tel enthousiasme que j'en serais presque jalouse.

- Jalouse toi ? Non, pas toi voyons ! Même si c'est vrai que participer à cette combinaison photos/livre était vraiment géniale pour moi. Je pense d'ailleurs que si l'occasion se représente je ne dirais pas non.

Alysée était souriante et détendue mais, au moment du dessert, n'y tenant plus, Romain se lança.

- Bon, revenons à nos moutons. Comme je te l'ai dit au téléphone, si je suis là aujourd'hui c'est aussi pour qu'on puisse parler d'un sujet qui me tient vraiment à cœur.

- Nous y voilà ! Tu n'as pas changé d'avis ? Tu tiens vraiment à remuer tout ce passé ?

- Je connais tes réticences à ce sujet mais il faut vraiment qu'on en discute. Je n'entreprendrai rien sans ton consentement même si pour moi c'est très important. Tu sais, j'avais fini par me ranger de ton côté mais les derniers événements m'ont fait réaliser que, non, je ne peux pas faire une croix sur le passé, sur la vie de maman.

- Je sais. Je sais combien c'est important pour toi. J'ai peur tout simplement de découvrir encore des choses que je ne pourrais pas assumer. Après ton coup de fil je me suis surprise à rechercher la photo que papa avait prise quand nous étions petits. Tu te rends compte ? Je ne sais pas ce qui m'a pris. C'est la première fois que je cherchais à voir une quelconque ressemblance avec elle. Et là, quand je me suis retrouvée devant son visage, je me suis mise à lui parler comme si elle était devant moi. J'ai réussi, j'ai enfin pu lui dire ma peine et la douleur que je ressens de ne pas l'avoir connue. Ça m'a énormément remuée.

- Tant mieux pour toi si tu as pu enfin lui exprimer tes sentiments. Moi je n'y arrive pas et c'est pour cette raison qu'il me faut savoir pour qu'enfin je puisse trouver la paix. Moi aussi j'ai peur de ce qu'on risque de découvrir mais j'en ai besoin, tu comprends ?

- Oui, je le comprends. Tu peux y aller. Je vais t'écouter.

- Avant de commencer, je tenais quand même à te préciser quelque chose. Comme je te l'ai déjà dit, je m'étais persuadé que tu avais sûrement raison, que ça ne nous mènerait à rien de remuer le passé, d'ailleurs nous n'avions aucune piste vers laquelle nous diriger. Ces deux mois passés loin de tout m'avaient fait voir les choses différemment et j'avais donc pris ma décision de tout laisser tomber et d'essayer d'être tout simplement heureux sans vouloir toujours me poser des questions. Ça ne servait à rien de mettre de l'énergie à chercher quelque chose pour laquelle nous ne savions même pas comment nous y prendre. Seulement voilà, le hasard en a décidé autrement et je me suis dit que, avec ce qui s'est passé dernièrement, je ne pouvais faire comme si je n'avais rien vu et l'envie d'en savoir un peu plus l'a emporté sur la décision que j'avais prise. Quand je suis rentré sur Paris, un ami m'a invité au restaurant. Il en avait trouvé un excellent et voulait à tout prix m'y amener. Ce resto est situé près de Montmartre. C'est un endroit vraiment sympa, décoré avec beaucoup de goût. Les tables sont toutes en bois et certaines sont recouvertes d'une nappe à carreaux rouges et blancs. On se croirait dans une maison provinciale des années soixante. La patronne est une petite bonne femme, plutôt rondouillarde avec un visage tout rond, des yeux rieurs, cheveux blancs coupés très courts. Une personne fort sympathique. Repas copieux et de qualité. Au moment d'aller payer, derrière le comptoir j'ai été attiré par un cadre dans lequel se trouvait un visage. Et tu sais qui était sur cette photo ? Tu ne devineras jamais ! Je me retrouvais nez à nez avec le visage de maman.

- Une photo de maman ?

Alysée s'était rapprochée de son frère, visiblement troublée, le visage tendu, les yeux grands ouverts, une main sur ses lèvres. Elle lui fit répéter deux fois ce qu'il venait de lui dire, n'étant pas sûre d'avoir bien entendu.

- Oui, c'est tel que je te le dis ! Une photo de maman ! Je ne pouvais plus détacher mon regard de ce visage. J'ai demandé à la patronne si elle pouvait me la montrer, ce qu'elle fit immédiatement ayant perçu mon trouble.

- *Ça n'a pas l'air d'aller jeune homme. On dirait que vous avez vu un fantôme.*

Je restais là, pétrifié, la bouche ouverte, les yeux

rivés sur cette photo.
- *Eh bien, jeune-homme ? Que vous arrive-t-il ? C'est Alizée qui vous fait cet effet-là ?*

Et là, quand j'ai entendu ton prénom, mon sang n'a fait qu'un tour, j'étais complètement abasourdi. Que venais-tu faire là alors que j'avais devant moi le visage de maman ?

Alysée, interdite, commençait à se dandiner sur le canapé. De quoi lui parlait-il encore ? La curiosité l'emportait sur la raison. Sans s'en apercevoir elle s'était mise à se manger l'intérieur de la bouche, chose qu'elle faisait instinctivement lorsqu'elle se sentait stressée, tendue. Son frère, qui la surveillait du coin de l'œil, s'arrêta de parler et, se penchant vers elle, lui murmura :

- " Eh bien mademoiselle, encore à faire ces grimaces ! C'est dommage, tu es si belle... "

Et sa sœur de reprendre avec lui :

" Tu auras la bouche toute déformée et des rides partout quand tu seras plus grande " !

Ils finirent leur phrase en riant, les doigts pointés l'un vers l'autre comme le faisait maminou. Ce petit intermède leur permit de se détendre, et, c'est avec beaucoup plus de légèreté dans la voix que Romain reprit son histoire.

- Au bout d'un moment qui me parut une éternité, j'ai réussi à murmurer :

- *Alysée ? Vous avez dit Alysée ?*

- *Oui Alizée ! La personne là sur cette photo est Alizée, notre bienfaitrice. C'est grâce à elle que nous avons pu ouvrir notre restaurant. Nous lui devons beaucoup vous savez. C'est une bien belle personne.*

Je n'en croyais pas mes oreilles ! De quoi, et de qui me parlait-elle ? Mes mains se sont mises à trembler.

J'ai dû pâlir car, ayant peut-être peur que je ne fasse un malaise, elle avait approché une chaise et m'invita à m'asseoir. Il me fallait éclaircir ce mystère et je lui dis de manière un peu agressive :

- *Mais non, ce n'est pas Alysée ! Alysée, c'est ma sœur et là sur cette photo c'est Angie ! Angie, ma mère !*

- C'était elle à présent qui me manifestait son étonnement. Elle m'avait pris le cadre des mains et, après l'avoir regardé, leva les yeux vers moi en dodelinant de la tête.

Qu'est-ce que vous me racontez là ? De qui me parlez-vous ?

- Et moi de lui répondre. *Je... je ne comprends pas, il y a quelque chose qui cloche. C'est pourtant le visage de ma mère là, devant moi et ma mère ne s'appelle pas Alysée mais Angie ! Vous êtes sûre que ce n'est pas Angie ?*

- *Mais puisque je vous le dis ! Je sais encore de quoi je parle !*

Je me sentais de plus en plus mal. Je ne savais plus de qui on parlait. Même elle, semblait perdue. Elle me jetait des coups d'œil inquiets et interrogateurs. On devait avoir de drôles de têtes car les clients qui s'avançaient pour régler leur repas, s'étaient arrêtés, l'air étonné, sans oser faire un pas de plus. Reprenant ses esprits, encore sous le choc, elle m'a fait la proposition suivante :

- *Écoutez, il y a quelque chose qui n'est pas très clair dans ce que vous me racontez. Moi-même je ne sais plus quoi en penser. Pour le moment je n'ai pas trop de temps à vous accorder mais, si vous êtes d'accord, revenez demain matin on sera plus tranquille pour discuter. Au fait je m'appelle Hélène.*

Toujours complètement à l'ouest, j'ai quand même réussi à lui répondre :
- Oui, je suis d'accord. *Je reviendrai demain matin. A partir de quelle heure ?*
- 9h. *Je vous attendrai.*

Alysée écoutait son frère, sans bouger. Elle sentait son cœur taper dans sa poitrine. Beaucoup d'émotions la transperçaient, ses mains étaient moites. Ils n'avaient pas touché à leurs desserts, d'ailleurs ils n'en avaient plus envie. Romain, se levant précipitamment, lui proposa de payer et de s'en aller. Il ne souhaitait pas continuer cette conversation ici. Il était encore très ému, revivant la scène qui s'était passée il y a quelques jours. D'un commun accord ils décidèrent de revenir chez Alysée. Le trajet du retour fut plutôt silencieux, chacun perdu dans ses pensées. Malgré cet étrange sentiment de peur qu'Alysée nourrissait à l'égard de cette histoire plutôt insensée, elle avait hâte de se retrouver à la maison pour en connaître enfin la suite. Aussitôt la porte franchie ils s'installèrent sur le canapé, pressés, pour Romain de continuer son histoire et pour Alysée de savoir enfin ce qu'il avait appris. Elle en oublia même de lui servir le café.

- Tu penses bien que ce qui venait de se passer m'avait bouleversé. Aussitôt rentré chez moi je suis allé chercher la photo de maman que je garde sur ma table de nuit et mes doutes se sont envolés. C'était exactement la même personne que j'avais vue dans ce cadre. Identique ! Alors, qui disait la vérité ? Qui se trompait ? Une sueur glacée m'avait parcouru et je restais là de nombreuses minutes à contempler ce visage. Je n'ai pas

dormi de la nuit, je passais mon temps à allumer la lumière et regarder ma photo, vérifiant que je ne m'étais pas trompé. C'était bien elle, Angie, non cette Alizée ! Un sentiment de peur avait pris la place à ce doute. J'avais un mauvais pressentiment.
Quand j'ai enfin réussi à m'endormir je voyais son visage là, devant moi et les deux prénoms se bousculaient dans ma tête : Angie, Alizée, Alizée, Angie… J'ai dû finir par m'endormir car j'ai failli ne pas entendre la sonnerie du réveil. Je me sentais aussi décontenancé que la veille. Quand je suis arrivé au restaurant, Hélène m'attendait, assise à une table, café fumant et croissants posés sur la nappe.

- *Bonjour jeune homme. Rien qu'à regarder votre visage et vos yeux cernés je suppose que vous n'avez pas beaucoup dormi. Rassurez-vous, car moi aussi mon sommeil a été plutôt agité. Vous avez mis le doute dans mon esprit et j'avais hâte de vous retrouver ce matin. Après votre départ hier, je me suis rendue compte que vous ne m'aviez pas dit votre prénom.*
- *Désolé. Je m'appelle Romain.*
- *Romain ? Ah non ça ne va pas recommencer ! Figurez-vous que Romain c'est le prénom du frère d'Alizée.*
- *Romain ? Le prénom du frère d'Alizée ? Celle qui est sur la photo ?*
-*Tout juste !*

Nous sommes restés un long moment à nous regarder comme tétanisés. J'avais du mal à avaler ma salive. Une boule dans la gorge et cette peur qui me tenaillait toujours. Fouillant dans mon portefeuille je lui montrais la photo de maman. Elle resta là, muette, à la regarder, les yeux exorbités.

- *Impensable ! C'est incompréhensible. C'est le même visage, la même expression. Qu'est-ce que c'est que cette histoire ?*
- *Je ne sais pas. Moi non plus je n'y comprends rien. Il y a sûrement quelque chose qui nous échappe. Un des deux se trompe. Il y a une erreur quelque part !*
- *Bon, on ne va pas se laisser aller. On va tout reprendre à zéro et essayer de comprendre. Il y a toujours une explication. Comme je vous l'ai dit hier, la personne qui se trouve dans mon cadre est bien Alizée, ça j'en suis certaine. Je vais vous raconter mon histoire et ensuite vous me raconterez la vôtre. Quand j'ai connu Alizée, j'étais son employée. J'entretenais sa maison. C'était une personne égoïste, qui ne faisait rien de la journée à part s'occuper de sa petite personne. Elle vivait dans l'opulence et était mariée à un homme d'affaires, Steve, qui était souvent en déplacements. Elle ne vivait que pour elle, pour son confort. Elle était complètement sous le joug de sa mère qui lui passait tous ses caprices, la parant de toutes les qualités. Je sais qu'elle avait un frère, Romain, qui était parti vivre à l'étranger et une sœur, Anjie, avec qui elle ne s'entendait pas du tout. Elle passait son temps à la rabaisser. Cette Anjie, ne trouvant plus sa place dans sa famille ni auprès de son amoureux, a décidé, un jour de s'en aller et partir vivre à Toulouse. Ce départ précipité a permis à sa famille de se remettre en question et beaucoup de choses ont évolué. Au hasard d'une rencontre avec Alizée, chez qui je ne travaillais plus, je lui parlais de mon projet de restaurant. Elle avait bien changé, elle était devenue une personne complètement différente. L'Alizée que j'avais connue n'existait plus, laissant la place à une personne aimable, enjouée,*

attentionnée. Après lui avoir expliqué les difficultés que nous rencontrions avec les banques pour mettre en place notre projet, elle s'est proposé tout simplement de nous aider. C'est bien grâce à elle si on en est là aujourd'hui. Je lui en serai éternellement reconnaissante. J'ai...

J'étais ahuri, abasourdi ! Elle me parlait d'une histoire que je connaissais déjà. Cette histoire était celle de maman ! Je n'en croyais pas mes oreilles. Je devais avoir un drôle d'air car elle s'arrêta brusquement de parler, me regardant fixement d'un air interrogateur. Comme toi d'ailleurs.

Effectivement, sa sœur le regardait intensément, n'osant faire le moindre geste. Elle ne se rendit même pas compte que son frère lui adressait la parole. Avec un léger sourire, celui-ci reprit le cours de son histoire.

- Qu'est-ce qu'il y a ? Que se passe-t-il ? Pourquoi me regardez-vous comme ça ? Qu'est-ce que j'ai dit ?

- Excusez-moi mais ce que vous me racontez là, je pense que je peux être en mesure de vous en donner la suite.

- La suite ? Vous savez ce que je vais vous dire ? Comment pouvez-vous le savoir ?

- Croisant les bras, elle soutint mon regard, persuadée que je me trompais, que je ne pouvais pas connaître la suite. *Au bout de deux ans, Angie est revenue à Paris au chevet de leur père qui était mourant et là Angie et Alizée ont appris que leur frère Romain (le même prénom que le mien), n'était en fait que leur demi-frère. Elles sont parties à sa recherche au Mexique pour lui donner une lettre écrite par leur père. Malheureusement elles n'ont pu le revoir car il était hospitalisé en psychiatrie.* Hélène était interloquée, son visage avait pâli. Ses yeux noirs en point d'interrogation ne se détachaient plus de mon visage. Ses lèvres tremblaient.

- Oui c'est ça ! Oui c'est bien ça ! Mais comment vous le savez ? Qui vous en a parlé ?

- C'est là où je n'y comprends plus rien. Vous voulez bien que je vous raconte mon histoire ?

- Oui allez-y. Je vous écoute. répondit-elle d'une voix mal assurée.

- J'ai une sœur jumelle qui s'appelle Alysée et nous sommes les enfants d'une femme prénommée Angie dont le portrait ressemble étrangement à celui d'Alizée, la personne que vous connaissez.

- Ouh là là ! Qu'est-ce que vous me dites là ? Si j'ai bien compris nous parlons d'une personne que vous connaissez sous le nom d'Angie et moi d'Alizée ? A savoir aussi que vous vous appelez Romain du même prénom que le frère de mon Alizée à moi et que votre Alysée à vous est votre sœur jumelle. Il reste cette Angie qui est votre mère et pour moi la sœur d'Alizée ! C'est à n'y rien comprendre. Mais je ne vois toujours pas comment vous pouvez connaître l'histoire d'Alizée puisque nous ne parlons pas de la même personne.

- J'y viens. Ma mère, Angie, a eu un grave accident de voiture dans lequel elle a perdu la mémoire et tous ses papiers. Elle s'est retrouvée hospitalisée en psychiatrie. La seule chose dont elle se souvenait était son prénom « Angie ». Quand elle parlait de sa vie elle racontait toujours la même chose : l'histoire dont vous venez de parler.
Ne comprenant pas pourquoi personne ne la réclamait le psychiatre a lancé un avis de recherche avec une

photo au Journal Télévisé. C'est un certain Steve, là encore un prénom que nous connaissons tous les deux, qui l'a reconnue et venu parler de ce que fut la vraie vie de ma mère. En définitive maman s'appelait Angie Parrado, et était fille unique. Sa mère se prostituait, son père buvait. Elle a eu une enfance très difficile et à dix-huit ans elle est partie. Apparemment elle s'était réfugiée au Mexique où elle a connu mon père et avec qui elle a eu des jumeaux Alysée et moi-même. Après notre naissance elle a disparu et nous ne l'avons jamais revue. Toute cette vie elle n'en avait plus connaissance. C'est en essayant de savoir ce qu'elle avait bien pu faire de sa vie qu'elle est remontée jusqu'à nous. Elle n'a pas supporté ce qu'elle avait fait : nous abandonner alors que nous n'étions que des bébés, et elle a mis fin à ses jours. Tout ce que je vous dis nous a été relaté par le psychiatre qui s'était occupé d'elle et que nous avons rencontré un an après sa mort afin d'en savoir un peu plus sur elle. Voilà, vous savez tout.
Eh bien, si je m'attendais à ça ! Comment est-ce possible ? C'est une histoire terrible, une vie hors du commun autant pour vous que pour votre mère. Que de souffrances. Ça doit être difficile de n'avoir aucun souvenir de sa propre mère ! En tout cas, ça n'arrange rien. On ne sait pas qui est qui en définitive !

- Nous étions tellement pris par notre conversation qu'Hélène n'avait pas entendu son mari approcher. Il était déjà 11 heures. Inquiet, il s'était précipité au restaurant. Nous étions tellement plongés dans notre discussion que nous ne l'avons pas vu arriver. Il a vite compris qu'il se passait quelque chose d'inhabituel tellement notre émotion était grande. Hélène l'invita à s'asseoir, me présenta et en quelques minutes le mit au courant de la situation. Marcel, le mari d'Hélène, était éberlué ! Il essaya de résumer la situation.

- Si je peux me permettre, vous parlez tous les deux de la même histoire mais avec des personnes complètement différentes qui n'ont rien en commun et dont les prénoms étrangement se recoupent. C'est bien ça ?

- Oui, c'est bien ça. Étrange non ?

- Étrange oui, c'est bien le mot qui convient. Indescriptible même, mystérieux. A en croire le récit d'Hélène, Angie et Alizée seraient une seule et même personne ? Mais ce n'est pas possible ! Elles viennent toutes les deux d'un monde complètement différent. Angie ne peut être Alizée et vice-versa. A moins que... Il reste cependant une éventualité. La seule d'ailleurs qui pourrait être possible, au vu de cette étrange ressemblance.

Et tous les trois, ensemble, nous nous sommes exclamés :

- Elles sont sœurs jumelles !

Alysée, les yeux plongés dans ceux de son frère s'écria.

- Sœurs jumelles ? Remarque, des personnes qui se ressemblent à ce point ne peuvent êtres que jumelles !

- Évidemment, tu penses bien que nous avons été plutôt surpris par notre déduction. Nous avions pensé à la même chose au même moment.

C'est Marcel qui le premier rompit le silence.

- Mais non voyons, nous disons n'importe quoi. Comment pourraient-elles être sœurs jumelles si elles n'ont pas eu la même enfance ni les mêmes parents ? Il

y a trop de choses qui ne collent pas. Et pourtant, cette ressemblance est bien réelle et indéniable.

- On avait étalé les deux photos sur la table et commencé à les détailler espérant y trouver une réponse. Mais non, rien. Elles étaient pareilles, identiques. Copies conformes ! Nous sommes restés là, confondus.

Une question cependant taraudait Marcel. Il me demanda comment on avait retrouvé l'identité exacte d'Angie après son accident. Je lui expliquais plus en détail les recherches entreprises par l'hôpital pour essayer de trouver quelqu'un qui pourrait au moins la reconnaître. Mais, pourquoi, si la photo d'Angie était la même que celle d'Alizée, personne ne s'était manifesté ? Il y avait Thomas le mari d'Angie, Steve le mari d'Alizée, Anjie, Hélène et Marcel, les ami(e)s d'Angie et d'Alizée ? Pourquoi n'en avaient-ils jamais entendu parler ?

- Romain, vous souvenez-vous à quelle période ça s'est passé ?

- Voyons, maman est morte il y a cinq ans. Elle a été suivie un an au Centre Médico Psychologique et elle est restée hospitalisée plusieurs mois. On va donc dire que ça remonte à sept ans environ ?

- Il y a sept ans environ ? Qu'avons-nous fait Hélène il y a sept ans ?

- Nous avons ouvert le restaurant et travaillé d'arrache-pied pendant deux ans. Comme tout marchait très bien on s'est agrandi et on a pris deux serveuses dont Marie en qui nous avons entièrement confiance et qui nous supplée quand nous sommes absents. Nous avons pris l'habitude de partir deux mois par an à l'étranger pour nous reposer. Quand la photo d'Alizée ou Angie a été diffusée au Journal Télévisé cela devait être sûrement au moment où nous étions en congés. C'est la seule solution plausible pour expliquer que nous n'avons pas été au courant.

— Mais avec sa photo à l'entrée, vos clients auraient pu vous dire qu'ils l'avaient vue à la télévision !

— A ce moment-là, nous n'avions pas encore mis sa photo. Nous l'avons installée il y a deux ou trois ans. Souviens-toi Marcel, c'est en faisant du rangement que nous l'avons retrouvée et comme nous n'avions plus de nouvelles d'elle, nous avons décidé de la mettre dans un cadre et de le suspendre au mur.

— Vous n'avez plus de ses nouvelles ? Depuis combien de temps ?

— Depuis environ huit ou neuf ans. Depuis que Steve a perdu la vie dans ce dramatique accident.

— Steve, vous voulez dire son mari ?

— Oui, son mari. Ils s'étaient remis ensemble. Quel beau couple ils faisaient tous les deux ! Mais ça n'a pas duré longtemps. Un an après, alors qu'il rentrait chez lui, il a quitté la route et il est venu s'encastrer dans un arbre. Il est mort sur le coup. On n'a jamais su ce qui s'était réellement passé. Alizée ne s'en est jamais remise et s'est renfermée sur elle-même. Nous n'avons plus jamais eu de ses nouvelles.

Au fur et à mesure que Romain parlait, Alysée se trémoussait sur le canapé, visiblement captivée. Son frère continua, revivant la scène.

— Et Anjie, sa sœur ? Pourquoi ne s'est-elle pas manifestée ?

— Aucune idée. Elle était repartie vivre sur Toulouse après leur aventure au Mexique.

— Et Romain, son frère ?

— Aucune idée non plus. Vous savez, on ne

connaissait qu'Alizée. Anjie nous l'avons vue une fois quand sa sœur nous l'a amenée et Romain nous ne l'avons jamais vu. Ce qu'on sait de lui c'est Alizée qui nous en a parlé.

- On va finir par ne plus s'y retrouver avec tous ces prénoms. Si on revient à Angie, ma mère et si effectivement elle avait une sœur jumelle, elle en aurait parlé dans son journal ! Elle l'aurait dit à Thomas, mon père. Donc cette histoire de sœurs jumelles n'est pas du tout crédible et de toute façon ça ne tient pas debout.

- Il y a quand même beaucoup de mystères dans toute cette histoire. Mais comment savoir ?

- Hélène et Marcel ont voulu me garder pour manger. J'ai pu ainsi mieux faire leur connaissance et je les ai trouvés vraiment très sympathiques. Au moment de se quitter, Hélène m'a donné son numéro de téléphone pour que je la tienne au courant. Ils m'ont assuré tous les deux qu'ils se tenaient prêts à nous aider si nous avions besoin d'eux. Tu sais, cette discussion m'a fait du bien malgré l'étrangeté de la situation. J'ai rencontré des gens charmants, qui m'ont écouté sans mettre une seule fois ma parole en doute.

Maintenant, Alysée s'était réfugiée au fond du canapé, les jambes repliées sous elle dans une attitude figée. Elle l'avait écouté sans oser l'interrompre et ses yeux se remplirent de larmes. La voyant aussi troublé, Romain, dans un grand élan de tendresse la prit dans ses bras où elle se laissa aller, vaincue, secouée de sanglots. Ils ne s'étaient pas aperçus que le jour avait baissé, ils restaient là, tous les deux, dans la pénombre. Dans un sursaut Alysée se raidit, regarda sa montre et totalement affolée se leva d'un bond.

- Quelle heure est-il ? J'avais prévu de faire

quelques courses et je ne me suis pas rendu compte qu'il était si tard. Je ne sais plus où j'en suis avec tout ce que tu viens de me dire. Je me sens vidée, je n'ai plus d'énergie. Au fait, as-tu réfléchi à la proposition que je t'ai faite au sujet de l'anniversaire de Mélanie ? Je t'en supplie, dis-moi oui à tout. J'ai trop besoin de ta présence et je n'ai pas du tout envie de rester seule. Je veux profiter de toi un max. S'il te plaît, dis-moi oui !

Tout en parlant elle avait joint les mains devant elle dans un geste de prière, ponctué par un sourire rempli de malice. Amusé, Romain lui répondit, de la même manière.

- Alors, voyons voir. Tu veux que je reste avec toi tout le week-end et en plus tu veux aussi m'amener à l'anniversaire de ta cops. C'est beaucoup me demander tu sais. Mais puisque tu m'as si sagement écouté, sans m'interrompre en plus ! Je pense que je vais rester. Et d'ailleurs, pour te montrer que je suis vraiment un frère adorable, je t'accompagne aussi faire les course. Je serai dans ton ombre aussi longtemps que je resterai ici. Tu n'es pas près de te débarrasser de moi.

- Super. Je n'en attendais pas autant de ta part. Je suppose donc que ta réponse veut dire aussi que tu m'accompagnes à la soirée anniversaire de Mélanie ? Tu vois qui c'est Mélanie ? Je te l'avais déjà présentée l'été dernier. Le thème de la soirée est " soirée blanche ".

- Une " soirée blanche " ? Ça veut dire que tout le monde est habillé en blanc ? Allons bon ! J'ai bien un t-shirt blanc mais de là à mettre un pantalon de la même couleur !!!

- Et des chaussures blanches avec des chaussettes blanches et un caleçon blanc. A moins que tu ne préfères le bon slip kangourou. Rajouta t-elle en se dandinant.

T'inquiète, Vincent avait acheté un pantalon en prévision de cette soirée. Tu as à peu près le même gabarit que lui, il te faudrait l'essayer.

- Hum, mettre un pantalon de ton mec ! Je ne sais pas si je peux me l'autoriser. S'il apprend que ton frère, l'homo, prend ses affaires je ne donne pas cher de ma peau.

- Bon, on verra tout à l'heure. Pour le moment il faut aller aux courses sinon on sera obligé de manger du pain et de l'eau.

Ils n'eurent pas à aller bien loin. Alysée amena son frère dans une petite épicerie où elle se servait régulièrement ayant sympathisée avec les commerçants. Elle avait juste besoin d'acheter le pain, un peu de viande et des légumes. Romain rajouta une bouteille de vin rouge. Ils avaient hâte de rentrer pour continuer leur conversation. Pendant qu'Alysée préparait l'apéro, Romain s'était attaqué à la salade et à la cuisson du riz qu'ils avaient décidé d'accompagner à la viande. L'ambiance était sereine, un disque de blues diffusait une musique douce et entraînante. Un sentiment de bien-être les avait envahis après la dure journée qu'ils avaient passée et le tumulte intérieur qui les habitat. Romain avait essayé le pantalon de Vincent qui, bien sûr lui allait très bien. Mais il ne semblait pas avoir très envie de le mettre pour la soirée. Durant le repas ils parlèrent de leur vie respective, leurs attentes, leurs déceptions, leur travail. Une fois la vaisselle essuyée et rangée, assis sur le canapé avec leur verre de vin, c'est Alysée qui engagea la conversation.

- Il faut que je te dise une chose, Romain. Ça me perturbe énormément toute cette histoire. Où en sommes-nous maintenant ? Je me doutais bien qu'on risquait beaucoup en essayant de revenir sur le passé. Tu vois à quoi ça nous mène ? Tu penses qu'on avait besoin de ça ? Pourquoi nous ne la laissons pas tranquille ? Tu espères quoi ? De quel droit remues-tu tout ça ?

De quel droit ? Mais Alysée, j'estime que le droit nous l'avons ! Nous sommes les mieux placés pour le prendre le droit ! C'est quand même l'histoire de notre famille ! Tu me déçois, je pensais que tu avais enfin compris et que tu étais prête à m'aider.

- Je suis prête à t'aider mais je suis morte de trouille. Il y a trop de zones d'ombre. Nous ne savons pas où nous allons et où ça va nous mener. Tu ne la feras pas revenir et ce qu'on risque d'apprendre va peut-être nous déstabiliser encore plus.

- Ça va, j'ai compris. Tu restes sur tes premières impressions, tu ne veux pas en démordre. Si c'est trop compliqué pour toi je ne te demanderai plus rien.

Il s'était redressé, furieux, faisant le tour de la pièce en agitant les bras dans tous les sens, marmonnant des phrases incompréhensibles. Alysée était mal à l'aise, elle s'en voulait, elle n'aurait jamais dû lui dire tout ça. Elle avait peur qu'il s'en aille, qu'il la laisse toute seule. Elle se leva d'un bond et lui passant les bras autour de ses épaules, le força à se tourner vers elle. Elle était confuse, soucieuse de rétablir leur intimité.

- Je suis désolée. Excuse-moi. Je ne sais plus quoi penser. J'ai la trouille de savoir et de souffrir une fois de plus. Elle me manque déjà tellement.

Ses paroles l'arrêtèrent net. Il la dévisagea, le regard plein de tendresse.

- Je sais que c'est compliqué pour toi. Ça l'est aussi pour moi tu sais ! Nous n'avons pas les mêmes idées sur ce sujet et si pour toi c'est trop difficile, je l'accepte et le respecte. Je ne veux pas t'obliger à faire des choses qui dépassent ta volonté.

- Après tout ce que tu as appris, que comptes-tu faire ? As-tu une idée ?

- Viens sœurette, viens t'asseoir près de moi et essayons de parler calmement. Oui j'ai ma petite idée et je veux avoir ton avis, savoir ce que tu en penses.

A nouveau installés sur le canapé, Romain poursuivit.

- Pour moi, la seule personne qui peut, peut-être, nous aider, c'est Anjie, la sœur d'Alizée.

- Anjie ? Oui tu as raison, je suis plutôt d'accord avec toi. Mais comment faire pour la retrouver ? Nous ne savons à quoi elle ressemble ni où elle se trouve aujourd'hui.

- Ce dont on est sûr en tout cas c'est qu'elle a vécu à Toulouse et Toulouse n'est pas loin d'Albi. Il faut commencer par-là. Nous sommes sur place.

- Mais nous ne connaissons rien d'elle ! Son nom de famille, où elle vit, où elle travaille.

- C'est vrai, nous avons très peu d'éléments en effet. Écoute, je pourrais peut-être appeler Hélène ? Elle sait sûrement des choses que nous ignorons.

- Si elle t'a donné son numéro et assuré que tu pouvais l'appeler, fais-le !

A peine avait-elle achevé sa phrase qu'il s'était emparé de son téléphone et avait commencé à chercher dans ses contacts. Au bout de deux sonneries son interlocutrice était en ligne. Elle n'eut pas l'air surprise de l'entendre. Il avait mis le haut-parleur pour que sa sœur puisse suivre la conversation. Elle avait une voix douce et mélodieuse. Romain lui demanda si elle connaissait l'adresse d'Anjie. Malheureusement elle ne l'avait vue qu'une fois et ne savait pas où elle habitait. La seule chose dont elle se souvenait était qu'elle travaillait dans un bar et qu'elle avait un appartement en ville. Après un court silence elle lui parla de l'hôtel où elle savait qu'elle avait dormi les premiers mois et de l'hôtelier qui était devenu son ami. Le prénom lui échappait. L'hôtel était situé vers Jean Jaurès. Au fur et à mesure qu'elle parlait, un prénom lui revint en mémoire : *Jean ! Oui c'est ça, il s'appelle Jean. C'est Alizée qui me l'avait dit !* Romain lui demanda ensuite si elle pouvait la décrire, ce qu'elle fit sans hésitation. Elle était désolée de ne pouvoir les aider davantage mais il la rassura, lui répondant qu'ils avaient déjà quelques renseignements et que c'était plutôt encourageant. Alysée, quant à elle, n'était pas du tout du même avis.

- Mais enfin Romain, comment tu vas t'y prendre ? Des hôtels vers " Jean-Jaurès " il y en beaucoup à Toulouse ! De plus on ne connaît même pas le nom de la rue où il se trouve. On n'a pas de photos d'Angie, juste une description : petite, yeux gris bleus, cheveux châtains. Où comptes-tu aller avec ça ? C'est complètement insensé.

- Je sais, tu as raison. C'est peu, très peu même. Mais ça ne suffit pas pour que j'abandonne. Je veux essayer.

- Alors bon courage.

- Mais, Alysée ? Tu ne vas pas m'aider ?

- T'aider à quoi ? Quand ? Je bosse toute la semaine, je rentre tard le soir. Mes week-ends sont souvent pris entre le ménage, les courses. Comment veux-tu que je t'aide ? Et puis de toute façon je crois que je n'en ai pas envie.

- Tu n'en as pas envie ! Je m'en doutais figure-toi ! Tu n'en as pas envie même après tout ce que je t'ai dit ?

- Je ne sais pas, je ne sais plus. Il m'arrive trop de choses en même temps. Toi, maman, Vincent. Je me sens si lasse.

Romain s'était levé, perdu dans ses réflexions. Après avoir fait quelques pas, il se retourna et se planta devant sa sœur.

- Je comprends, oui, je comprends que le moment n'est peut-être pas le bon. Tu es devant un choix difficile à faire et ce que je te demande aujourd'hui ne fait pas partie de tes priorités. Aussi voilà comment je vais m'y prendre. Demain je pars à Toulouse comme ça je pourrai y entreprendre des recherches plus facilement.

- Tu vas sur Toulouse ? Et tu vas loger où ? Je t'ai vexé ? Ne pars pas demain s'il te plaît. Reste avec moi ce week-end. On verra ensuite pour la semaine prochaine.

- Ok je veux bien rester ce week-end avec toi. Je prendrai ensuite un hôtel sur Toulouse. Je te tiendrai au courant des événements et ça m'évitera par la même occasion de me retrouver face à ton mec.

- Il m'emmerde ce type ! A cause de lui je ne peux même pas m'occuper de mon frère comme je le souhaiterais.

- Laisse Alysée, c'est mieux comme ça. Je serai sur place. La seule chose que je te demanderai de faire est de m'aider à localiser le quartier afin que je puisse trouver un hôtel et, qui sait, peut-être même m'y installer.

- Pas de problème Romain. Jean Jaurès est très facile à localiser puisque situé dans le centre. Par contre, en ce qui concerne les hôtels, tu vas en trouver mais

lequel sera le bon ? Toi qui viens de Paris tu dois connaître ce problème quand on n'a pas d'idées précises sur ce que l'on cherche. On va aller sur mon bureau et regarder sur Internet. Dans un coin du salon, face à la télévision, Alysée s'était effectivement installée un petit coin douillet : petite table de couleur grise où étaient posés
son ordinateur ainsi qu'une lampe de bureau. Assis l'un à côté de l'autre ils commencèrent à rechercher un hôtel susceptible de les intéresser : " Hôtels pas trop chers vers Jean-Jaurès ".

- Autant chercher une aiguille dans une meule de foin ! Comment veux-tu trouver quelque chose là-dedans ? Il y a beaucoup trop de choix et puis ça remonte à plus de cinq ans, peut-être dix. On n'y arrivera jamais. Romain était désemparé. Le petit espoir qu'il avait depuis quelques jours s'était évanoui. Il regardait sa sœur, décontenancé. Il émanait de lui une profonde tristesse. Il lui fallait se rendre à l'évidence. Jamais il ne pourrait la retrouver. Alysée, voyant sa détresse, tentait de trouver les mots pour le réconforter. C'est à ce moment-là que la sonnerie du portable de Romain se déclencha.

C'était Hélène. Elle le rappelait car elle s'était souvenue d'une chose qui pourrait peut-être les aider. Elle savait qu'Alizée était allée rendre visite à sa sœur plusieurs fois avec Steve puis seule après la disparition de son mari. Elle s'était rendue sur son lieu de travail et en avait fait une fidèle description à Hélène " au cas où ça lui donnerait des idées pour son commerce ". Situé en plein centre, une terrasse extérieure très agréable d'où l'on pouvait observer les passants aller et venir. On ne pouvait pas le manquer d'autant plus que la FNAC se trouvait au-dessus. Malheureusement elle ne connaissait pas le nom. Alysée qui écoutait attentivement avait crié presque malgré elle : " le Café des Américains " ! Hélène s'était interrompue, ne comprenant pas ce qui se passait. Romain regardait sa sœur interdit, un grand sourire aux lèvres. Il expliqua rapidement la situation à son interlocutrice puis raccrocha après l'avoir chaudement remerciée. Il n'en revenait pas. Il était fou de joie. Poussant un grand cri, il enlaça sa sœur et esquissa quelques pas de danse.

   - Tu es bien sûre que c'est ce café ?

   - Tout à fait. D'après la description qu'elle en a faite on ne peut pas se tromper. C'est incroyable tout de même, ce coup de fil. Au moment même où tu pensais abandonner.

   - Comme tu dis, sœurette. La providence, c'est la providence. Cet appel m'a redonné la pêche. Enfin une bonne nouvelle.

Il se faisait tard à présent et Alysée montrait des signes de fatigue. C'est en baillant qu'elle dit à son frère :

   - Écoute, je suis fatiguée. Toutes ces révélations m'ont terriblement secouée. J'aspire à une bonne nuit de sommeil, si j'arrive toutefois à dormir. Allons nous coucher. On y verra plus clair demain. Je t'ai préparé la chambre d'amis.

   - A vos ordres ma chère. Il se fait tard et moi aussi je suis fatigué.

Romain suivit sa sœur et ils se souhaitèrent bonne nuit devant la porte de sa chambre. C'était une pièce plutôt exiguë, occupée par un grand lit, une table de nuit et une petite penderie. Ses murs blanc cassé, sa moquette claire, ces gros rideaux marrons donnaient à la pièce une simplicité et une douceur invitant à la rêverie. Sur le lit, Alysée avait pris soin de mettre une serviette de bain et un échantillon de gel douche et shampoing, ce qui fit sourire Romain. Quelle délicate attention ! Aussitôt déshabillé il s'engouffra dans les draps dont la bonne odeur de lessive aux accents fleuris l'amena directement aux portes du sommeil.

Chapitre 3

SUR LES TRACES D'ANJIE

« Il y a des jours, des mois,
des années interminables
où il ne se passe presque rien.
Il y a des minutes et des secondes
qui contiennent tout un monde ».

Jean d'Ormesson

Il était 9h quand Romain fut réveillé par sa sœur qui était entrée dans sa chambre et sautait sur son lit comme lorsqu'ils étaient enfants. Pris dans son jeu et heureux de retrouver les joies de leur enfance Romain engagea une bataille de polochons aussitôt suivi par Alysée dans un grand éclat de rire. Un bon quart d'heure après, Alysée entraîna son frère dans la cuisine où les attendait un délicieux petit déjeuner qu'ils dégustèrent sans plus attendre. Elle était rayonnante de bonheur. Leurs rires emplissaient la maison. Le soleil entrant par les fenêtres ouvertes amenait avec lui le doux parfum des fleurs qu'une brise légère faisait frissonner. Une belle journée en perspective.

Pendant que Romain prenait sa douche, Alysée en profita pour lister le programme de la journée. Ils avaient tout le temps devant eux. Ils pouvaient fainéanter ce matin puis aller manger un bout dans une pizzeria et ensuite faire quelques magasins à la recherche de quoi vêtir son frère pour leur soirée. Elle l'avait bien compris, il n'avait pas l'intention d'emprunter les vêtements de Vincent. En ce qui la concernait, elle était déjà équipée.

Une fois leurs pizzas avalées dans une pizzéria, les voilà partis à la recherche de magasins susceptibles de satisfaire les goûts de Romain. Ils n'eurent aucun mal pour dénicher une chemise blanche. Le choix d'un pantalon de la même couleur se révéla un peu plus compliqué. Après quelques heures d'essayage ils finirent tout de même par trouver ce qu'ils cherchaient : un très beau pantalon en toile, cargot, avec plusieurs poches sur le côté. Quant aux chaussures, Romain opta pour des baskets. L'après-midi étant assez avancé ils se baladèrent dans les ruelles du vieil Albi. Romain aurait aimé visiter cette belle ville, fouler le sol de sa superbe cathédrale. Aussi se promit-il de le faire dès qu'il aurait un peu plus de temps devant lui.

A 19h30, ils étaient douchés et habillés, un peu

fatigués par leur longue journée, mais ravis. Alysée avait prévenu son amie qu'elle viendrait avec son frère à la place de Vincent. Ils étaient tous les deux vêtus de blanc. Une robe et des nus pieds pour Alysée, un pantalon, chemise et baskets pour Romain. Mélanie fêtait ses 30 ans et avait invité une soixantaine de personnes. Sitôt arrivés, elle s'était précipitée vers eux, les entraînant rapidement vers ses amis afin de faire les présentations. Elle était très en beauté : Robe blanche au dessus du genou, style années 30, chaussures à talon dans le même style, gants blancs remontant jusqu'aux coudes, un chapeau à résille sur la tête. Pour parfaire le tout, elle s'était fait teindre les cheveux en noir, coupe au carré. Son maquillage léger, soulignait l'intensité de son regard et la douceur de ses traits.

- Tu es tout simplement parfaite Mélanie. Sublime ! Ce style années 30 te va super bien. Comment as-tu eu cette idée ?

- C'est parce que j'aime beaucoup cette époque et c'était l'occasion pour moi de me faire plaisir ! Je suis ravie que ça te plaise. Merci.

Tout le monde était vêtu de blanc, tout le monde avait joué le jeu. La salle était décorée avec goût. Des ballons blancs et noirs accrochés au plafond. Des chapeaux fixés aux murs. Deux longues tables recouvertes d'une nappe blanche occupaient un coin de la salle. Sur l'une d'elle, décorée de plumes et de pétales de fleurs était disposés deux gros saladiers remplis, pour le premier d'un punch fait maison et, pour le second, d'une sangria faite maison elle aussi. Les jus de fruits, coca, carafes d'eau n'avaient pas été oubliés. Le tout agrémenté d'une multitudes de toasts aussi appétissants les uns que les autres. Sur la seconde table, destinée à recevoir le repas préparé par un traiteur, se trouvaient différents plateaux disposés au milieu d'une déco faite de boas en plumes blanches, guirlandes de perles et grosses bougies. Un orchestre, au fond de la salle commençait à jouer quelques morceaux. Des chaises étaient placées un peu partout dans la pièce afin que chaque convive puisse profiter pleinement de la soirée, debout ou assis. Mélanie ayant précisé qu'elle préférait de l'argent plutôt que des cadeaux, avait installé, près de la porte d'entrée, une ancienne boîte à musique, destinée à y recevoir les enveloppes. Rapidement tout le monde s'était rassemblé autour de la première grande table, désireux de commencer l'apéritif. De manière tout à fait naturelle, Romain s'improvisa barman, sous le regard entendu de sa sœur et son amie. Les discussions allaient bon train,

Alysée, n'ayant plus son frère auprès d'elle en profita pour aller discuter à droite, à gauche et faire de nouvelles connaissances. Elle ne regretta pas un seul instant l'absence de Vincent. Elle comptait bien en profiter et s'amuser. La soirée promettait d'être agréable.

L'orchestre jouait merveilleusement bien et la piste de danse fut rapidement envahie. Alors qu'elle venait de danser un bon vieux rock'n'roll, Alysée, se dirigeant vers le bar, aperçut une jeune femme blonde en grande discussion avec son frère. Elle paraissait un peu éméchée. Apparemment, elle en était à son cinquième verre et commençait à tituber. Romain essayait de lui faire comprendre qu'il ne pouvait la resservir à nouveau, qu'il fallait en laisser aussi pour les autres. Le ton commençait à monter, elle ne voulait rien entendre et, d'un geste brusque s'était emparée de la louche pleine de sangria qu'il avait à la main. Tout le liquide se répandit sur la table et aspergea au passage plusieurs convives dont Romain qui se retrouva avec sa chemise toute tachée de sangria. La jeune femme ne se démontait pas pour autant et s'était mise à l'insulter. C'est alors qu'un jeune homme se précipita sur elle pour la neutraliser et essayer de la faire sortir. Elle hurlait à présent, devenant l'attraction de la soirée. Enfin il put la faire taire et ils disparurent dans le jardin jouxtant la salle des fêtes. Mélanie, était confuse et se confondait en excuse auprès de Romain qui avait du mal à se retenir de rire. Il partit rejoindre sa sœur qui l'attendait un large sourire au coin des lèvres.

- Eh ben dis donc toi ! A peine arrivé, tu te fais déjà remarquer ! De plus, ça n'était pas la plus moche. Il faudra que je t'apprenne comment t'y prendre avec les femmes, surtout les jolies blondes.

- Ah c'est malin. De toute façon, elle n'est pas du tout à mon goût, je préfère les brunes, cheveux courts, plutôt garçon manqué, si tu vois ce que je veux dire.

- Elle ne t'a pas raté, tu dépareilles avec ces taches. On n'a pas pensé prendre des vêtements de rechange. En même temps, qui se serait douté que tu te retrouverais dans cet état-là ! Normalement, quand on va à une soirée on arrive et on repart sans avoir besoin de se changer.

Alors qu'Alysée et son frère continuaient à échanger allègrement sur la situation, Mélanie se présenta devant eux, un tee-shirt blanc à la main.

- Tiens Romain, je pense que celui là devrait t'aller. En échange, donne-moi ta chemise, je te la laverai. Je suis encore confuse pour ce qui s'est passé. Ce n'est pas la première fois que Nina me fait des histoires.

Je ne l'apprécie d'ailleurs pas beaucoup, c'est la copine de Nathan et, bien sûr je ne pouvais pas l'inviter tout seul. Je sais pas ce qu'il lui trouve. Enfin l'amour, qu'est-ce qu'il ne fait pas faire hein!

- T'inquiète pas Mélanie, ce n'est pas grave. Regarde tout le monde a déjà oublié ce qui c'est passé. Elle a juste un peu trop bu, c'est tout.

- Apparemment d'après ce que m'en a dit Nathan, elle a le verre un peu facile. Tiens, le voilà d'ailleurs qui revient. Je pense qu'il va venir s'excuser. Je vous laisse. A tout à l'heure.

Effectivement, Nathan se dirigeait vers eux, la mine contrariée.

- Je me présente, Nathan, l'ami de Nina. Je suis désolé pour ce qui vient de se passer. Quand elle a bu elle est plutôt imprévisible. Je vais vous dédommager pour la chemise car je pense que vous aurez du mal à la ravoir.

- Non, ne vous inquiétez pas. C'est pas un soucis. Enchanté de faire votre connaissance, même si c'est dans des circonstances un peu inhabituelles. Je suis Romain, le frère d'Alysée qui est une amie de Mélanie.

- Alysée ? C'est donc vous Alysée ! Mélanie m'a beaucoup parlé de vous et de votre frère jumeau dont, si j'ai bien compris, je fais aussi la connaissance aujourd'hui. Ça vous dirait de nous rapprocher du bar pour y boire un coup ? Un verre de sangria par exemple ? Il paraît qu'elle est excellente. Déclara t-il dans un grand éclat de rire suivi d'une bonne tape sur l'épaule de Romain.

- Qu'avez-vous fait de Nina ?

- Je l'ai installée dans la voiture après l'avoir fait vomir. Vous savez, elle a tendance à boire un peu trop surtout quand on est de sortie. Elle sait qu'elle ne tient pas l'alcool mais elle se fait avoir à chaque fois et elle finit souvent la soirée dans la voiture. On en avait parlé avant de venir et elle m'avait juré qu'elle se tiendrait bien mais, malheureusement, ça n'a pas du tout été le cas. Bon je ne vais pas vous ennuyer avec mes problèmes. Vous connaissez Mélanie du travail si j'ai bien compris ? Vous êtes dans les services administratifs de l'hôpital comme elle ?

- Oui, je suis au service comptabilité. Nous nous sommes rencontrés au self et avons rapidement sympathisé. C'est quelqu'un que j'aime beaucoup.

- C'est vrai, elle est géniale. Nous étions dans la même classe au collège puis je suis parti continuer mes études à Toulouse où je travaille actuellement. Nous ne nous sommes jamais perdus de vue.

- Vous travaillez à Toulouse ?

- Je suis conseiller financier, j'ai ouvert mon cabinet depuis un an environ et je suis situé pas loin de la place Wilson. Voilà, vous savez tout de moi. Mais dites-moi, ça serait peut-être plus simple de se tutoyer non ? Qu'en pensez-vous ?

Il avait à peine fini sa phrase qu'Alysée et Romain mus par la même intuition avaient échangé un long regard. Ce fut Alysée qui se lança la première.

- Place Wilson ? Si je ne me trompe, le Café des Américains n'est pas loin de cette place ?

- Tout à fait ! Je connais bien le patron. C'est un ami. Mais pourquoi tu me demandes ça ? Tu le connais ce café ? Au fait, ça ne vous dérange pas qu'on se tutoie ?

- Non, ça ne nous dérange pas du tout. Avec mon frère on est à la recherche d'une certaine personne qui travaillerait dans ce bar. Anjie, ça te dit quelque chose ?

- Anjie ? Non ça ne me dit rien. Elle est serveuse ? En tout cas elle n'y travaille plus car cela fait un bon bout de temps qu'il n'a plus de personnel féminin. Je ne voudrais pas être indiscret mais vous la recherchez pourquoi ? Si je peux faire quelque chose pour vous aider ?

- C'est une longue histoire et c'est vrai que nous avons besoin d'aide car nous ne savons pas trop comment nous y prendre.

- Si vous voulez on peut prendre un moment pour discuter tous les trois. On pourrait aller s'installer là-bas, au fond de la salle.

Alysée et Romain ne se firent pas prier. Ils avaient sous la main quelqu'un qui pouvait peut-être les aiguiller et qui, de surcroît, connaissait le patron du café où avait travaillé Anjie.

Ils s'étaient dirigés vers le fond de la salle et s'étaient installés à une table, suffisamment éloignés pour ne pas être gênés par la musique et pouvoir parler sans avoir besoin de trop élever la voix.

Alysée et Romain firent à Nathan un récit succinct mais précis de la situation. Au fur et à mesure qu'ils parlaient, Nathan hochait la tête, vivement intéressé par cette histoire hors du commun. Dès qu'ils eurent terminé, il leur fit la proposition suivante.

- Vous avez prévu quelque chose pour demain ?

- Non, on n'a rien prévu de particulier sauf d'aller à l'aéroport de Blagnac ramener la voiture de location de Romain.

- Parfait. Alors voilà ce que je vous propose. Une fois que vous aurez ramené la voiture, vous prenez le périphérique direction Montrabé puis vous laissez la voiture au parking du métro Balma-Gramont. Ensuite vous prenez la ligne A direction Basso-Cambo et vous descendez à Jean Jaurès. Est-ce que 11h vous convient ? On ira se prendre un apéro au Café des Américains et je vous mettrai en contact avec mon ami. C'est bon pour vous ?

- Ah ouais, c'est une super bonne idée. Je suis partante. Et toi Romain ?

- Mais que oui, c'est super génial ! Je suis plus que partant moi aussi. En définitive, Nina a bien fait de me renverser son verre dessus. Sans elle on n'aurait sûrement pas eu l'occasion de discuter et on ne serait pas plus avancé. Mais, d'ailleurs, tu dors où ce soir ? Tu rentres sur Toulouse ?

- Oui, on a prévu de rentrer et je pense même que nous n'allons pas tarder. J'ai très peu bu et Nina n'est pas en état. Je vous laisse mon numéro de portable, comme ça vous pourrez me joindre si vous rencontrez le moindre problème. Ça vous va comme ça ?

- C'est ok. On fait comme ça. Pour nous aussi il se fait tard et on va en profiter pour s'éclipser surtout qu'on a de quoi faire demain.

Ils partirent tôt le lendemain matin. Comme prévu, ils se rendirent d'abord à l'aéroport ramener la voiture de location de Romain, reprirent le périphérique pour aller se garer sur le parking de la station de métro et prendre une rame jusqu'à la sortie Jean Jaurès. Ils arrivèrent avec vingt minutes de retard. Ah les joies de la grande ville !

Nathan les accueillit tout sourire. Nina s'était levée ce matin avec un formidable mal de tête et elle avait chargé son compagnon de l'excuser auprès de Romain pour son comportement de la veille. Elle aurait été ravie de se joindre à eux mais ne s'était pas senti ni le courage ni l'envie, de se balader en ville.

Ils se dirigèrent à pied vers le Café des Américains. Romain et Alysée étaient plutôt fébriles. Ils s'attablèrent dehors, Nathan se dirigea à l'intérieur de l'établissement, leur faisant signe qu'il allait revenir. Ce café situé en plein centre-ville est un endroit privilégié pour celui qui aime se plonger dans la vie et les habitudes toulousaines. Il y a beaucoup de passage.

Les gens circulent à pied, seuls ou accompagnés, marchant d'un pas rapide ou plus nonchalamment, serrés l'un contre l'autre, se tenant la main... certains avancent, en grande discussion avec un interlocuteur à l'autre bout de leur téléphone portable. D'autres, les mains dans les poches ou des écouteurs dans les oreilles flânent, absents au monde qui les entourent. C'est un flot incessant de personnes qui se côtoient l'espace d'un instant, arrêtés sur le trottoir en attendant que le feu passe au vert afin de pouvoir traverser et se rendre sur le trottoir d'en face. Des jeunes, des vieux, des enfants, des riches, des pauvres. Vêtus de robes, jupes, pantalons, shorts, bermudas, en tongs, escarpins ou baskets. Bref, un défilé de personnes anonymes qui filent vers leurs destins.

Alysée et Romain, captivés par ce va-et-vient incessant, n'avaient pas vu revenir Nathan, en compagnie de son ami, le patron du bar à qui il avait expliqué la situation. Les présentations faites, Adrien, le gérant du café, leur confirma qu'Anjie avait bien travaillé ici mais qu'elle avait démissionné au bout de quelques années de manière assez soudaine. Il ne l'avait jamais revue. Il était désolé de ne pouvoir les aider davantage.

Ayant pris leur commande, alors qu'il retournait vers le comptoir, il s'arrêta, semblant se raviser, fit demi-tour et revint vers eux.

- J'y pense ! Normalement vers les 16h le dimanche, j'ai toujours la visite d'un groupe d'amis qui vient prendre une bière et se retrouver avant d'entamer la semaine. Si vous restez un peu je vous les présenterai. Ils ont bien connu Anjie. Ils avaient pris l'habitude de sortir tous ensemble. Ils en sauront sûrement plus que moi à son sujet.

Il était 11h30. Nathan, qui connaissait pas mal de restaurants sur Toulouse les invita à manger. "Pour se faire pardonner le comportement de Nina la veille" leur assura t-il. Ils consommèrent donc leurs apéritifs commandés à Adrien et se dirigèrent vers la place Wilson. Le repas fut excellent, les serveurs charmants. Nathan leur fit faire un petit tour vers la Place du Capitole, histoire de se dégourdir les jambes. Il promit à Romain et Alysée de leur faire visiter la ville dont il connaissait l'histoire par cœur.

Vers 15h Nathan les raccompagna au Café des Américains où il les laissa, devant récupérer Nina pour l'amener rendre visite à ses parents. Assis sur la terrasse, d'un simple regard, sans se parler, ils s'installèrent de façon à avoir une vision identique des personnes se trouvant autour d'eux. C'était leur jeu favori lorsqu'ils se trouvaient ensemble. Après avoir repéré un couple ; en fonction de leurs mimiques, de la façon dont ils se tiennent. ils s'inventent un dialogue, une histoire où chacun joue le rôle de l'homme ou la femme. C'est à celui qui aura le plus d'imagination.

Ils furent interrompus par l'arrivée d'Adrien (le barman) qui s'était approché d'eux, accompagné d'un homme d'une quarantaine d'années qui s'appelait Gérard. Il faisait partie du groupe d'amis avec lequel Anjie s'était liée et ils étaient assis quelques tables plus loin. Gentiment, Gérard leur proposa de se joindre à eux, Adrien lui ayant déjà expliqué la situation. Ils s'installèrent donc et chacun se présenta. Il y avait Isa, Jean-Luc, Clara, Antoine, Lilian et Gérard. Le courant passa rapidement et c'est tout naturellement qu'ils en vinrent à discuter de ce qui les avait amené ici.

- Donc, d'après ce que nous a dit Adrien vous êtes à la recherche d'Anjie ? Ça fait longtemps qu'on ne la voit plus. Elle a disparu comme ça, du jour au lendemain ! Vous êtes de sa famille ? Il lui est arrivé quelque chose ? Pourquoi la recherchez-vous au juste ?
- C'est une longue histoire. Pour faire simple nous aurions aimé la rencontrer pour qu'elle nous parle de sa sœur qui aurait peut-être un lien avec notre mère.
- En effet, même en faisant simple, ça m'a l'air assez compliqué. Comme vous l'a dit Gérard, nous n'avons plus aucune nouvelle depuis quelques années. Elle travaillait ici et c'est comme ça que nous avons fait sa connaissance. Nous sommes devenus amis. Puis elle a rencontré quelqu'un dont elle était très amoureuse et, petit à petit, elle nous a délaissés. Ne la voyant plus au travail non plus, c'est Adrien, le patron du bar, qui nous

a appris qu'il avait, un matin, reçu sa lettre de démission sans plus d'explications.
- Elle a disparu ? Comme ça ? Sans explications ?
- Oui, comme ça. Sans explications.
- Elle avait un autre ami non ? L'hôtelier ?
- Jean ? Lui aussi on n'a plus de nouvelles. Il est à la retraite et il est parti vivre en Provence.

Devant l'air déçu de Romain, Clara, la jeune femme au léger accent rajouta :
- D'après ce que nous a dit Jean, avant de s'en aller, Anjie lui aurait expliqué qu'elle ne pouvait plus rester ici, qu'il fallait qu'elle parte. Elle était désireuse de couper les ponts avec nous tous. On aurait dit qu'elle cherchait à se cacher. Elle avait l'air plutôt nerveuse et n'avait pas voulu lui en dire davantage. Pauvre Anjie, je l'aimais bien moi.
- Et son amoureux, vous le connaissez ?
- Oui, au début elle nous l'a amené quelquefois. Ils étaient si beaux tous les deux ! Tellement amoureux ! Elle semblait si heureuse ! Ça faisait plaisir à voir. Il la couvait des yeux. Et puis, pfft, plus rien. Ils ont disparu, envolés les tourtereaux.

Isa qui était restée silencieuse se tourna brusquement vers Gérard.
- Dis-moi, Gérard, maintenant qu'on en parle. On pourrait essayer de contacter Jean ? Il a peut-être une adresse ? Il en sait peut-être un peu plus que nous ? Et en même temps ça nous donnerait l'occasion de prendre de ses nouvelles.

Lilian quant à lui, restait suspicieux. Il n'était pas d'accord pour leur donner davantage d'informations. Il voulait avoir davantage d'explications. Ce fut Alysée qui leur résuma, en quelques phrases, la situation. Un silence de plomb suivit ses révélations. Ils étaient éberlués. La stupeur se lisait sur leurs visages.
- Quelle histoire. Nous comprenons maintenant cet acharnement à démêler cet écheveau et l'importance que ça peut représenter pour vous. Bien sûr que nous allons vous aider et on va même appeler Jean immédiatement.

Sitôt dit sitôt fait, Gérard prit son téléphone et composa le numéro. Il resta un bon moment en communication puis tendit le téléphone à Romain. Jean désirait lui parler. Ils discutèrent dix bonnes minutes au bout desquelles Romain raccrocha.
- Il m'a dit qu'il allait envoyer l'adresse par sms le temps qu'il la retrouve. Anjie lui avait écrit il y a trois ans, lui annonçant qu'elle était partie précipitamment pour se mettre à l'abri. Elle ne lui a pas donné plus d'explications, l'informant juste qu'elle n'était plus avec son ami et que c'est de lui qu'elle voulait se cacher. Elle lui avait noté son adresse, lui demandant de ne la divulguer à personne et de la garder précieusement " au cas où " ! Elle avait longuement insisté sur le fait de ne parler de cette lettre à personne. Elle ne souhaitait pas non plus qu'il la contacte en retour.
Ses amis n'en revenaient pas. Pourquoi avait-elle envoyé ce courrier à Jean et non à eux ? Ils étaient amis pourtant ! Romain leur précisa que dans son courrier elle avait bien spécifié que, si elle demandait ce silence

c'était pour les protéger tous et leur éviter des ennuis inutiles.

- Mais que s'est-il passé ? C'est son mec qui lui a fait des misères ? Pourquoi ne nous en a-t-elle pas parlé ? A nous tous on aurait pu la protéger ! Elle ne nous faisait peut-être pas suffisamment confiance ! On aurait pu l'aider quand même !

La surprise passée, ses amis s'accordèrent pour conclure qu'elle devait se trouver dans un " sacré merdier " pour n'en avoir parlé à personne.

- Mais, dis-moi, il a quand même accepté de te donner son adresse malgré son interdiction ?

- Oui. Il m'a dit que ça faisait longtemps maintenant qu'il avait reçu son courrier et que ça le démangeait souvent d'aller lui rendre visite. Aussi, il n'a pas hésité et m'a assuré que c'était peut-être le bon moment pour reprendre contact avec elle, que les choses avaient dû se tasser et qu'elle ne pourrait pas lui en vouloir d'avoir divulgué son adresse surtout si c'était pour une histoire de famille.

Entre-temps, Gérard avait reçu l'adresse et tendu le téléphone à Romain pour qu'il puisse noter les coordonnées sur un bout de papier. Fidèle à ce que lui avait demandé Jean, il supprima le message, sans le lire, pour ne laisser aucune trace.

Il était 20h. La fatigue de leur journée et les émotions de la soirée se faisaient sentir. Alysée avait envie de rentrer et elle se tourna vers son frère pour lui demander s'il comptait revenir avec elle à Albi ou rester sur Toulouse.

- Ne t'inquiète pas, je rentre avec toi. De toute

façon je n'ai plus de raison de rester ici puisque nous avons les renseignements que nous voulions.

Avant de se quitter ils échangèrent leurs numéros de téléphone respectifs, se promettant de se tenir régulièrement informés et donner des nouvelles d'Anjie. Pourquoi ne pas se revoir et passer une soirée ensemble ? Ils se promirent de se contacter très rapidement.

Sur le chemin du retour, le frère et la sœur ne cachèrent pas leur joie. Ils avaient apprécié l'entrain dont les amis d'Anjie avaient fait preuve pour retrouver la trace de leur mère. Alysée, elle-même, commençait à penser que cette idée n'était pas si mal en définitive, malgré encore une certaine réticence. De toute façon elle était prête à tout pour garder son frère auprès d'elle quelques jours de plus.

- Alors, quelle est la suite des événements ?
- La suite des événements ? Aller rendre visitE à Anjie.
- Ah oui ? Tu veux aller la voir ? C'est pas un peu prématuré ? Tu ne penses pas que ça puisse être un tout petit peu compliqué ? Tu veux te pointer chez une bonne femme que tu ne connais même pas, qui apparemment est partie se cacher et toi tu comptes arriver là, comme ça, sans crier gare. Jean a bien voulu nous donner son adresse mais elle avait pourtant bien recommandé de ne la divulguer à personne. Il l'a trahie et elle risque de ne pas apprécier du tout.
- Ah non, tu ne vas pas recommencer ! Comment

tu veux qu'on fasse ? C'est le seul moyen qu'on a ! Arrête de toujours douter de tout ! Jean la connaît et je pense que s'il a bien voulu nous la donner c'est qu'il savait qu'il pouvait le faire, non ? De toute façon, ma décision est prise. Il faut que j'aille la voir. Que tu sois d'accord ou pas.

- Bon ok, ok. J'ai compris. Tu as peut-être raison. Mais quand même. Et puis, c'est quoi son adresse au juste ? Elle habite où ?

- Dans l'Ariège, un petit coin paumé apparemment.

« Je suis désolée pour vous mes lecteurs mais, par respect pour la promesse faite à Jean, je ne me sens pas en mesure de vous donner l'adresse d'Anjie. Il vous suffira tout simplement de suivre mes personnages et les accompagner »

- Tu m'en vois ravie. De toute façon il va falloir localiser l'endroit sur Internet et nous aurons sûrement besoin d'une carte pour pouvoir se repérer comme il faut.

- Ouais petite sœur. Mais dis-moi " nous aurons besoin " ? Tu comptes venir avec moi ?

- Bien sûr que je compte venir avec toi. Je ne te quitte plus d'une semelle. Il va te falloir me supporter. Et puis je suis bien trop curieuse de savoir à quoi elle ressemble et ce qu'elle aura à nous dire. Je dirai même que toute cette histoire m'intrigue et m'excite. Donc je te suis.

Alysée n'avait pas fini sa phrase que son frère lui décocha un regard plein de tendresse ponctué par un grand sourire.

- Ah, là, je te reconnais bien ! Alysée, la battante avait disparu de la circulation mais elle n'a pu tenir bien longtemps.
- Comme tu peux le voir. Hélas !
- Bon. Il va falloir s'organiser. Je n'ai que quinze jours de congés et ça serait super si on pouvait en savoir un peu plus. Tu travailles demain ?

J'en profiterai pour chercher une chambre sur Albi et puis il faut que je mette de l'ordre dans mes photos pour les envoyer à Marc pour son livre. Si tu pouvais avoir au moins un jour, ça serait super.

- Il me reste encore quelques jours à poser. Je m'en occupe dès demain.

Ils venaient d'arriver chez Alysée. Pendant qu'elle leur préparait à manger, Romain s'était installé devant l'ordinateur pour essayer de localiser l'endroit où habitait Anjie.

- Hou là là, ça a vraiment l'air d'être un coin paumé. Je n'arrive pas à le situer. On risque d'avoir beaucoup de mal à trouver.

Alysée avait préparé un apéro dînatoire avec charcuteries, chips, tomates, salade et une bouteille de vin rouge. Ils venaient tout juste de commencer quand elle se tourna vers son frère, le regard soudain très triste.

- Romain, il faut que je te parle de Vincent. Je ne t'ai pas tout dit. J'ai tellement honte de moi et de mon comportement. La seule personne qui est au courant est mon amie Mélanie qui me donne d'ailleurs toujours de précieux conseils. Je suis un peu perdue et je sens bien qu'il faut que je prenne une décision. J'ai besoin de savoir ce que tu en penses.

 - Vas-y Alysée, dis-moi ce qui se passe. Je vois bien que tu es tracassée. Je t'écoute.

 - Tu sais, quand j'ai connu Vincent, j'étais encore bien jeune et j'ai vraiment été subjuguée par sa beauté, sa culture, sa gentillesse. Bref, tout en lui me plaisait. J'en suis tombée amoureuse dès le premier instant où il a posé ses yeux sur moi. J'ai vécu vraiment des moments fabuleux avec lui, je me sentais comblée, heureuse. Quand il m'a proposé que l'on se mette ensemble, je n'ai pas hésité une seconde. En fait je n'attendais que ça. Petit à petit j'ai commencé à avoir des doutes à son égard et le démon de la jalousie m'a paralysée. Il connaît beaucoup de monde sur Albi et quand il m'emmenait avec lui j'étais flattée d'être à ses côtés. Il évoluait avec tellement d'aisance, je l'admirais. Je voyais bien que les femmes lui tournaient autour mais je n'y prêtais pas attention. Puis j'ai commencé à le regarder d'une autre manière, ses attitudes, le ton qu'il prenait surtout en présence des autres femmes. Je le trouvais de plus en plus séducteur. Il les regardait d'un œil admiratif, leur faisait des tas de compliments et je voyais bien qu'elles n'y étaient pas indifférentes. J'avais l'impression de ne plus exister autant à ses yeux. On aurait dit qu'il oubliait jusqu'à ma présence. Je me sermonnais, me trouvant stupide et injuste, d'autant plus qu'il se montrait toujours aussi attentionné à mon égard. L'été dernier, nous sommes allés à un mariage. Il connaissait beaucoup de monde. Super ambiance. Assez tard dans la soirée, j'ai constaté qu'il avait disparu. Je ne le trouvais plus. J'allais me diriger vers un groupe d'amis quand je l'ai vu réapparaître par la baie vitrée, suivi de près par une superbe fille. Mon sang n'a fait qu'un tour.

Je devais le regarder d'un œil mauvais car dès qu'il m'aperçut il se dirigea vers moi l'air contrarié, me demandant pourquoi je le dévisageais de cette manière. Je ne sais pas pourquoi mais je me sentais trahie, salie ! Je lui ai demandé d'une voix tremblante ce qu'il faisait dehors. Il m'a assuré qu'il était sorti pour discuter avec ses copains et que c'était un pur hasard si cette fille était rentrée en même temps que lui. Il semblait amusé de ma réaction, ne comprenant pas l'importance que je lui accordais. Je ne demandais qu'à le croire mais une petite voix au fond de moi me disait le contraire. Ne voulant pas faire d'esclandre j'ai pris sur moi et je fis semblant d'oublier ma question. Mais le mal était fait. Je me suis forcée à sourire, rester agréable tout le long de la soirée. A cet instant précis je crois que j'ai commencé à le mépriser. Je me suis rabattue sur le champagne pour essayer d'oublier cet affreux sentiment qui me prenait aux tripes. J'ai passé le reste de la soirée à le surveiller, cherchant un indice qui puisse me permettre de me renforcer dans mon idée qu'il me mentait et que j'avais raison. Mais rien, il ne se passa rien. Bien au contraire ! Il redoubla d'attention et de tendresse. Il ne me quitta plus jusqu'à ce que nous décidions de rentrer. Une fois à la maison j'ai prétexté avoir mal à la tête pour aller me coucher immédiatement, pas d'humeur à lui demander des comptes. Le lendemain j'étais toujours dans le même état et au petit déjeuner j'en ai remis une couche. On s'est violemment disputé. Lui me jurant qu'il n'avait rien fait et moi le traitant de menteur. On ne s'est pas parlé pendant deux jours et puis j'ai réfléchi à mon comportement me disant que j'étais injuste, qu'il ne méritait pas que je le traite de cette façon, que je n'avais aucune raison d'être jalouse et que si je continuais j'allais finir par le perdre. Nous avons fait la paix, lui me disant que je n'avais aucune raison de m'inquiéter, qu'il m'aimait et n'avait nullement l'intention d'aller voir ailleurs et moi lui jurant que je ne recommencerai plus. Mais, le poison se distillait lentement en moi et au bout de quelques semaines, j'ai recommencé à douter, à le surveiller. Dès qu'il rentrait tard je lui posais mille questions auxquelles il répondait toujours. Je me suis mise à fouiller dans ses affaires. Il avait mis un code dans son téléphone et je ne pouvais plus voir ses messages, ses contacts. Pour moi c'était une preuve de plus qu'il me cachait quelque chose. Quand il partait en déplacement je fouillais sa valise avant et après son retour, à la recherche de preuves que, bien entendu, je ne trouvais jamais. Je ne pensais plus qu'à ça, essayant de me raisonner mais je n'y arrivais pas. Quand on sortait, j'étais folle de rage dès que je voyais une femme lui tourner autour. Je faisais ma petite enquête, lui demandant qui c'était, depuis quand il la connaissait J'en étais même arrivée à fouiller dans ses albums photos pour savoir quelle avait pu être sa vie avant moi. Je recherchais parmi les visages que je voyais si je ne reconnaissais pas une personne rencontrée précédemment dans une soirée ou autre. Une preuve, il me fallait une preuve ! Tu te rends compte où j'en étais arrivée ? Je le soupçonnais en permanence. Il ne m'épargnait pas lui non plus. Au début il s'en amusait, prenait les choses à la rigolade puis, petit à petit, il changea complètement de comportement. Il ne me proposait plus de l'accompagner dans ses soirées disant qu'il ne supportait plus mes regards, mes réflexions, mes agissements. Pour moi c'était la preuve qu'il cherchait à m'éloigner afin de s'en donner à cœur joie. Ces soirs-là je le maudissais, le traitant de tous les noms, pleurant d'amertume, de désespoir, car incapable de le pister.

Je tournais en rond dans toute la maison n'arrivant plus à me concentrer sur quoi que ce soit. Quand j'entendais la voiture se garer, je me précipitais au lit, faisant semblant de dormir. Je ne voulais pas qu'il puisse penser que j'avais attendu son retour. De toute façon, je savais en moi-même qu'il valait mieux que je ne lui dise rien car, comme d'habitude, ça aurait tourné au vinaigre rapidement et je ne me sentais pas la force de l'affronter. Je faisais en sorte qu'il ne s'approche pas de moi quand il me rejoignait, de peur de sentir un parfum étranger. Le jour où on s'est disputé quand on a parlé de toi, tes préférences sexuelles, cette fois-là il avait rajouté que nous étions tous une famille de fous et que si je continuais comme ça on serait obligé de se séparer. On a fini par faire chambre à part. Je m'en voulais, me disant qu'il fallait que je me reprenne, que je me faisais des idées. Ce n'est pas aimer quelqu'un que d'en être constamment jaloux ! Je savais qu'il avait eu beaucoup d'aventures avant moi et je ne le supportais plus. Mon amie Mélanie, à qui je m'étais confiée m'avait proposé d'aller voir quelqu'un pour parler de tous mes problèmes, essayer de comprendre ce qui m'arrivait et qui sait, trouver une solution. Je ne voulais pas. Pourquoi ? Je ne sais pas. Je savais que mon comportement n'était pas normal mais je n'osais pas en parler. Puis, est arrivé ce jour où j'ai trouvé cette boucle d'oreille dans la poche de sa veste. Il me disait qu'il allait finir par vraiment me tromper comme ça je pourrais lui faire des reproches, lui dire que j'avais gagné. Je pense que c'est ce qui s'est passé. Le jour où j'ai trouvé cette boucle d'oreille, je tenais enfin la preuve de tout ce que j'avançais et en même temps je m'écroulais. Je ne pouvais pas croire que cela puisse être vrai. Pas lui, pas moi ! Pourtant il n'y avait plus de doute possible. Furieuse, je lui ai montré ma trouvaille, lui demandant des explications. Ce qu'il n'a pas fait. Il m'a simplement répondu qu'il partait en déplacement pour tout le week-end et ne rentrerait que lundi soir. Il m'a laissée là avec ma boucle d'oreille et est parti, sa valise à la main, sans un mot. Voilà où j'en suis aujourd'hui. Je suis atterrée ! Je suis responsable de tout ça. Je ne me supporte plus. Comment j'ai pu en arriver là ?

    - Qu'est-ce que tu me racontes là ? Toi jalouse ? Je n'en reviens pas ! Pourquoi ne m'en as-tu jamais parlé ?

    - J'ai tellement honte de voir où j'en suis arrivée. D'après Mélanie, je dois avoir tellement peur d'être abandonnée que je provoque les situations pour qu'elles finissent par vraiment arriver et me considérer comme une victime. Tu crois que ce sentiment d'abandon peut être lié à maman ?

    - Je ne sais pas. Mais tu as peut-être raison. Le fait que maman nous ait laissés alors que nous étions si jeunes a dû te marquer et inconsciemment tu reproduis les mêmes schémas auprès des gens que tu aimes. Toi-même tu m'as toujours dit que tu lui en avais toujours voulu et que tu ne souhaitais pas en savoir davantage sur elle. Tu as verrouillé des portes, croyant ainsi pouvoir rester à l'abri de toutes souffrances. Il faut que tu comprennes et acceptes que tu n'es responsable de rien. Papa et maman se sont aimés, nous en sommes la preuve ! Maman a beaucoup souffert dans sa vie et si elle est partie, c'est sûrement parce qu'à un moment donné elle a eu peur de rejouer avec nous ce qu'elle avait vécu et peur de nous faire payer d'une manière ou d'une autre sa propre enfance. Elle a voulu nous épargner et nous protéger. Elle savait que papa s'occuperait bien de nous.

- Tu crois ? Tu crois vraiment que c'est pour nous protéger qu'elle est partie ? Tu crois qu'elle nous a vraiment aimés ? Mais, on ne peut pas réagir comme ça ! On ne peut pas s'en aller du jour au lendemain sans jamais avoir envie de revenir !

- Qui te dit qu'elle n'a jamais eu envie de revenir ? Qui te dit qu'elle n'a pas essayé ? On ne sait pas ce qu'elle est devenue et c'est pour ça que j'ai besoin de savoir ce qu'elle a fait pendant tout ce temps. Tu comprends ?

- Oui, je comprends. Tu as sûrement raison. Il ne faut pas la condamner sans savoir. En définitive je n'ai pensé qu'à moi et, c'est vrai, je croyais que ne plus en parler, faire comme si elle n'avait jamais existé me permettrait à moi d'exister. Mais je me suis trompée. On ne peut pas rayer le passé comme ça d'un coup de baguette magique. Tôt ou tard il nous rattrape.

- En tout cas, comme tu le dis, tu es en train de mettre ton couple en danger par ton comportement.

- Je pense que c'est trop tard. Je me suis fait trop de mal et, par la même occasion, je lui ai fait aussi beaucoup de mal.

- Pourquoi tu dis qu'il est trop tard ?

- Mais parce qu'il est parti se consoler ailleurs !

Parce qu'il n'a plus besoin de moi !

   - Qu'en sais-tu ? Peut-être qu'il est très malheureux et qu'il souffre énormément.

   - Je ne sais pas. Tu sais, on a eu des mots très durs. Des mots qui font mal. Il m'a quand même révélé sa vraie nature. Quand vous vous êtes disputés entre autre. Si tu avais vu le mépris que j'ai pu lire dans ses yeux quand il a appris que tu étais homo ! C'est d'ailleurs à partir de ce moment-là que notre relation a basculé. Je ne peux passer ma vie au côté d'un homme qui méprise mon frère simplement parce qu'il n'a pas la même conception que lui de sa vie amoureuse. Et puis, tout le mal qu'il a dit de notre famille. Il était sincère à ce moment-là. Je l'ai vu dans ses yeux. En définitive, à bien y réfléchir, je crois que je ne l'aime plus. L'ai-je vraiment aimé d'ailleurs ? Il me faisait rêver. Le fait qu'il s'intéresse à moi était tellement important. Quelqu'un qui me révèle à moi-même, quelqu'un qui m'admire, qui me veut au point de m'amener avec lui. C'est plutôt flatteur non ? Je pense que, pour l'instant du moins, je ne suis pas prête à vivre avec un homme. J'ai besoin, avant tout, de mieux me connaître, me faire davantage confiance et faire la paix avec tous ces démons qui m'habitent. Le fait d'avoir eu cette discussion avec toi me permet de me rendre compte qu'il me faut aller de l'avant, arrêter de faire semblant et affronter la réalité, notre réalité.

   - Hou la. Comment tu parles ! Tu ne peux pas savoir comme tu me fais plaisir. Oui il faut que tu prennes les bonnes décisions et que tu arrives à faire la paix avec ce passé qui te pèse tellement que, croyant parvenir à apaiser ta souffrance tu l'as reportée sur les autres.

- C'est vrai, tu as raison. C'est vrai.
- Pour Vincent, comment comptes-tu t'y prendre ?
- Quand il rentrera je lui ferai part, calmement, de ma décision.
- Qui est ?
- Qui est, que je n'ai pas le droit de lui faire du mal. Qu'il faut d'abord que je me prenne en charge, que j'assume ce que je dois assumer en tant qu'adulte et responsable et lui rendre sa liberté.
- Ben dis donc, c'est joliment dit tout ça. Tu penses que tu y arriveras ?
- Oui, je le pense ! Je réalise aujourd'hui que je me suis trompée sur moi, sur lui. J'éprouve des sentiments profonds envers lui mais je pense que ce n'est pas de l'amour. Je n'ai pas le droit ni l'envie de jouer avec ça. De toute façon, rester avec lui n'arrangera pas les choses. Nous sommes sur un terrain miné et nous avons pris un mauvais chemin. En tout cas je me sens tellement soulagée de t'avoir parlé. C'est comme si je venais de me défaire d'un poids énorme. Merci.
- Arrête Alysée, ne me remercie pas. Je suis ton frère et, qui d'autre que moi te connaît mieux ? Par contre si je suis là pour t'écouter et te soutenir ça ne me nourrit pas. On n'a pratiquement rien mangé et nos verres sont vides depuis longtemps. Je meurs de soif, et de faim.
- Tu as raison, trinquons et mangeons à notre santé et à ma nouvelle existence. Si tu es d'accord on pourrait regarder un film que j'ai enregistré dernièrement et que je n'ai pas encore eu le temps de voir.
- Ouais. Pourquoi pas ! Il parle de quoi ce film ?
- C'est un film de Klapisch. "Un air de famille".

Tu connais ?

- Non je pense pas. Ça ne me dit rien. Mais j'aime bien Klapisch. Alors va pour "Un air de famille".

C'est à une heure très avancée de la nuit qu'Alysée et son frère se souhaitèrent une bonne nuit devant leurs chambres respectives.

Le lendemain matin, Romain s'était levé en même temps que sa sœur, celle-ci lui ayant proposé de prendre sa voiture. Il l'emmènerait au boulot et reviendrait la chercher à la fin de sa journée. Pendant ce temps il aurait tout le loisir de se chercher un bon hôtel et commencer à mettre de l'ordre dans ses photos. Quand il apparut dans la cuisine, Alysée, assise, venait de terminer une longue lettre pour Vincent. Elle avoua à son frère qu'elle avait beaucoup réfléchi cette nuit et avait décidé de lui faire part de sa décision sur papier, n'ayant pas le courage de l'affronter. Elle avait peur de ses réactions et ne souhaitait pas que leur discussion finisse en dispute. Elle lui annonçait qu'elle le quittait et qu'elle reprendrait contact avec lui dans la semaine s'il était d'accord bien entendu. A ses pieds était posée une valise. Elle annonça à Romain qu'elle le suivrait à l'hôtel, poserait quelques jours de congés pour l'accompagner voir Anjie et se chercher un studio.

Ce n'est qu'en fin de journée que Vincent, rentrant chez lui, découvrit le courrier que lui avait laissé Alysée. Après l'avoir lu il resta songeur un long moment puis, installé devant son ordinateur lui envoya un mail lui disant qu'il partageait sa décision, conscient que quelque chose s'était effectivement brisé dans leur relation et qu'il souhaitait tout de même pouvoir en discuter avec elle.

Romain avait trouvé une chambre dans un hôtel, peu chère mais confortable. Un grand lit occupait toute la place. Dans un coin se trouvaient une armoire et une petite table faisant office de bureau. Dans la salle de bain se trouvaient les WC, une douche, un lavabo et deux étagères. Alysée, après avoir donné des explications à son chef au sujet des jours de congés qu'elle demandait au dernier moment, avait obtenu facilement gain de cause. Elle avait pu en poser trois et reprendrait donc son travail le vendredi matin. En attendant de se trouver un appart, elle resterait à l'hôtel avec son frère. Une fois installés ils allèrent manger dans la salle du restaurant. Leur discussion fut plutôt animée tout à la joie de passer ces trois jours ensemble. Romain, avait acheté le journal et ils commencèrent à chercher des locations susceptibles de les intéresser. Alysée voulait s'acquitter au plus vite de cette tâche. Un logement attira leur attention et, par chance, il était disponible de suite. Ils téléphonèrent au propriétaire afin d'obtenir rapidement un rendez-vous qui fut fixé au lendemain soir 18h. Dans la soirée, Alysée prit connaissance de ses mails dont celui de Vincent qui lui procura un certain soulagement teinté cependant d'une profonde tristesse. Leur histoire s'achevait, consciente que son comportement y était pour beaucoup. Ils passèrent un bon moment à discuter avant de se coucher, tard dans la nuit.

Le mardi matin, d'un commun accord, et vu qu'ils disposaient de leur journée, ils décidèrent de partir à la recherche d'Anjie. Après un rapide déjeuner dans une brasserie ils prirent la route en direction de l'Ariège.

Ils n'avaient qu'une carte pour se guider et l'endroit qu'ils cherchaient était un lieu-dit. Au bout d'une bonne demi-heure, ils étaient toujours bredouilles. Après avoir fait plusieurs aller-retours ils s'arrêtèrent en bord de route, dans un café. A peine s'étaient-ils installés que la patronne vint à leur rencontre. Elle était plutôt bien en chair, un tablier noué à la taille, un torchon à la main. De grands yeux noirs, malicieux, donnait à son visage une certaine douceur. Une fois leur café commandé, Romain lui demanda des renseignements sur l'endroit qu'ils recherchaient.

- Comment ? Vous pouvez parler plus fort jeune homme ? J'suis un peu dur' d'la feuill. C'est qu'j'suis plus tout'jeun' vous savez !

Alysée et son frère se regardaient, amusés par le ton de sa voix, plutôt dans les aiguës et la façon dont elle s'exprimait.

- Nous sommes à la recherche de cet endroit. Est-ce que vous savez où il se trouve ?

Romain lui avait tendu le papier sur lequel il avait noté l'adresse recherchée. Après avoir ajusté ses lunettes et pris connaissance de ce qui était inscrit sur la feuille elle releva la tête, les fixa un bon moment en se frottant le menton, l'air plutôt affolée et finit par leur dire.

- Vous v'lez aller là ? Qué-c'qu'vous v'lez y faire ? C'est un endroit maudit. J'vous l'dis, il est maudit ! Y faut pas aller là ! C'est la maison d'la sorcière.

- La maison de la sorcière ? Quelle sorcière ?

Romain et Alysée étaient interloqués. De quoi, de qui parlait t-elle ? Elle n'avait sûrement rien compris. Elle devait se tromper de personne.

- Vous connaissez pas la sorcière ? Pourtant, j'me tromp' pas !

Se retournant elle se mit à crier en direction d'une porte vitrée.

- Milou ! Vin voir c'qui nous tomb'dessus. Milou vin voir !

- Quoi qu'tu veux la Simone ?

- Vin voir que j'te dis !

Au bout de quelques secondes on entendit des pas traîner sur le sol puis un bonhomme, aussi corpulent que son épouse, les joues rouges, apparut sur le seuil de la porte, visiblement contrarié.

- Qu'est c' qui s' pass' ici ?

- Milou, tu vois ces jeun' là ? Eh ben y veulent aller chez la sorcière.

Milou ayant enlevé le béret cloué sur son crâne, se passa la main dans ses cheveux tout en ronchonnant.

- C'est ti vrai ça ? Vous v'lez aller chez la sorcière ?

Romain et Alysée ne savaient plus quoi dire. C'est Romain qui le premier réagit.

- Bon je vais vous expliquer. Nous sommes à la recherche d'une personne qui habiterait à l'adresse que je vous ai donnée. Seulement nous n'avons pas réussi à la trouver. Vous pouvez nous aider ? Vous la connaissez ? Ce n'est nullement une sorcière.

- Ah ben ouais, t'as raison la Simone ! Y veulent aller chez la sorcière.

Malgré une irrésistible envie de rire devant leur air ahuri, Alysée rajouta.

- Apparemment on a du mal à se comprendre. Vous pouvez nous expliquer cette histoire de sorcière ?

- Ben oui qu'on va vous expliquer. Hein la Simone ? Alors v'là ! A cet endroit ya un' bonn' femm' que personne a jamais vu ! Y paraît qu'ell' sort qu'la nuit et qu'ell' fait des chos' bizarres comm'du feu, et qui sent mauvais. des fois mêm' on entend des bruits, des cris. C'est pas un'bonn'personn' qu'est là. Sûr ! Pas vrai la Simone ?

- Ben qu'oui mon Milou ! Faut pas aller là bas.

Romain et Alysée commençaient à s'impatienter. Allaient-ils arriver à avoir les renseignements demandés ?

- Est-ce que vous pouvez nous dire où se trouve cette maison ? On fera très attention. On veut juste savoir où elle habite.

- Mais pourquoi vous v'vlez la voir ?

- Nous ne pouvons pas vous l'expliquer mais c'est très important pour nous.

- Vous êt' d'la police ? Elle a fait un'grosse bêtise ? C'est ça hein ?

- Non, pas du tout. Nous ne sommes pas de la police ! C'est juste un renseignement qu'on vous demande. C'est pour nous.

- Bon, allez vous êt' ben sympa. Qu'es t'en dis la Simone ? On leur dit ?

- Oui mon Milou. On leur dit. Vas-y toi !

- Ben v'là. Avant d'arriver chez nous vous avez pris un grand virage non ?

- Oui c'est ça on a pris un grand virage sur la droite.

- Bon. Tout juste ! Alors maint'nant vous repartez, vous pr'nez le virage qui sera maint'nant à gauche et en bas du virage ya un ch'min. Y faut faire ben attention pour pas l'rater. Y s'voit pas beaucoup. Pour vous aider ya un piquet en fer devant. V'là ! C'est pas loin. Mais on veut pas savoir pourquoi que vous v'lez aller là-bas ?

- Merci beaucoup pour votre aide et promis, on fera très attention.

Le café payé ils remontèrent dans la voiture pressés de quitter cet endroit, sous le regard insistant des commerçants qui scrutaient à présent la plaque d'immatriculation de leur véhicule.

- Ouf. Drôle de couple ! On se serait cru perdu au fond d'un trou paumé. Et qu'est-ce que c'est cette histoire de sorcière ? Tu y crois toi ?

- Tu vas pas t'y mettre Alysée! C'est des commérages de villageois. Ils n'ont sûrement pas grand chose à se mettre sous la dent et comme Anjie (si c'est bien elle) n'a aucun contact avec eux ils s'en donnent à cœur joie. De toute façon on le saura rapidement.

Avec les informations données ils n'eurent aucun mal à trouver leur adresse cette fois-ci. Effectivement il fallait vraiment connaître pour ne pas louper le chemin envahi pas les herbes. Ils s'y engagèrent prudemment. Des trous, des bosses, des branches leur barraient le passage. Ils se demandèrent même si " Milou " leur avait bien indiqué le bon endroit tellement ce lieu semblait à l'abandon. Ce n'est seulement qu'au bout d'un bon kilomètre qu'ils aperçurent, cachée au milieu des arbres, une maison, semblant, elle aussi abandonnée. Ils s'arrêtèrent à quelques mètres, tous leurs sens en alerte. Un grand portail fermait l'accès à la maison. Sur le côté, une boîte aux lettres, sur laquelle ne figurait aucun nom.

Cet endroit était plutôt sinistre. Ils n'eurent pas le temps d'actionner la clochette que trois molosses se précipitèrent sur eux, aboyant férocement, babines retroussées sur des crocs menaçants. Romain avait fait un pas en arrière, tétanisé.

- Qu'est-ce qui t'arrive Romain ? Pourquoi tu fais cette tête ?
- Les chiens Alysée, les chiens.
- Ben quoi, les chiens !
- On ne peut pas rester là. C'est trop dangereux ! Il faut s'en aller !
- Mais enfin ! Qu'est-ce que tu as ? Tu as peur de quoi ?
- J'ai peur de quoi ? Tu ne sais pas que j'ai peur des chiens ? C'est devenu viscéral. Ils me foutent la trouille. On ne peut pas rester là. Ils vont nous attaquer. Allez viens, on s'en va.
- Mais arrête ! Tu es devenu complètement cinglé ! Il n'est pas question qu'on s'en aille. Maîtrise-toi ! Ne leur montre pas que tu as peur et ils se calmeront !
- Ne leur montre pas que tu as peur ! Maîtrise-toi ! Tu en as de bonnes toi. JE NE PEUX PAS ME MAITRISER. Tu ne comprends donc pas que j'ai une trouille bleue ?

Il avait prononcé ces derniers mots en hurlant, les mains levées au-dessus de lui dans un geste d'impuissance. Il semblait vraiment terrorisé. Ses mains tremblaient. Les pupilles de ses yeux rivées aux trois molosses étaient dilatées. Son visage était devenu blême.

- Aramis, Brutus, Melchior, ici.

Une femme se tenait sur le pas de la porte d'entrée et les chiens, dociles revinrent vers elle. La tension de Romain se relâcha.

- Qui êtes-vous ? Que voulez-vous ?
- Bonjour. Vous êtes bien Anjie ?
- Ça ne vous regarde pas. Vous êtes sur une propriété privée.
- Nous cherchons Anjie. Nous voudrions lui parler.
- Que lui voulez-vous ?
- Nous voudrions lui parler de sa sœur Alizée.

A ces mots la jeune femme fit un pas en arrière, visiblement surprise.

- Je ne la connais pas. Je ne sais pas qui c'est. Ni Anjie, je ne la connais pas non plus. Si vous ne partez pas immédiatement je lâche les chiens sur vous.

Et, joignant le geste à la parole, elle recula, referma la porte derrière elle, laissant les chiens revenir vers eux en aboyant aussi férocement.

- C'est bon, Alysée on s'en va. On va finir par se faire dévorer.

Romain avait fait un bon en arrière et s'était précipité vers la voiture où il y pénétra précipitamment. Quand Alysée le rejoignit elle le trouva tremblant, des gouttes perlant sur son front.

- Tu as peur à ce point-là ? Je ne pensais pas que c'était aussi grave !

Romain la regardait, les yeux hagards. Reprenant peu à peu ses esprits il lui répondit d'un ton grave.

- Je n'ai jamais beaucoup aimé les chiens. Je ne leur fais pas confiance. Quand j'étais dans les Caraïbes je me suis fait attaquer par des chiens sauvages. Ils m'ont pris par surprise. Ils se sont jetés sur moi et je dois mon salut à des Indiens qui les ont fait fuir en leur envoyant des cailloux. Depuis, je les évite comme la peste.

- Ah ouais ! Je comprends mieux maintenant ta réaction.

- Quand je les ai vus bondir vers nous j'ai revécu la scène et je n'ai pu me contrôler.

- C'est fini maintenant. On est à l'abri. En tout cas ça n'arrange pas nos affaires. On s'est fait virer comme des malpropres. Tu penses que c'était vraiment Anjie ?

- D'après ce que j'ai pu apercevoir elle ressemble à la description qu'on nous en a faite. Avec quelques années supplémentaires *of course.* Donc c'est bien la sorcière qu'on nous a décrit. Quelle étrange bonne femme tout de même ! Pourquoi a-t-elle réagi comme ça ? Quand tu as prononcé le prénom de sa sœur tu as vu comme son comportement a changé ? Là, j'ai vraiment eu l'impression qu'elle se cachait ! Qu'allons-nous faire ?

- Je ne sais pas. La seule personne qui peut nous aider nous a fermé la porte au nez. Apparemment elle se méfie énormément, ce qui peut se comprendre au vu de ce que nous a dit Jean. Il faut trouver un moyen pour qu'elle nous fasse confiance. Mais comment y parvenir ?

- Ah mais attends, je crois que j'ai une idée. Quand j'ai eu Jean au téléphone il m'a laissé son numéro. Prends le volant, je vais essayer de l'appeler et lui demander s'il ne peut pas venir la voir avec nous.

Elle le connaît et lui fait confiance puisqu'elle lui a donné son adresse. Il pourra peut-être nous aider.
- Bonne idée effectivement. Allez appelle !

Le numéro composé, le téléphone sonna dans le vide. Romain laissa un message demandant à son interlocuteur de le rappeler rapidement. L'après-midi était bien entamée et ils rentrèrent tout droit à leur hôtel. A 18h comme convenu, Alysée se rendit à son rendez-vous avec le propriétaire de l'appartement qu'elle devait visiter. Celui-ci, un T1, meublé, entièrement refait, donnait dans une petite rue calme, près de son travail. Elle fut immédiatement séduite. Le loyer était convenable et lui allait tout à fait. L'affaire fut conclue rapidement et le bail signé dans la foulée.

Alysée était ravie. Elle allait pouvoir emménager dès le lendemain une fois toutes les démarches administratives effectuées. Elle envoya un mail à Vincent lui proposant de passer le lendemain soir chez lui afin de pouvoir récupérer les affaires qu'elle n'avait pu prendre la dernière fois et mettre ainsi un terme à leur histoire. Elle voulait s'en occuper rapidement et éviter ainsi d'éventuels dérapages.

Jean ne rappela Romain que le mercredi matin. Il le mit au courant de ce qui s'était passé la veille et c'est Jean qui, de lui-même, lui proposa de venir les retrouver pour les accompagner chez Anjie. Il se faisait une joie de la revoir. N'étant pas libre de suite ils décidèrent de se retrouver à la gare de Toulouse samedi. Il viendrait en train et lui enverrait son heure d'arrivée par SMS. Alysée accueillit la nouvelle avec un plaisir évident.

En fin de journée elle se rendit chez Vincent. Elle se sentait nerveuse car elle appréhendait cette confrontation. Elle s'était promis de rester calme et d'éviter de lui faire trop de reproches. Peine perdue ! Si leur discussion avait bien commencé, le ton monta au fur et à mesure. Alysée lui fit part de ses sentiments, de cette jalousie qui l'avait aveuglée et qu'elle ne pouvait plus contrôler et Vincent en profita pour lui jeter à la figure tout son ressentiment. C'était elle la fautive, c'était elle qui avait tout foutu en l'air et l'avait conduit à prendre de la distance et aller voir ailleurs. Elle apprit que sa liaison durait depuis de bons mois et qu'il avait d'ailleurs décidé de se séparer d'elle mais ne savait comment le lui annoncer. Sans le savoir elle lui avait bien rendu service quand elle lui fit part de sa décision de le quitter. Alizée était abattue. Un sentiment de culpabilité et de honte s'était emparé d'elle. Elle constata que son Vincent ne l'aimait plus depuis longtemps. Etait-il d'ailleurs capable d'aimer quelqu'un sur du long terme ? Il lui avoua qu'il avait besoin de séduire en permanence, de briller aux yeux des autres et principalement auprès des femmes. Il ne voulut pas reconnaître que, peut-être, sa manière d'agir avait amené Alysée à ce sentiment de jalousie.

- En définitive tu es une pauvre victime ! Tu ne te remets jamais en question ! Tu ne penses qu'à toi, à ta petite personne et tu te moques éperdument des autres ! Lui lança-t-elle d'un ton amer.

Vincent la regardait, un sourire ironique aux lèvres, lui répondant qu'il était comme ça, qu'effectivement il aimait plaire et que l'attrait de la conquête s'étiolait lorsque sa liaison devenait routine. Il détestait le quotidien et avoua que son moteur, ce qui le fait vibrer, c'est la passion. Ce sentiment amoureux qui vous prend, qui vous donne la sensation d'exister pour quelqu'un, cette sensation de manque lorsque l'autre n'est pas là et qui ne vous lâche plus, vous donnant l'impression de ne vivre et ne respirer que pour une seule personne. Il avait cru qu'avec elle leur histoire pourrait durer plus longtemps mais avait fini par se rendre à l'évidence, s'étant rendu compte que cette liaison ne lui suffisait plus. Son besoin d'aller voir ailleurs reprenait le pas sur la morale.

- Mais alors, pourquoi as-tu accepté qu'on se mette ensemble ? lui demanda-t-elle les yeux pleins de larmes.

- Je ne sais pas. J'avais besoin de te savoir auprès de moi. L'amour que je lisais dans ton regard me comblait et je pensais que tu étais différente des autres, qu'avec toi je pourrais faire un bout de chemin. Si tu n'avais pas été jalouse ça aurait peut-être pu marcher entre nous.

- Ben voyons, c'est c'là. Bien sûr. Mon amour pour toi te comblait, flattait ton ego et il aurait fallu que je ferme les yeux sur tout le reste. Tu vois, Vincent, je suis très peinée de découvrir ainsi ta vraie nature mais ce qui me rassure c'est que cette jalousie maladive que j'ai développée vis-à-vis de toi était tout de même bien fondée. J'ai cru un moment que je devenais folle, qu'il fallait que je me fasse soigner mais je me rends compte à présent que je suis plus que normale. C'est toi qui devrais te faire soigner.

Vincent s'était tu et la regardait intensément. Il semblait désarçonné. Il fallait qu'il trouve une réponse rapidement pour garder le contrôle de la situation. Il n'eut pas le temps de réfléchir, Alysée lui porta le coup final :

- Tu es abject et je suis bien contente que tu

m'aies ouvert les yeux. Je pars donc sans remords, bien au contraire, je me sens libérée.

Sans mot dire il s'était levé et, lui montrant plusieurs sacs près de la porte d'entrée lui répondit.

- Tiens, toutes tes affaires sont là. Je pense n'avoir rien oublié. De toute façon tout le mobilier m'appartient. Tu peux t'en aller maintenant. Nous n'avons plus rien à nous dire.

Il avait réussi à sortir triomphant de la situation. Il avait prononcé les mots de la fin.

Alysée se leva à son tour, fouilla dans son sac et en sortit un trousseau de clés qu'elle lui jeta sur la table. Elle était anéantie mais il ne fallait surtout pas le lui montrer. Il en tirerait trop de gloire. Il y avait beaucoup de sacs et elle mit dix bonnes minutes à les ranger dans sa voiture. Vincent était parti fumer dehors la méprisant totalement. Une fois entrée dans son véhicule et après avoir démarré, elle s'arrêta un peu plus loin et se mit à pleurer. Larmes de rage, de désespoir.

Elle avait un besoin urgent de hurler, de taper sur le volant, proférant des insultes à l'encontre de son amour perdu. Romain, la voyant revenir, la mine défaite, sans un mot, la prit dans ses bras, la laissant aller à son chagrin.

Elle s'endormit très vite ce soir-là, se réfugiant dans son sommeil pour oublier. Le lendemain, les yeux bouffis par les larmes versées la veille, elle raconta à son frère ce qui s'était passé.

Ils passèrent la journée à aménager son appartement et se régalèrent d'un bon petit repas bien arrosé. " Heureusement que Romain est là " ! songea Alysée.

Chapitre 4

LA RENCONTRE

> « *Notre destin, quand nous voulons l'isoler, ressemble à ces plantes qu'il est impossible d'arracher avec toutes leurs racines* »
>
> <u>Thérèse Desqueyroux</u>
> François Mauriac

Le samedi matin ils se rendirent à la gare de Toulouse comme convenu pour récupérer Jean. Afin d'éviter de se retrouver pris dans les embouteillages et sachant qu'il était très difficile de trouver une place, Alysée et Romain avaient laissé leur voiture au parking du métro Balma Gramont. Ils avaient bien expliqué à Jean de rester dans la *zone des arrivées* pour qu'ils puissent se retrouver facilement. Ils avaient préparé un petit panneau sur lequel était écrit son prénom, ne le connaissant pas du tout. Quand celui-ci apparut en haut de l'escalier roulant, sourire aux lèvres, ils surent instantanément qu'ils avaient affaire à leur bonhomme. Ses cheveux, toujours attachés en catogan, étaient blancs maintenant. Il portait des lunettes rondes en fer blanc et avait un allumette coincée au coin de ses lèvres en guise de mégot. Un courant de sympathie s'installa immédiatement entre eux. Il s'humectait toujours les lèvres en parlant de cette voix chaude et rocailleuse. Romain et Alysée l'entraînèrent dans un troquet où ils avaient pris soin de réserver une table. Le repas fut très animé. Jean leur parla d'Anjie, de sa disparition qui l'avait beaucoup inquiété et de son dernier courrier. Le frère et la sœur lui racontèrent à leur tour leur rencontre assez déroutante avec Anjie ainsi que l'anecdote des chiens, ce qui les fit beaucoup rire.

Après avoir bien mangé, ils reprirent la route parcourue quelques jours plus tôt, sans se tromper cette fois. Alors qu'ils empruntaient le chemin de terre, Romain se sentait nerveux à l'idée de se retrouver nez à nez avec les chiens. Il décida de rester dans la voiture et de n'en ressortir qu'une fois ceux-ci mis à l'abri si Anjie acceptait de les faire rentrer. La même situation se répéta mais dès qu'Anjie aperçut Jean et après qu'il se soit présenté, son attitude changea et elle se rapprocha d'eux immédiatement.

- Comme ça me fait plaisir de te revoir Jean. Depuis le temps !

Elle avait ouvert le portail et s'était précipitée dans ses bras. Pendant ce temps, les chiens avaient profité de l'occasion pour se rapprocher de la voiture, menaçant et grognant. Romain, à l'intérieur ne bougeait plus. Il s'était enfermé à clé, une lueur de panique dans les yeux. Anjie, qui avait été mise au courant de cette phobie, les avait récupérés et enfermés dans une remise, un sourire amusé aux coins des lèvres. Libéré, Romain était sorti de la voiture et les présentations avaient été faites. En entendant leurs prénoms elle avait marqué un temps d'hésitation les regardant tour à tour d'un air interrogateur. Le moment de surprise passé elle les invita à rentrer chez elle.

Sa maison, en pierre, était une ancienne ferme un peu délabrée, tenant debout par je ne sais quel miracle. Une grande cuisine où trônait une table en bois semblait l'unique pièce de la maison. Deux petites fenêtres laissaient apparaître un peu de clarté, insuffisante pour ne pas allumer la lumière. Dans un coin de la pièce se trouvait une grande cheminée occupant toute une partie du mur. L'intérieur était vieillot mais propre et bien rangé. Anjie, vêtue d'un jean et d'un tee-shirt, les cheveux grisonnants retenus par un élastique, les fixait à présent de ses yeux gris bleu toujours aussi expressifs. On sentait une certaine curiosité mêlée d'un peu de méfiance à l'égard des deux jeunes gens. « Elle a perdu de ses rondeurs et bien maigri » constata Jean d'un rapide coup d'œil. Ses traits étaient tirés et quelques rides barraient son front et le coin de ses lèvres. Une fois installés sur des chaises, un verre de jus de fruits frais à la main, Jean se lança.

- Tu sais que tu nous as inquiétés quand tu as disparu ! On n'a rien compris. On a pensé qu'il t'était arrivé quelque chose de grave et on t'a cherchée partout, sans résultat. Que s'est-il passé Anjie ?

- Mon dieu, ta visite fait ressurgir beaucoup de choses que je voulais à tout prix oublier. Mais bon, tu mérites tout de même une explication. Tu te souviens que j'avais rencontré quelqu'un. Nous étions follement amoureux l'un de l'autre. Une réelle passion. Nous ne supportions pas de ne pas se voir et on s'envoyait des messages toute la journée en attendant le soir pour se retrouver. A chaque fois nous vivions des moments intenses, nous avions besoin constamment l'un de l'autre. On s'embrassait tout le temps, on faisait l'amour à tout moment, n'importe où. Une envie irrésistible de sentir l'autre, se fondre en lui. C'était magique, intense et très profond. J'ai vécu des moments extraordinaires et je ne les regrette pas du tout.

Elle s'arrêta un court instant, les yeux au loin, perdue sûrement dans ses souvenirs, les mains tremblantes.

- C'est vrai que je vous ai laissés tomber petit à petit. Je n'avais plus besoin que de sa présence à lui. Il me suffisait. J'ai laissé mon appartement et me suis installée chez lui. Il me couvrait de cadeaux, me faisait des compliments à longueur de journée. J'existais pour quelqu'un ! Il me prenait comme j'étais, me rassurait, m'aimait. Moi, Anjie ! Je ne me suis pas rendu compte que je coupais peu à peu les liens avec mon entourage. Il commençait à tisser sa toile autour de moi et m'isolait de tous mes amis. Il me disait qu'il ne me voulait que pour lui. Il avait pris l'habitude de m'amener et venir me rechercher au boulot et moi j'étais ébahie. Comme une petite reine ! Je lui étais devenue indispensable me disait-il en permanence. J'ai compris bien plus tard, trop tard, que toutes ses manœuvres ne servaient qu'à me contrôler, me manipuler. Faire de moi sa chose. Asservie ! Il était même arrivé à me convaincre de ne plus travailler, de démissionner. Son salaire était suffisant pour nous faire vivre tous les deux. Il était anesthésiste et travaillait à l'Hôpital Purpan. Au début il m'emmenait partout, m'a fait connaître ses amis puis, nos sorties se sont faites de plus en plus rares. De temps en temps il se rendait à des repas d'affaires où il ne m'emmenait pas prétextant que je m'y ennuierais. Et moi, sotte que j'étais, je le croyais. Je restais à la maison attendant son retour, heureuse de le retrouver.

    Anjie avait pâlie, ses yeux se voilèrent. On sentait bien qu'elle faisait un gros effort pour continuer, mettre enfin des mots sur ces moments douloureux dont elle n'avait jamais parlé. Jean, assis tout près d'elle, ayant aperçu son trouble, lui avait pris la main tout en l'incitant à continuer.

    - Tout a commencé par une dispute anodine au cours de laquelle il m'a reproché d'avoir laissé des plis sur une de ses chemises. Il était très en colère après moi, me traitant d'incapable, de ne pas faire attention à lui. J'étais abasourdie. Je ne l'avais jamais vu comme ça. Il ne m'avait jamais parlé sur ce ton ! Sa colère était disproportionnée face à la situation. Il est parti en claquant la porte me laissant en pleurs, interdite. Il est revenu une heure après avec un bouquet de fleurs et s'excusant pour son comportement. Mais ce n'était que le début ! Il me faisait de plus en plus de reproches pour un rien, ses colères devenaient de plus en plus violentes. J'appréhendais de revenir à la maison le soir, ne sachant pas comment il allait me recevoir. J'aurai dû vous en parler à vous mes amis mais je ne pouvais pas. De toute façon il surveillait mes faits et gestes et venait souvent à mon travail prétextant une excuse quelconque, mais je savais bien que c'était uniquement pour me surveiller. Il me rabaissait en permanence me disant que je ne valais rien, que je ne pensais qu'à moi, que, heureusement, il m'avait pris en main parce que, de toute façon, personne n'aurait voulu de moi. Et le pire, c'est que j'ai fini par le croire ! J'avais perdu toute confiance en moi. Il se comportait avec moi comme l'avaient fait ma mère et Alizée. Je pensais m'être débarrassée de toute cette culpabilité mais elle revenait en force et m'affaiblissait de jour en jour. C'est lui qui a fini par me convaincre qu'il fallait que j'abandonne mon travail, que je n'avais pas la capacité de le mener à bien, qu'il fallait que je me consacre entièrement à lui, à nous. Tous ces discours il me les tenait dans les moments où je retrouvais l'homme que j'aimais et qui m'aimait.

Car oui, je l'aimais toujours et je pensais que ces colères étaient justifiées, que je les méritais et qu'il fallait que je m'améliore. Il m'a dit qu'il s'occupait de tout, il avait préparé une lettre de démission qu'il m'avait fait signer. Pour me remercier de cette décision il m'avait acheté un nouveau téléphone et avait fait changer mon numéro. Je n'ai même pas réagi, trop fière de son cadeau et comblée par ses attentions. Mais j'étais à sa merci ! Il me contrôlait entièrement et il passa au stade supérieur. Pour un verre que j'avais fait tomber et cassé en faisant la vaisselle, il est devenu fou furieux, il a proféré des menaces à mon encontre et a fini par me gifler.

Des larmes coulaient à présent sur son visage. Elle n'essayait même pas de les retenir. S'arrêtant brusquement de parler, elle regarda tour à tour ses interlocuteurs, et, prenant conscience qu'ils la regardaient intensément, elle repris le cours de son histoire.

- C'était la première fois qu'il portait la main sur moi mais il s'est vite rattrapé en me prenant dans ses bras, me disant des mots d'amour et me proposant, pour se faire pardonner de partir tous les deux en week-end dans les prochains mois. On n'est jamais parti. A partir de ce moment-là ce fut le début d'un long calvaire. Tout était sujet à reproches, injures. Il a commencé à me cogner, me tirer par les cheveux. J'étais terrorisée et je ne pensais plus qu'à une chose, fuir ! Mais, comment ? Et pour aller où ? C'est le soir où il a failli m'étrangler que j'ai pris ma décision. Après qu'il soit parti au travail j'ai rassemblé toutes mes affaires et pris le premier train que je trouvais. Je n'avais plus de voiture. Je me suis retrouvée à Pamiers, dans l'Ariège. Je ne savais pas ce que j'allais faire. J'avais peur qu'il me retrouve. Il me fallait fuir Toulouse, me terrer quelque part où l'on n'entendrait plus jamais parler de moi. Il fallait que je me fasse oublier ! J'ai acheté le journal à la recherche d'une location. Avant de partir j'avais pris soin de prendre l'argent liquide que je savais qu'il cachait dans une boîte. Il y avait une bonne petite somme ! J'étais contente de ce que j'avais fait. C'était ma vengeance. Malheureusement je n'ai rien trouvé qui me convienne dans le journal. J'aurais pu partir à Paris chez Alizée mais j'avais trop honte de moi. C'est en rentrant dans un supermarché que j'ai trouvé une annonce proposant une location dans une vieille maison perdue dans la campagne. Ce que demandait le propriétaire était dérisoire. Je l'ai contacté et l'affaire fut conclue dans la journée. Depuis je vis ici, loin de tout. J'ai récupéré ces chiens dans un chenil et les jours s'écoulent tout doucement mais au moins je suis en paix.

- Ma pauvre Anjie, tu as dû vivre des moments terribles et toute seule en plus. Nous étions loin de nous douter de tout ça. Mais comment fais-tu pour vivre ? Comment payes-tu ton loyer ?

- Je vis ici comme une bête recluse. J'ai peur en permanence. Personne ne vient jamais. D'ailleurs quand vous êtes venus l'autre jour je vous ai regardés longuement à travers la fenêtre avant d'ouvrir la porte. Vous m'avez paru plutôt sympathiques et je me suis montrée. C'est quand vous m'avez appelée par mon prénom que tous mes sens ont été en alerte. La peur m'avait de nouveau envahie. J'ai fait un effort surhumain pour rester là et vous demander qui vous étiez. Quand vous avez prononcé le prénom de ma sœur j'ai paniqué et c'est pour ça que je vous ai demandé de vous en aller. Votre visite m'a vraiment perturbée. Pourquoi vous aviez parlé d'Alizée ? Peut-être qu'il lui était arrivé quelque chose ? Peut-être que vous étiez des flics ? Et comment aviez-vous eu mon adresse ? Quelqu'un m'avait trahie ! Mais qui ? Si vous étiez venus jusqu'à moi, lui aussi pouvait me retrouver. Je ne savais plus quoi penser. Heureusement que vous avez eu la présence d'esprit de revenir avec Jean. Lui, je lui fais entièrement confiance.

- Excusez-nous pour vous avoir angoissée. Nous recherchons effectivement Alizée pour des raisons que nous vous donnerons tout à l'heure. Comme vous l'avez dit, heureusement que Jean était là car il a compris notre requête et nous a fait confiance en nous donnant votre adresse. Mais rassurez-vous nous ne l'avons communiquée à personne. Voyant qu'il était difficile de vous approcher nous nous sommes tournés vers votre ami pour lui demander de nous aider et il a accepté sans discuter, trop heureux de vous revoir.

- Oui Anjie, j'ai voulu aider ces jeunes gens car leur histoire est peu commune et tu es la seule qui puisse leur donner les renseignements dont ils ont besoin. Eh oui, j'avais vraiment envie de te revoir. Mais continue, explique-nous comment tu fais.

- J'ai parlé à mon propriétaire de ce qui m'était arrivé. Il a été très compréhensif. Le loyer que je paye est infime. Nous avons convenu que tous les contrats : EDF, assurance, eau, soient à son nom afin d'éviter tout dérapage. Derrière la maison il y a beaucoup d'arbres fruitiers et je me suis lancée dans la confection de confitures. J'ai un potager et je cultive toute une série de légumes, été comme hiver. J'ai aussi des poules. J'amène régulièrement mes œufs, mes confitures et mes légumes à mon propriétaire qui vit tout près de chez moi avec sa femme. En échange ils me donnent régulièrement de la viande et quand ils vont aux courses il les font aussi pour moi. Je leur fais entièrement confiance ! Comme ils font aussi beaucoup de marchés ils en profitent pour vendre mes produits. Mes confitures commencent à se faire connaître et il y a de la demande. Je ne roule pas sur l'or mais j'arrive à me débrouiller. Je ne manque de rien ! Je ne m'ennuie pas du tout car j'ai toujours à faire. Je lis beaucoup, j'écoute de la musique, je dessine. Je me suis aménagé une pièce où je stocke tout mon matériel. Vous voulez que je vous montre ?

- Avec plaisir.

Elle les fit passer dans une pièce aussi sombre que la cuisine où se trouvait une grande table sur laquelle étaient posés des crayons, pinceaux, peintures, chiffons. Des croquis dessinés sur des feuilles à dessin posées à même le sol contre les murs, des toiles représentant des paysages, des animaux, des natures mortes donnaient un aperçu de son talent. Romain était émerveillé !

- Ces dessins sont magnifiques, Anjie ! Quelle

justesse dans les croquis, la beauté des lignes, des courbes, le rendu des couleurs ! Bravo. Je suis photographe et j'avoue que je suis stupéfait. Un vrai talent ! Dommage que vous ne les fassiez pas partager.
- Je le fais pour mon plaisir.

Jean, qui s'était lui aussi approché pour contempler les œuvres de son amie, lui avait passé un bras autour des épaules dans un geste amical. Anjie, en profita pour se coller contre lui.
- Je vois que tu as bien repris ta vie en main et que tu occupes ton temps d'une belle manière. Je suis très fier de toi.

Anjie souriait, heureuse de leur montrer son petit talent. Cela faisait si longtemps qu'elle n'avait pas souri ainsi et ressenti ce sentiment de sécurité et d'insouciance. Emportée par son élan elle leur fit visiter son extérieur, son potager, ses arbres fruitiers. Il y en avait vraiment beaucoup et le potager était bien entretenu. Les pots de confitures étaient divers et variés. Elle s'amusait, disait-elle, à faire des compositions en mélangeant herbes et fleurs, ce qui, bien souvent donnait un parfum et un goût extraordinaires. Revenus dans la cuisine, Romain et Alysée, exposèrent leur situation. Ils lui racontèrent tout jusqu'à leur rencontre avec ses anciens amis de Toulouse. Sans oublier toutefois l'anecdote concernant le jugement des villageois sur sa personne. Ce qui les fit d'ailleurs beaucoup rire, Romain imitant à la perfection le couple avec qui ils avaient discuté. Anjie ne perdait pas une miette de leur récit, complètement captivée. Une fois qu'ils eurent fini elle les regarda, un sourire au coin des lèvres.
- Je crois que je vais pouvoir vous aider et lever quelques mystères qui risquent fort de vous surprendre.

Tout ce que vous avez dit de ma vie est entièrement vrai. Après mon retour sur Toulouse, ma vie fut celle que je vous ai racontée. Alizée a perdu Steve un an après notre retour du Mexique. Je lui avais proposé de venir lui rendre visite mais elle ne le souhaitait pas. J'ai donc respecté son silence. Une fois dans cette maison, je lui ai envoyé un courrier lui donnant mon nouveau numéro de téléphone, au cas où elle aurait besoin de me contacter. Ce qu'elle a fait rapidement, me demandant si elle pouvait venir me voir car elle avait beaucoup de choses à me dire et envie bien entendu de me retrouver. Elle a passé deux jours ici avec moi. Deux jours intenses où nous n'avons pas arrêté de parler. Depuis la disparition d'Hervé, elle n'arrivait pas à remonter la pente. Il avait laissé un grand vide dans sa vie. Elle me confia beaucoup de choses dont elle n'avait jamais parlé à personne. Des choses qui, d'ailleurs, vous concernent.
  - Nous ?
  Alysée et son frère se regardaient, la bouche ouverte, les yeux en point d'interrogation.
  - Oui, vous ! Comme vous le savez, Alizée et moi-même n'avions pas d'atomes crochus, durant toute notre jeunesse. Ma mère ne voyait que par elle et elle en profitait grandement. A l'âge de vingt ans environ elle fut accostée, un beau jour par une jeune fille lui ressemblant étrangement et prétextant être sa sœur jumelle. Alizée, complètement abasourdie par cette révélation refusa de la croire, criant à l'imposture et fit en sorte de couper tout contact avec elle. Elle était jeune et tellement imbue de sa personne qu'elle oublia cet épisode. C'est, après mon départ sur Toulouse, alors qu'elle avait commencé sa thérapie, que cette anecdote lui revint à l'esprit et occupa de plus en plus ses pensées.

Malheureusement elle ne savait pas ce qu'était devenue cette jeune femme et elle ne connaissait même pas son prénom. Quand elle a renoué les liens avec notre père elle lui parla de ce qui lui était arrivé et contre toute attente celui-ci lui révéla le secret de sa naissance. Mes parents avaient un fils Romain, né d'un père différent. Ils voulaient un enfant à eux et je suis arrivée.

    Ma mère se retrouva enceinte deux ans après mais, malheureusement, elle perdit son bébé au cours de l'accouchement. C'était une fille et ils avaient prévu de l'appeler Alizée. Ce fut un drame pour eux d'autant plus que dans la chambre d'à côté une femme venait d'accoucher de jumelles prénommées Angie et Alizée. Ils y ont vu un signe du destin. Ils firent connaissance avec les jeunes parents et constatèrent qu'ils étaient en grande difficulté. Deux enfants d'un coup, c'était beaucoup trop pour cette femme qui ne se sentait pas capable de les assumer. Ils tentèrent le tout pour le tout et leur proposèrent d'adopter une des jumelles moyennant une très forte somme d'argent, ce qui n'était pas sans arranger ce jeune couple. La seule demande faite fut de ne pas changer le prénom d'Alizée, ce qui fut grandement approuvé par mes parents. Ils n'ont jamais revu ce couple et n'ont jamais parlé de cette adoption à qui que ce soit. Mon père, après ces révélations fit jurer à ma sœur de ne pas m'en parler sachant que mon frère n'était en fait que mon demi-frère et qu'il ne pouvait me révéler en plus qu'Alizée n'était pas ma sœur. Apparemment elle avait bien une sœur jumelle qui l'avait retrouvée mais dont elle n'avait pas voulu. Elle culpabilisait de l'avoir rejetée et s'était promis de remuer ciel et terre pour la retrouver. Quelques mois après j'ai reçu une lettre me disant qu'elle était désespérée et avait décidé de s'enfermer dans un couvent où elle pensait trouver la paix. Depuis je n'ai plus eu de nouvelles.

Alysée et Romain étaient blêmes, la respiration coupée. Ils s'accrochaient l'un à l'autre, ne sachant quoi dire. Ce fut Romain qui rompit le silence.

- Enfin tout s'éclaire ! La photo que j'ai vue chez Hélène était bien Alizée et notre supposition d'une gémellité bien réelle. Putain, j'en reviens pas ! Tu te rends compte Lili ? Maman avait une sœur jumelle, comme nous ! Et si j'ai bien compris, elle a essayé de la retrouver quand elle avait 20 ans, à l'âge où elle nous a quittés !

- Mais oui ! Tu as raison, c'est à l'âge où elle nous a quittés ! Mais pourquoi est-elle partie sans rien dire ? Pourquoi n'est-elle pas revenue ? Elle...

Alysée ne put finir. Elle s'était effondrée dans les bras de son frère, en pleurs. Ce débordement d'émotion eut raison de tout l'entourage. Ils se retrouvèrent le regard perdu dans le vague, les yeux mouillés.

- Anjie, vous nous avez dit qu'elle s'était retirée dans les ordres. Vous savez où exactement ?

- Non, elle ne me l'a pas dit. Mais si, attendez, maintenant que j'y pense. Elle m'avait parlé d'une abbaye dans le Tarn qui correspondait à ce qu'elle cherchait. Elle avait aussi rajouté que tout près se trouvait une autre abbaye tenue par des moines. Elle m'a sûrement dit le nom mais je ne m'en souviens pas. Ça ne doit pas être trop compliqué pour trouver deux abbayes l'une à côté de l'autre dans ce département.

Les choses se précisaient. Ce qui était sûr en tout cas c'était qu'Alizée vivait dans le Tarn, tout près d'eux. Alysée et Romain avaient poussé de petits cris de joie sous les regard amusés de Jean et Anjie.

- Merci Anjie. Votre aide nous a été précieuse ! Grâce à vous on en sait un peu plus sur maman. On pourrait même dire qu'on fait partie de la famille maintenant. Et d'ailleurs je propose le tutoiement entre nous. Tu es d'accord ?

Celle-ci répondit par l'affirmative. Elle se sentait heureuse. Heureuse de rendre ces deux jeunes gens si heureux. Cela fait si longtemps qu'elle n'avait pas souri ainsi et un sentiment étrange l'habitait. Celui de reprendre vie, d'avoir pu être utile à quelqu'un. Elle se leva précipitamment et enlaça les deux jeunes gens dans un grand élan de tendresse.

L'après-midi touchait à sa fin et il fallait qu'ils rentrent, quoiqu'ils ne fussent pas pressés. Anjie souhaitait les garder encore un peu auprès d'elle et c'est spontanément qu'elle leur proposa de partager son repas ce qu'ils acceptèrent avec un plaisir évident. Pendant que les femmes s'affairaient aux fourneaux, Jean était allé s'installer dehors et Romain avait filé dans le bureau où étaient entreposées toutes les œuvres d'Anjie. Il restait pensif. Le souper fut simple mais délicieux. Les légumes du jardin furent très appréciés et la confiture maison excellente. Romain avait sorti la photo de sa mère qui ne le quittait plus désormais et Anjie fut très émue de voir à quel point elles pouvaient se ressembler. Ce n'est qu'à la fin du repas que celui-ci se lança.

- Dis moi Anjie, tu comptes te cacher encore combien de temps ?

Surprise, elle releva la tête, le visage empourpré. Elle ne s'attendait pas à cette question.

- Je ne sais pas. A vrai dire je ne me suis jamais posé la question. Je suis bien ici.

- Tu ne voudrais pas retourner à la civilisation ? Reprendre contact avec tes amis ? Partager autre chose que le silence, tes légumes et tes pots de confiture ? J'ai bien regardé tes dessins et tes peintures ! Tu as beaucoup de talent et je meurs d'envie de te faire une proposition.

Elle s'était arrêtée de manger, les yeux écarquillés, les mains tremblantes.

- De quoi tu parles ? Qu'est-ce que tu veux me proposer ?

Son ton était devenu agressif, déjà sur la défensive.

- J'ai envie de t'aider comme tu nous as aidés.
- Je n'ai pas besoin de ton aide. Je n'ai d'ailleurs besoin de l'aide de personne ! Je me suffis à moi-même.
- Ok, Ok. Veux-tu quand même que je te dise à quoi je pense ?
- Oui, tu peux y aller. Pas de problème, tu peux me dire tout ce que tu veux. Mais ne te fais pas d'illusion. Je suis bien ici, je n'ai pas besoin de me replonger dans l'enfer de la vie et je ne changerai pas d'avis !
- Je suis photographe sur Paris et donc passionné par la photo. Le dernier reportage que j'ai réalisé je l'ai fait au Panama. Je suis revenu conquis par ce pays et j'ai bien envie de sillonner d'autres continents à la rencontre de gens authentiques, simples et heureux.

Alysée le regardait, médusée. Il ne lui avait pas dit que l'envie de voyage le démangeait à ce point-là ! Romain, qui ne s'était pas rendu compte de son regard, poursuivait, emporté par son idée.

- Voilà ce que je te propose. Viens avec moi. A nous deux on peut accomplir de belles choses. Je suis parti au Panama avec un écrivain qui a l'intention d'écrire une histoire sur les Indiens Kunas qui vivent dans l'archipel de San Blas..Il s'est montré tellement emballé par mon travail qu'il m'a fait la proposition de s'associer. Dernièrement il m'a envoyé un mail pour me parler de son futur projet et j'avoue que je suis plutôt partant. Tout à l'heure, pendant que j'étais dans ton bureau, je lui ai envoyé un sms avec des photos de ton travail. On pourrait peut-être mettre quelque chose en place ? A voir !

- Comment as-tu pu envoyer des photos de ce que je fait ! Comme ça, sans me demander la permission ! Je trouve que tu es allé un peu trop loin !

- C'est vrai, tu as raison Anjie, je n'aurai pas dû faire ce que j'ai fait. Je suis terriblement désolé.

- Bon, ce n'est pas la peine de se mettre en colère, ça ne servirait à rien. C'est fait et on ne peut pas revenir en arrière. De toute façon, Romain, je ne sais pas ce que tu as derrière la tête mais je tiens à te dire que la vie que je mène me convient parfaitement et qu'il est hors de question de changer quoi que ce soit dans mes habitudes.

- Pourquoi ? Tu n'aimerais pas utiliser ton talent pour en faire profiter des personnes qui partagent la même passion que toi ? Enfin, c'est toi qui vois, tu as tout ton temps pour y réfléchir.

- Je ne sais pas moi non plus à quoi pense Romain mais effectivement, réfléchi Anjie à ce qu'il vient de te dire. Tu ne peux pas rester éternellement ici, cachée ! Il te faut reprendre le courant de ta vie et tu as, semble-t-il, de réelles capacités. Ne les gâche pas !

Anjie restait songeuse. Elle s'était retirée du monde. Elle était heureuse. On ne lui demandait rien ! Elle faisait ce qu'elle voulait. Cependant l'idée de sortir de sa bine triste vie et pouvoir s'adonner à sa passion, n'était pas pour lui déplaire. Bien au contraire ! Contre toute attente elle répondit.

- Tu as raison Romain. Je vais y réfléchir. Je vais y réfléchir, je te le promets.

Romain jubilait. Il croyait vraiment en ses capacités et le fait qu'elle ne refuse pas sa proposition le mettait en joie. Alysée, quant à elle, le regardait, toujours incrédule.

- Dis-moi, Romain ! Depuis quand tu as cette idée dans la tête ? Pourquoi ne m'en as-tu pas parlé ?

- Aïe, aïe aïe, ça y est, ma sœur adorée me fait une scène de jalousie ? Si je ne t'en ai pas parlé ma chère, c'est tout simplement que l'occasion ne s'est pas présentée. Je te jure que je ne t'ai rien caché et, joignant le geste à la parole, il croisa les mains tout en récitant : « Croix de bois, croix de fer, si je mens, je vais en enfer ». Pendant que tu étais au boulot j'en ai profité pour aller sur ma boîte mail où j'ai pris connaissance de ce message. Je ne voulais rien précipiter et j'avais décidé de t'en parler uniquement quand les choses seraient sûres. Je n'avais pas prévu cette rencontre avec Anjie.

- Bon ça va. Tu es tout excusé. De toute façon, tu sais très bien qu'à partir du moment où tu es bien dans ta vie, je le suis moi aussi. Il s'est passé tant d'événements depuis ton arrivée. En tout cas tu as bien fait d'insister pour que je t'accompagne dans tes recherches car je suis contente d'avoir fait la connaissance d'Anjie et nous en savons tellement plus sur maman ! Promis, craché, juré, je te suivrai jusqu'à ce qu'on sache vraiment qui elle était et pourquoi elle nous a abandonnés. « Croix de bois, croix de fer, si je mens je vais en enfer ».

Cette dernière phrase fut ponctuée par de grands éclats de rire et signifia l'heure du départ. Il se faisait tard et ils avaient de la route à faire. Ils garderaient Jean avec eux jusqu'au lendemain. Avant de se quitter ils échangèrent leurs numéros de téléphone promettant de se revoir très vite.

La journée du dimanche passa rapidement. ils étaient allé sur Internet et trouvé l'abbaye de Dourgne qui semblait correspondre à leur recherche. Ils accompagnèrent Jean à la gare SNCF de Toulouse et rentrèrent tout doucement par la campagne. Dans la soirée, Romain s'attela à ses photos et Alysée passa un bon moment en ligne avec son amie à qui elle raconta leurs péripéties.

Chapitre 5

LES AVEUX

> *" Effacer le passé, on le peut toujours*
> *C'est une affaire de regret, de désaveu,*
> *d'oubli. Mais on n'évite pas l'avenir "*
>
> Oscar Wilde

Il ne restait plus qu'une semaine à Romain avant de rentrer sur Paris et il voulait à tout prix se rendre à l'abbaye avant de partir. Ils avaient réussi à obtenir un rendez-vous pour le samedi, ce qui laisserait le temps à Romain de prendre l'avion le lendemain après-midi. Son travail avait bien avancé et il attendait des nouvelles d'Anjie qui se faisaient attendre. Malgré son impatience il n'osait la contacter afin de ne pas trop l'agacer. Le jeudi soir, Alysée avait invité des amis pour leur montrer son nouvel appartement et leur présenter son frère. Les quelques filles célibataires du groupe se montraient charmantes envers Romain espérant qu'il les remarque mais elles abandonnèrent vite la partie lorsqu'Alysée leur fit part de son homosexualité.

Ils avaient rendez-vous samedi en début d'après-midi à l'abbaye Sainte Scholastique. C'est Romain qui s'était chargé de contacter le couvent aux heures recommandées et demandé Alizée.

- *Alizée ? Je ne connais pas d'Alizée. Ici nous nous appelons toutes « sœurs ». Sœur Alizée je ne connais pas.*

- *Ah oui effectivement cela risque d'être compliqué pour savoir de qui nous parlons, car, de mon côté non plus je ne connais pas son nom de Sœur. Ce que je sais c'est qu'elle est arrivée chez vous il y a sept ans environ. C'est une jeune femme qui doit avoir aujourd'hui dans les 44 ans. Elle est brune, les yeux verts.*

- *Voyons, voyons. Ah oui ! D'après la description que vous me faites je pense à l'une de nos Sœurs : Sœur Aimée. Elle est arrivée il y a sept ans me dites-vous ? Voyons, voyons ! A mon avis, cela fait beaucoup plus d'années que ça. Mais dites-moi, jeune homme, je ne peux pas vous donner un rendez-vous comme ça ! Il faut d'abord que je m'assure que ce soit bien elle, puis que je lui en parle. Voyons, voyons ! Qui devrai-je annoncer ?*

- *Mon prénom est Romain. Vous lui dites que je suis le fils de sa sœur jumelle Angie.*

- *Voyons, voyons ! Sœur Aimée aurait une sœur*

jumelle ? Vous en êtes sûr ? Elle ne nous en a jamais parlé. Bon, voyons, voyons ! Il faut tout de même que je sache si nous parlons de la même personne ! Vous comprenez jeune homme ? Alors c'est entendu je lui ferai part de votre demande. Voyons, voyons ! Laissez-moi un numéro de téléphone pour que je puisse vous rappeler.

- Bien sûr je vous le donne tout de suite. C'est le 06 36 61 89 16. Je vous remercie ma Sœur. J'attends votre coup de fil avec impatience.

La réponse ne se fit pas attendre longtemps. Le lendemain elle le recontactait pour lui signifier que sœur Aimée s'était montrée très affectée par cette demande de rendez-vous et après une longue hésitation avait répondu par la négative disant que c'était beaucoup trop douloureux pour elle et qu'elle refusait toute concertation. Romain était dépité. Pourquoi ne souhaitait-elle pas les rencontrer ? Que leur cachait-on encore ? Décidément ils n'étaient pas au bout de leur peine. Il raccrocha, déçu. L'histoire s'arrêtait là, sur un simple refus. Le soir même, son portable se mit à vibrer Numéro privé. Romain décrocha. A l'autre bout du fil une voix douce se fit entendre.

- Allô ? C'est Romain à l'appareil ?
- En personne.

Après un bref silence, la voix repris, chevrotante.

- Je suis sœur Aimée. Je sais que vous avez cherché à me joindre et demandé un rendez-vous. Je suis désolée mais je ne peux vraiment pas vous recevoir. Je ne souhaite pas remuer mon passé. C'est une période de ma vie trop douloureuse et si je me suis retirée dans ce couvent c'est pour faire une croix dessus et ne plus y penser. Que voulez-vous savoir au juste ?

- J'aurais aimé que vous me parliez de notre mère à Alysée et moi-même. Notre mère, Angie ! Nous savons qu'elle a cherché à vous voir quand elle nous a quittés et que vous aviez pris la décision bien des années plus tard de la retrouver. L'avez-vous revue ? Lui avez-vous parlé ? Seize ans de sa vie nous échappent et nous aimerions savoir ce qu'elle a fait durant toutes ces années.

Autre silence. Beaucoup plus long cette fois-ci. Romain entendait la respiration haletante de son interlocutrice.

- Excusez mon désarroi mais vous venez de rouvrir une blessure vieille de plusieurs années qui me perturbe au plus haut point !

- S'il vous plaît, nous avons besoin de vous. Vous êtes la seule personne qui peut nous aider ma sœur et moi. Nous avons besoin de savoir.

- Ça vous avancera à quoi de savoir ?

- Nous avons besoin de comprendre.

- Et pourquoi vous ne le demandez pas à votre mère ?

- Mais... Parce qu'elle n'est plus de ce monde ! Elle nous a quittés il y a cinq ans. Elle s'est suicidée !

- Suicidée ? Ma sœur s'est suicidée ? Non je ne le crois pas ! Pourquoi se serait-elle suicidée ?

- Ce serait trop long à vous expliquer. C'est pour cela qu'on aimerait vous rencontrer.

Il percevait maintenant des larmes dans sa voix. Elle était visiblement très émue.

- Effectivement, les choses sont différentes à présent. Je vais réfléchir ! Je ne m'attendais pas à cette nouvelle.

- Merci, mais faites vite, s'il vous plaît. Je dois repartir dimanche sur Paris et je ne sais pas quand je pourrai revenir.

Il n'eut pas le temps de finir sa phrase qu'elle avait raccroché. Il était surpris, apparemment Alizée, Sœur Aimée, ne savait pas qu'Angie était décédée. Il l'avait sentie très contrariée par cette nouvelle. Peut-être reviendrait-elle sur sa décision ? C'est tout ce qu'il espérait en tout cas. Alysée aussi avait été profondément déçue par la réaction de Sœur Aimée. Elle n'y croyait plus du tout, persuadée que cette dernière nouvelle ne ferait que la conforter dans son désir de ne pas se replonger dans un passé qu'elle voulait oublier à tout prix. Que de questions qui resteraient sans réponses ! Romain n'en pouvait plus. Il n'arrivait pas à se concentrer et son travail n'avançait pas. Il regardait constamment son téléphone dans l'espoir qu'il se mette enfin à sonner. Ce n'est que le surlendemain que celui-ci sortit enfin de son silence.

- Romain ? C'est Sœur Aimée. J'ai beaucoup réfléchi vous savez. Ce que vous me demandez là me coûte beaucoup mais je pense que vous avez raison. Nous avons besoin de tirer toute cette histoire au clair. La chance que vous m'offrez en venant me rencontrer ne se représentera pas sûrement une seconde fois. J'accepte de vous recevoir et je vous propose samedi à 14h. J'aurai quelques heures devant moi.

Romain ne savait plus quoi dire. Avait-il bien entendu ? Elle acceptait de les recevoir ?

- Oui, oui, oui, nous viendrons samedi à 14h. Merci ma Sœur pour ce que vous faites. Je n'y croyais plus.

- Bon alors, à samedi Romain.

Alysée était au travail. Romain ne pouvant attendre, il lui envoya un message lui annonçant la bonne nouvelle. Dix minutes après elle l'appela mêlant sa joie à la sienne.

Pour fêter l'événement ils avaient acheté une bouteille de champagne qu'ils s'empressèrent d'ouvrir pour boire à leur réussite. Ils étaient tout excités de savoir qu'enfin, à la fin de la semaine, ils en sauraient davantage sur leur mère. Romain pourrait revenir à Paris comblé. Quel bonheur !

Les quelques jours qui suivirent leur semblèrent s'écouler très lentement tout à l'excitation de leur rendez-vous de samedi. Romain avait pratiquement fini son compte rendu et semblait confiant en l'avenir. Il n'avait toujours pas de réponse d'Anjie mais ne semblait pas impatient. Il savait que sa proposition l'avait séduite et lui laissait prendre le temps de sa décision.

La veille de leur rendez-vous, Romain s'adressa à sa sœur.

- Je me suis renseigné sur l'abbaye où se trouve Alizée. Je vais te raconter comment y vivent les Sœurs. Tu vas voir, elles ont une drôle de vie et il faut vraiment avoir la foi pour aller s'enterrer dans cet endroit ! Tout d'abord, un peu d'histoire :

" Le monastère de Sainte Scholastique de Dourgne est né de l'appel de Dieu à Marie Cronier. Alors qu'elle était pensionnaire chez les bénédictines de Jouarre elle rencontre Dom Romain Banquet, moine de la Pierre qui Vire. Le 29 janvier 1883 Marie comprend que Dieu lui demande une nouvelle fondation bénédictine. Cette fondation sera une œuvre double comprenant des Frères et des Sœurs selon l'antique tradition de Benoît et Scholastique. Ce seront l'Abbaye de Saint Benoît d'En Calcat et l'Abbaye Sainte Scholastique à Dourgne. En 1890, premier coup de pioche sur le terrain de la future abbaye à Dourgne. Et l'année 1896 voit l'érection du monastère en abbaye. Aujourd'hui cinquante bénédictines y vivent selon la règle écrite par saint Benoît au VIe siècle ". Pour les personnes désirant s'arrêter un moment dans le silence, la paix ou la prière il leur est proposé un séjour à l'hôtellerie pour une retraite.

Alors maintenant je vais te raconter leur journée. Les moniales se rassemblent sept fois par jour pour des offices liturgiques. Elles prient aussi seules en oraison, par la méditation de la Bible. Le travail occupe une place importante dans leur journée, qu'il soit rémunéré pour faire vivre la communauté, ou au service quotidien de la communauté. Atelier de tissage, vêtements liturgiques, reliures, compositions, magasin Mais aussi hôtellerie, cuisine, lingerie, infirmerie. Nous arrivons maintenant au moment le plus délicat. Le déroulement de leur journée est immuable :

Elles se lèvent à 5h pour se rendre aux Matines (office de la nuit), puis elles prennent le petit déjeuner en silence, puis oraison (prière silencieuse).

7h10 : « LAUDES » qui sont les louanges du matin

puis « CHAPITRE » :réunion de communauté.

8h : LECTIO DIVINA (Bible, théologie, spiritualité).

9h30 : EUCHARISTIE, centre et sommet de la journée qui est à 9h45 les dimanches et jours de fêtes !

10h15 : Travail.

12h15 : Office de Sexte (milieu du jour) puis repas avec lecture (histoire, biographies,

informations…)
 13h15 : Temps libre (silence).
 14h15 : Office de None (début de l'après-midi).
 14H30 : Travail.
 18h : Vêpres (Office du soir).
 18h30 : Repas. Détente fraternelle.
 20H : Complies (Fin du jour), Silence de la nuit.
 - Voilà ma chère sœur, je pense n'avoir rien oublié.
 - Ben dis donc ! Quelle angoisse ! Je ne pourrai jamais me soumettre à un tel planning. Elles semblent avoir peu d'échanges entre elles et puis elles se couchent tôt et se lèvent tôt. C'est complètement dingue cette vie ! Il faut quand même croire en quelque chose pour se retirer complètement de tout. Comment a-t-elle fait pour accepter tout ça ?
 Le jour J, après avoir mangé un sandwich dans un café ils se rendirent enfin à leur rendez-vous. L'abbaye bénédictine Sainte Scholastique de Dourgne s'élève au pied de la Montagne Noire, dans le Tarn, à 70 kilomètres de Toulouse. Après un long parcours sur des routes de campagne sinueuses ils arrivèrent enfin sur les lieux. La voiture garée sur le parking ils se dirigèrent vers l'édifice, imposant et plutôt majestueux, tout en pierres. Un grand escalier permet d'accéder à la porte d'entrée. Cet endroit, perdu dans la campagne, donne une image de calme et de sérénité.
 Une fois à l'intérieur Alysée et son frère furent reçus par une Sœur qui les amena dans le parloir où ont lieu les visites. Endroit plutôt austère composé d'une table et de quelques chaises. Alizée les attendait. Vêtue de la traditionnelle robe noire et voile blanc. On ne voyait que son visage d'où émergeait deux grands yeux

verts. Dès qu'elle aperçut les jeunes gens, ses lèvres se mirent à trembler, ses yeux s'embuèrent de larmes. Tout en les regardant intensément elle se mit à répéter plusieurs fois :

- Mon Dieu, c'est Alysée et Romain ! Mon Dieu !

Romain s'était approché d'elle, une main tendue.

– Encore merci ma Sœur de nous accueillir.

Sœur Aimée, ignora sa main, trop émue. Elle avait baissé les yeux, cherchant quelque chose à dire. Sans s'en rendre vraiment compte elle lâcha dans un souffle :

- Excusez-moi, je ne peux pas vous recevoir, c'est au dessus de mes forces. Excusez-moi je ne pensais pas que ça puisse m'être aussi difficile de vous avoir en face de moi. Je ne peux pas vous recevoir, je suis désolée.

Alysée, qui n'avait encore rien dit, sembla sortir de sa stupeur en entendant les paroles de la Sœur.

- Comment vous ne pouvez pas nous recevoir ? Mais, pourquoi ? Vous êtes notre dernier espoir. On n'a pas fait tout ça pour rien quand même ! Vous ne pouvez pas refuser cette ultime chance que nous avons de connaître enfin ce qui s'est passé !

Sœur Aimée qui s'était levée précipitamment se rassit, les coudes sur la table, la tête entre ses mains. Elle semblait lutter contre quelque chose qui la faisait énormément souffrir. Relevant la tête, devant le regard interrogatif et suppliant de ces jeunes gens, elle se reprit et, après s'être signée, leur répondit :

- C'est vrai que c'est l'annonce du décès de ma sœur qui m'a fait prendre la décision de vous rencontrer. J'ai tellement de choses à vous dire. Et je comprends votre désir de savoir enfin tout ce qui s'est passé durant ces longues années. Asseyez-vous s'il vous plaît, vous avez raison, vous n'êtes pas venus ici pour repartir bredouille d'autant plus que c'est moi qui vous ai invités à venir me voir.

  Alysée et Romain, rassurés, s'étaient installés sur les chaises qu'elle leur avait désignées. Ils la regardaient à présent, admiratifs. Ils se trouvaient face à une personne qui ressemblait à tout point de vue à leur mère ! Ils pouvaient même se payer le luxe de se persuader que c'était elle qu'ils avaient en face d'eux. Angie, leur mère disparue trop tôt dans leur existence. Ils allaient enfin avoir accès à cette partie de sa vie qu'ils ne connaissaient pas et comprendre, peut-être, pourquoi elle les avait abandonnés. Enfin tout du moins, l'espéraient-ils.

  - Je vais vous raconter ce que fut la vie de votre mère, telle qu'elle me l'a décrite. Comme vous le savez, elle m'a contactée à l'âge de 20 ans et j'ai volontairement mis de la distance entre nous, trop préoccupée par ma petite personne. C'est seulement quand j'ai commencé ma thérapie que j'ai ressenti le besoin impérieux de renouer le contact avec elle. Mais je ne savais comment m'y prendre et par où commencer. Paris est grand et je n'avais aucune idée de ce qu'elle était devenue. J'ai épluché l'annuaire dans l'espoir de la trouver mais je ne connaissais même pas son prénom. Quand j'ai discuté avec mon père du mystère de ma naissance et de mon désir de retrouver ma sœur jumelle, il m'a donné un nom et une adresse. Seule chose qui lui restait de mes vrais parents. J'avais très envie de les connaître. Après tout j'étais leur fille moi aussi ! Je les ai retrouvés. Quand ils m'ont vue ils n'ont pas voulu croire que j'étais Alizée et non Angie. Ils ont fini par m'écouter, heureux m'ont-ils dit de faire enfin ma connaissance et de savoir ce que j'étais devenue. Ils ne savaient pas où était partie leur fille mais m'ont donné son numéro de téléphone. Je l'ai contactée rapidement et elle a accepté de me rencontrer. Nous nous sommes revues plusieurs fois et elle m'a tout raconté. Je tiens à vous prévenir que ce qui va suivre risque d'être douloureux pour vous comme ça l'a été d'ailleurs pour elle. Mais puisque vous voulez le savoir je vais tout vous expliquer.

Elle s'était arrêtée, reprenant sa respiration plusieurs fois. On sentait bien que cette confession lui était douloureuse. Elle semblait tendue, tout comme Romain et Alysée.

- Vous pouvez y aller ma Sœur. Nous sommes prêts.

Sœur Aimée les regardait tour à tour, les yeux humides. « Comme ils sont beaux, pensait-elle, ils ne se ressemblent pas beaucoup mais il y a tellement de douceur dans leur regard et ils ont l'air de s'entendre si bien » !

- Comme vous le savez maintenant, à notre naissance, Angie, et moi-même fument séparées afin de permettre à nos parents de pouvoir élever correctement ma sœur et me donner par la même occasion une bonne éducation en me faisant adopter. Il valait mieux que les choses se soient passées ainsi car, les services sociaux s'étaient déjà penchés sur la question et, vu qu'il était difficile pour nos parents de s'occuper correctement de nous deux ils avaient émis la possibilité de nous mettre en famille d'accueil.

La vie d'Angie fut très compliquée. Notre vrai père, Raymond, homme honnête et droit se retrouva rapidement au chômage et sombra dans l'alcool. Notre vraie mère, Éliane, personnalité fragile et frivole avait un penchant exagéré pour l'argent. Elle s'occupait tant bien que mal de sa fille avec qui elle entretenait une relation dénuée de toute affection. Ayant beaucoup de mal à joindre les deux bouts et s'étant rendu compte que ses formes " appétissantes " ne laissaient pas les hommes indifférents, elle en profita et commença à vendre son corps. Et ça marchait ! Son mari ne la regardait plus depuis longtemps et la petite flamme de désir qu'elle pouvait surprendre dans les yeux des hommes à son encontre, l'excitait et n'était pas du tout pour lui déplaire. Elle était belle, désirable et on avait envie d'elle. Elle avait pris l'habitude de recevoir ses amants chez elle pendant que son mari se réconfortait dans l'alcool. Il s'était sûrement aperçu de ce manège mais il avait pris l'habitude de fermer les yeux, sachant que par ses actes ils avaient de l'argent et qu'il pouvait boire tout son saoul. Éliane avait remarqué que les hommes qui passaient chez elle, regardaient sa fille avec convoitise et lui faisaient des compliments sur sa beauté. Une idée folle, insensée, lui vint alors à l'esprit. Elle exigea, de temps en temps, que celle-ci vienne participer à ses ébats, ce qu'Angie refusa bien évidemment. Mais elle aimait sa mère et voyait bien qu'elle avait de plus en plus de mal à faire rentrer de l'argent dans le foyer. Elle se devait d'y contribuer. Elle finit par accepter à contre cœur. Chaque fois qu'elle voyait sa mère faire l'amour avec un homme elle ressentait une forte envie de fuir, nauséeuse. Elle fermait le plus souvent les yeux mais les bruits qu'ils faisaient, les mots qu'elle entendait lui parvenaient aux oreilles sans qu'elle puisse les occulter malgré ses mains qu'elle mettait sur ses oreilles. Pourtant elle restait là, impassible, dans le fauteuil. Une fois le client parti, sa mère lui faisait part de sa joie en lui montrant la liasse de billets en remerciement de ces petits extra. C'était seulement dans ces moments-là qu'elle lui montrait de la tendresse, la prenant dans ses bras en la couvrant de baisers en lui murmurant des mots d'amour. Que n'aurait-elle pas fait, Angie, pour vivre ces instants aussi précieux. Elle savait bien que c'était éphémère mais elle en avait besoin. Elle recevait enfin de la tendresse de la personne qui l'avait mise au monde !

Sœur Aimée s'était levée précipitamment et arpentait la pièce en long et en large, les deux index posés sur ses lèvres dans une attitude de réflexion profonde. Elle semblait avoir oublié les deux jeunes gens qui la fixaient intensément.

- Seulement voilà, Éliane n'en resta pas là. A la demande d'un de ses clients elle suggéra à sa fille de le rencontrer. Angie savait bien ce que cela voulait dire et refusa catégoriquement. Sa mère n'insista pas mais se faisait pressante de jour en jour. Elle lui expliquait qu'elle avait besoin d'argent pour les faire vivre tous les trois, qu'elle n'était plus toute jeune et qu'elle, Angie, devait l'aider. Elle lui parlait gentiment, lui disait qu'elle avait une grande confiance en elle, qu'elle l'aimait par-dessus tout. Angie se laissa piéger et accepta, une envie de vomir au bord des lèvres. Elle n'oubliera jamais ce premier contact ! L'homme fut gentil, attentionné et elle perdit sa virginité ce jour-là dans les bras d'un étranger qui la couvrait de mots doux mais qu'elle n'aimait pas. Elle rêvait du prince charmant comme toutes les jeunes filles de son âge et, ce jour-là, tous ses rêves, ses illusions tombèrent comme un coup de baguette magique. Elle s'en voulait, se maudissait. Sa mère par contre était folle de joie. Il les avait grassement payées ! Aussitôt son amant parti, elle se précipita sous la douche où elle resta de longues heures noyant son chagrin, son désespoir. Elle se savonna longtemps dans l'espoir d'effacer cet acte immonde qu'elle avait commis, toute trace de ce corps qui s'était posé sur elle, l'avait caressée, embrassée et pénétrée. A partir de ce moment-là une profonde tristesse s'empara d'elle. Elle en voulait à sa mère et à son père.

Sœur Aimée, qui était revenue s'asseoir sur sa chaise, s'arrêta brusquement de parler, les yeux perdus dans le vague, une expression amère sur son visage. On aurait dit qu'elle vivait la scène. Romain et Alysée, quant à eux, attendaient patiemment qu'elle reprenne, conscients que cette confession réveillait des souvenirs douloureux.

- La seule personne qui trouvait grâce à ses yeux était le concierge de son immeuble, Steve, qui s'était pris d'affection pour elle. Elle se rendait souvent chez lui pour y passer de longues heures et lui faisait oublier le tumulte intérieur dans lequel elle se trouvait. Jamais elle ne lui dit quoi que ce soit. Elle avait trop honte, d'elle et de ses parents. Elle se doutait bien qu'il la regardait souvent d'une étrange manière, comme s'il comprenait son désarroi mais il ne lui posa jamais de questions, respectant son silence. Sa mère voulait toujours plus d'argent, encore et encore et le calvaire d'Angie continua. Elle était prise au piège et ne savait plus comment s'en sortir. Petit à petit elle pris conscience de son pouvoir de séduction. Elle savait qu'elle avait un atout sur sa mère : Sa jeunesse ! Celle-ci, de son côté, voyait bien que ses clients demandaient de plus en plus sa fille, ce qu'elle vivait d'ailleurs plutôt mal. Mais l'argent qui rentrait dans le foyer, Angie l'avait bien compris, permettait de mettre une certaine rivalité entre mère et fille de côté, ce qui protégeait leur relation.

    Il y avait des clients qui lui laissaient de temps et temps de bons pourboires qu'elle avait pris l'habitude de mettre de côté. Elle savait qu'un jour elle partirait, qu'un jour elle abandonnerait ses parents et ce jour-là elle l'attendait avec impatience. Ce serait pour sa dix-huitième année ! Un de ses habitués tomba amoureux d'elle. Il avait beaucoup d'argent et lui proposa de l'emmener au Mexique. Angie voyait dans cette proposition un bon moyen de mettre en place son projet. Elle le laissa espérer, ne lui avouant pas qu'elle attendait sa majorité, sa mère ayant fait en sorte de ne pas dévoiler son vrai âge. Ils pensaient tous qu'elle était majeure et ne suspectèrent jamais une tromperie. Son départ fut programmé et quand elle eut enfin dix-huit ans, le billet payé par son amoureux, elle s'envola pour le Mexique, abandonnant ses parents. La seule personne qu'elle avait mis au courant était Steve à qui elle avait laissé son journal lui faisant promettre de n'en prendre connaissance que s'il lui arrivait quelque chose. Une fois à Mexico, son amoureux devait venir la récupérer à l'aéroport direction Mérida. Elle attendit plus d'une heure, essayant de le contacter sans aucune réponse. Que faire ? Où se diriger ? Elle n'avait pas envie de rester dans la capitale. Pourquoi faire d'ailleurs ? Elle prit la décision de partir sur Mérida, lieu de sa destination. On ne sait jamais, il l'aurait peut-être contactée entre temps !

    Il lui fallait faire du stop, elle n'avait pas le choix. Rapidement, une voiture s'arrêta à son niveau et son occupant accepta de la conduire jusqu'à Mérida où il se rendait. Elle eut tout le loisir de le contempler pendant le trajet. Il avait à peu près son âge, bronzé, beau brun ténébreux, une voix profonde. Ils parlèrent beaucoup, apprirent à se connaître. Elle se sentait bien, en confiance. Cela faisait si longtemps qu'elle ne s'était plus laissé aller à la magie de l'instant. Comme elle n'avait toujours aucune nouvelle, Thomas (c'était le nom de son compagnon de route) lui proposa de l'emmener jusque dans sa communauté : The Birds.

Elle s'interrompit à nouveau. Romain et Alysée la regardait intensément. La surprise et l'étonnement se lisaient sur leurs visages.

- Qu'y a-t-il ? Qu'est-ce que j'ai dit ?
- Vous avez parlé de la communauté des Birds ? N'est-ce pas celle ou est allé Romain ?
- Romain ? Quel Romain ?
- Ben, votre frère et celui de votre sœur Anjie. Celui qui est parti au Mexique !

Elle se mit à rougir, visiblement déstabilisée. Elle était gênée et se mit à balbutier :

- Romain ? Ah oui, mais vous avez raison ! Que suis-je bête ! Romain était dans la même communauté et elle n'a jamais fait le rapprochement. A vrai dire je ne sais pas. Elle n'en a jamais parlé. De toute façon elle ne le connaissait pas. Comment aurait-elle pu savoir ? Et puis, ils n'y sont pas restés longtemps. Très rapidement ils ont changé de communauté, Angie ayant beaucoup de mal à s'intégrer.

- C'est vrai, vous avez raison. De toute façon il n'existe aucun lien entre eux.

- La communauté où ils finirent par s'installer, The Flowers, celle d'ailleurs où vous êtes nés et avez vécu, correspondait vraiment à leur état d'esprit du moment. Ils s'y sentirent rapidement à l'aise. Angie s'est très vite intégrée à la vie de groupe, et puis, du moment que Thomas était avec elle ! Un an après leur arrivée elle se retrouva enceinte. Elle vécut très mal cette grossesse. Elle ne voulait pas d'enfants. C'était un accident. Elle ne voulait pas les garder mais c'est Thomas qui insista pour qu'elle mène sa grossesse à son terme. Elle ne voulait pas être mère, elle avait peur. Peur de ne pas savoir s'en occuper, de ne pas les aimer assez, peur de reproduire le même schéma que sa mère. Son enfance était marquée au fer rouge ! Elle accoucha de jumeaux. Son sentiment d'incapacité à jouer son rôle de mère s'accentuait de jour en jour malgré tout l'amour dont l'entourait Thomas. Elle faisait des cauchemars la nuit, des crises d'angoisse la journée. Un beau jour elle eut sa mère au téléphone qui lui demanda de revenir, elle n'assumait plus rien du tout, elle lui dit qu'elle lui manquait. Qu'elle avait besoin d'elle. Angie est restée sur sa position lui répondant qu'elle était heureuse là où elle se trouvait et qu'elle ne voulait plus rien avoir affaire avec eux. Sa mère en colère lui jeta les mots suivants : *Tu es une ingrate ! Si on avait su, c'est de toi dont on aurait dû se séparer.* Vous pensez bien qu'en entendant ces mots, Angie, resta là interdite et demanda à sa mère des explications auxquelles elle répondit méchamment dans des termes cinglants. *Oui, c'est de toi dont on aurait dû se séparer !* Et raccrocha.

Angie semblait à présent ne plus avoir conscience de la présence d'Alysée et Romain. Elle s'était à nouveau levée, marchant de long en large, se tordant les mains, perdue dans ses souvenirs.

Le frère et la sœur, n'osaient plus bouger.

- Angie ne comprenait pas. Qu'avait-elle voulu

lui dire ? Cette phrase la poursuivait. Il fallait qu'elle sache. Elle n'en parla pas à Thomas considérant que ça ne le concernait pas et décida de s'en aller, revenir sur Paris pour savoir la vérité. De toute façon, elle n'avait jamais parlé de son enfance à Thomas lui faisant croire que ses parents étaient morts dans un accident de voiture alors qu'elle était très jeune. Elle avait pris la fuite sans rien ne dire à personne laissant un compagnon dépité et des enfants encore trop jeunes pour s'être véritablement attachés à elle (du moins c'est ce qu'elle pensait). Elle s'était dit qu'elle reviendrait plus tard.

    Quand elle retrouva ses parents, sa mère lui fit la fête pensant qu'elle était revenue sur sa décision mais déchanta vite quand elle lui exposa le but de sa visite. Éliane était visiblement shootée (elle s'était mise à consommer de la drogue). Elle restait hermétique aux questions de sa fille et la regardait d'un sourire narquois. La seule chose qu'elle réussit à lui lâcher fut le mot jumelles. Angie resta silencieuse : Elle aurait une jumelle dont elle ne connaissait même pas l'existence ? Ne pouvant en savoir davantage par sa mère qui s'était effondrée sur le fauteuil dans un sommeil semi léthargique, elle s'avança vers son père affalé devant la télévision, comme d'habitude, plusieurs canettes de bières posées au sol. Dans quel état se trouvaient ses parents, quelle déchéance ! Il allait lui falloir ruser pour apprendre la vérité. Elle avait beaucoup de peine pour eux. Elle s'approcha tout doucement de lui et le prenant au dépourvu lui demanda d'une manière spontanée.

    - *Papa, tu as des nouvelles de ma sœur ?*
    - *Ta sœur ? Quelle sœur ?*
    - *Ben, ma sœur jumelle !*
    - *Comment ? Tu sais ? C'est ta mère qui t'a mise*

au courant ?

— *Oui c'est maman qui m'a mise au courant. Mais, dis-moi papa, tu peux me parler d'elle ? J'ai besoin de savoir. Dis, tu veux bien ?*

Son père la fixa d'un regard plein de mélancolie et, lui prenant la main s'enfonça dans son fauteuil avant de poursuivre d'une voix pleine d'émotion. Angie ne perdait pas une goutte de ce regard, ce geste de tendresse dont elle avait été privée pendant de si longues années.

— *Il est temps, ma fille, que tu connaisses enfin le secret de ta naissance !*

Au fur et à mesure qu'il parlait, celle-ci, très attentive à ses paroles, put enfin connaître ce qu'elle avait toujours su inconsciemment au fond d'elle-même. Une sœur jumelle, oui une sœur jumelle dont elle avait toujours senti la présence discrète. Un double d'elle-même en quelque sorte mais dont elle n'en avait jamais compris le sens. Elle suffoquait devant ces révélations. Comment avait-on pu la priver de sa moitié ? De quel droit ? Elle aurait peut-être préféré qu'elles soient placées toutes les deux dans une famille d'accueil ? Elles auraient au moins été ensemble et leur vie aurait été complètement différente.

Son père était maintenant submergé par l'émotion, la douleur. Il prenait conscience de ce qu'ils avaient fait, de l'étendue des dégâts et demanda pardon à sa fille. Il ne restait plus qu'à Angie à retrouver sa sœur. Son père lui avait donné les coordonnées de ses parents adoptifs. Par chance ils habitaient eux aussi dans la capitale. Elle se devait de me contacter. Il fallait qu'elle me voit, me parle et peut-être tisser les liens dont elle se rendait compte à présent, qui lui manquaient terriblement. La première fois qu'elle entendit ma voix elle fut surprise par sa tonalité, son timbre. C'était le même que le sien ! Elle avait l'impression de se parler à elle-même. Elle ne me dit pas le but de son appel mais me proposa un rendez-vous me disant simplement qu'elle désirait me parler d'un sujet qui nous concernait toutes les deux.

Sœur Aimée s'interrompit soudain et, regardant tour à tour les deux jeunes gens, elle leur proposa à boire. Ceux-ci, suspendus à ses lèvres lui firent non de la tête, n'attendant qu'une chose, qu'elle poursuive son histoire.

- Quel choc ce fut lors de cette rencontre ! Angie, qui savait, n'eut pas le moindre doute lorsqu'elle me vit approcher. Quant à moi, j'ouvrais de grands yeux remplis de stupeur. Qui était cette jeune femme qui me ressemblait étrangement ? D'où sortait-elle ? Angie se présenta et m'expliqua en quelques phrases ce qu'elle venait d'apprendre. Elle n'eut pas la possibilité d'aller plus loin. Je m'étais levée d'un bond, la fixant avec mépris en lui exprimant clairement et d'un ton cassant que je ne croyais pas un traître mot de ce qu'elle me racontait, qu'elle était une usurpatrice et que je ne me laisserais pas faire. Avant de m'en aller, j'ai levé sur elle un doigt menaçant, lui demandant de m'oublier et de ne plus jamais me contacter. L'échange fut bref. Angie restait là, interdite, me regardant m'éloigner d'un pas rapide. Elle avait fait ma connaissance sans espoir de me revoir. Elle se sentait seule, terriblement seule ! Qu'allait-elle faire maintenant ? Revenir chez elle, au Mexique ? Oublier toute cette histoire ? Après tout c'était là qu'était sa vraie famille. Non, elle ne pourrait affronter les siens, pas encore ! Elle ne voulait pas rester sur un échec. Elle n'abandonnerait pas. Il fallait qu'elle revienne vers moi coûte que coûte. Elle prendrait le temps qu'il faudra. A partir de ce moment-là elle n'eut de cesse de m'épier, de me suivre afin d'en connaître le maximum sur ma vie. C'était devenu une obsession. Son obsession ! Les jours, les semaines passèrent. Il ne lui restait plus grand-chose du petit pécule qu'elle avait amené. Il lui fallait travailler. Elle avait trouvé du travail dans une famille, acceptant de la loger, en échange de ses services, moyennant un petit salaire. C'est de nouveau que tout a basculé. L'homme de la maison a commencé à lui tourner autour, lui faisant des avances de plus en plus poussées. Le ménage, les courses, la vaisselle, le repassage. Elle en avait assez. De toute façon de quoi était-elle capable, à part replonger dans ce qu'elle avait fui à tout prix ? Elle avait besoin d'argent, voulait son indépendance. Elle souhaitait mettre des sous de côté pour revenir à Mérida. Thomas, les enfants lui manquaient. Elle voulait aussi revoir sa sœur et elle savait au fond d'elle-même qu'elle ne pourrait rejoindre sa famille que lorsqu'elle aurait réussi à nouer des liens avec elle. Elle se laissa séduire et devint la maîtresse de son hôte. Il la payait grassement, lui faisait de multiples cadeaux. Ne pouvant plus rester chez eux il lui trouva un petit studio dont il payait le loyer tous les mois.

Quoi demander de plus ? Elle avait de l'argent, un studio, un amant qui s'occupait d'elle, mais elle n'était pas heureuse. Elle n'arrivait pas à m'atteindre. Toujours un profond sentiment de solitude et de honte face à ce qu'elle était devenue. Elle se maudissait, se sachant incapable de prendre une quelconque décision. Elle avait abandonné Thomas, ses enfants à qui elle n'avait plus jamais donné de nouvelles. C'était trop tard maintenant. Elle ne pouvait plus faire machine arrière.

Elle sombra petit à petit dans la dépression, n'ayant plus aucune envie de se battre. Elle avait même abandonné ma filature. A quoi bon ? De toute façon c'était perdu d'avance. Elle était persuadée que je ne chercherais jamais à la revoir.

  Sœur Aimée fit à nouveau une pause. Un profond soupir s'échappa de ses lèvres. Elle semblait tellement loin, perdue dans ses souvenirs.

  - Or elle se trompait ! Je refis surface au moment où elle s'y attendait le moins. Un soir, je l'appelais, lui demandant de la voir. Nous nous sommes retrouvées chez elle. Nous avons passé tout l'après-midi à discuter. Je lui expliquais que je n'avais pas accepté qu'elle rentre dans ma vie. Je lui racontais tout ce qui s'était passé entre notre première rencontre et ma décision de venir enfin vers elle. La thérapie que j'avais faite m'avait beaucoup aidée et j'avais décidé de connaître la vérité car tout comme Angie, j'avais toujours eu le sentiment d'une présence, comme un double dont je ne comprenais pas la signification. Quand mon père adoptif m'avait confirmé mon adoption lors de ma naissance j'ai compris qu'il était temps pour moi de se revoir. Entre temps, Steve avait brutalement disparu et je n'arrivais pas à m'en remettre. Ma vie était dénuée de sens. Après ma visite chez ma sœur Angie, ma décision fut prise. J'allais me retirer dans un couvent. Je voulais trouver la paix face au vide de mon existence que je ne parvenais plus à combler. La région du Sud-Ouest me plaisait et j'étais fatiguée de la grande ville. J'avais entendu parler de l'abbaye Sainte Scholastique et la vie qu'on y proposait correspondait tout à fait à mes aspirations. Je me suis retirée de la frénésie d'un monde qui ne me convenait plus. A partir de ce jour-là je n'ai jamais plus eu de ses nouvelles. Son téléphone sonnait dans le vide.

Alizée s'arrêta. Elle parlait depuis un bon moment déjà. Beaucoup d'émotion était passée dans sa voix lors de cette longue confession. Elle semblait épuisée, le regard perdu dans le vague. On la sentait loin, envahie par les souvenirs. Romain et Alizée souriaient, heureux de connaître enfin le parcours plutôt chaotique et douloureux de leur mère ! Ils savaient maintenant pourquoi elle était partie et ce qu'elle avait pu endurer pendant toutes ces années. Ils arrivaient même à mieux la comprendre. C'est Romain qui, le premier, prit la parole.

- Si vous n'avez plus de nouvelles d'Angie c'est tout simplement qu'elle n'est plus de ce monde !

Et à son tour il lui raconta son histoire. Sœur Aimée était décomposée. Elle avait pâli, ses lèvres tremblaient. On pouvait lire de la détresse dans ses yeux. Quand Romain eut terminé elle laissa échapper des larmes silencieuses.

Au moment de les quitter elle se rapprocha d'eux comme si elle voulait les prendre dans ses bras, la bouche ouverte comme si elle voulait parler, le regard triste, mais elle se ravisa, baissa les bras et, sans un mot ouvrit la porte pour les laisser sortir.

Une fois dehors Romain et Alysée se dirigèrent silencieusement jusqu'à leur voiture où ils s'engouffrèrent rapidement.

- Tu as vu, Romain son air ? Quelle détresse dans ses yeux ! Elle m'a fait beaucoup de peine. Elle n'a même pas eu le courage de nous dire au revoir. J'ai même cru un moment qu'elle allait nous embrasser.

- Oui, Alysée j'ai la même impression que toi. Il y a tout de même quelque chose qui me chiffonne. Je ne m'attendais pas à ce qu'elle nous parle de maman de manière aussi détaillée ! Tu as remarqué ce regard étrange qu'elle avait ? Elle nous parlait mais ne nous regardait plus, comme si elle revivait tout ce qu'elle disait. Pour moi elle nous cache quelque chose. Elle ne nous a pas tout dit !

- Pourquoi tu penses qu'elle ne nous a pas tout dit ? Quand on essaye de se souvenir on a souvent le regard perdu dans le vague ! En tout cas ça paraissait très dur pour elle de revivre tout ça. J'ai surtout remarqué comme elle a été affectée quand tu lui as parlé de la mort de maman. C'est étrange tout de même ! Elles ne se connaissaient pas beaucoup et c'est comme si elle avait perdu quelqu'un qui lui était très cher ! Enfin on n'en saura pas plus. Il faut se faire une raison.

ÉPILOGUE

La vie avait repris son cours. Romain était reparti sur Paris, Alysée avait fini son installation dans son appart. Elle avait revu Anjie à qui elle avait fait part de leur dernière entrevue avec sa sœur. Celle-ci avait beaucoup réfléchi depuis leur dernière visite. Cela faisait plusieurs années qu'elle vivait comme une recluse et elle devait admettre que le monde lui manquait. Il fallait qu'elle refasse surface ! Elle demanda à Alysée de lui donner les numéros de téléphone de ses amis de Toulouse pour les contacter. Elle semblait éprouver le besoin de renouer des liens avec son entourage. Revenir en ville ne lui faisait plus peur. Elle avait compris que son histoire était ancienne et qu'elle devait repasser à autre chose. Elle avait revu Alysée et Romain mais n'avait pas reparlé de la dernière proposition qu'il lui avait faite.

Au cours du mois de décembre, alors que la neige avait fait son apparition, Romain reçut un coup de fil de la Supérieure de l'abbaye de Sainte Scholastique, inquiète de l'état de santé de Sœur Aimée. Depuis qu'ils étaient venus elle s'était renfermée sur elle-même, ne souriait plus, passait son temps à prier. Cela faisait une semaine qu'elle refusait de s'alimenter. Depuis deux jours elle réclamait leur présence. La Supérieure voulait savoir s'il s'était passé quelque chose de particulier et, si éventuellement, ils seraient prêts à revenir lui rendre visite. Après avoir contacté Alysée, ils décidèrent d'aller la voir le samedi suivant. Romain prendrait l'avion le vendredi soir et elle le récupérerait en suivant.

C'est la Supérieure qui leur ouvrit personnellement la porte lorsqu'ils se présentèrent. Après les avoir chaleureusement remerciés elle leur proposa de les mener jusqu'à la chambre de Sœur Aimée car trop faible pour se lever.

Ils la suivirent, en silence, dans un long couloir tout aussi austère que les pièces qu'ils entrevoyaient par les portes ouvertes. De hautes fenêtres laissaient passer la lumière du jour. Ils montèrent des escaliers et se retrouvèrent à l'étage, toujours aussi sombre qu'au rez de chaussée. La Supérieure frappa un petit coup bref à une porte. Une toute petite voix les invita à rentrer. La chambre, assez petite, contenait un lit une place, une armoire et un lavabo. Les murs étaient nus à l'exception d'un crucifix au-dessus du lit, sous la fenêtre. Sœur Aimée était assise, un coussin dans le dos. Elle ne portait pas le voile, cheveux coupés très courts, gris, visage amaigri dans lequel on ne voyait que ses grands yeux verts. Elle semblait toute frêle, sous ses draps. Dès qu'elle les aperçut elle leur adressa un sourire timide leur faisant signe d'approcher pour s'asseoir sur les deux chaises qu'on avait pris soin de mettre de chaque côté du lit. Son visage s'était illuminé, ses lèvres avaient remué. Alysée crut entendre la phrase " enfin les voilà " ! La Mère Supérieure s'était éclipsée et avait refermé la porte sans bruit.

- Je vous remercie d'avoir répondu aussi vite à ma demande. Il fallait que je vous revoie. Installez-vous sur les chaises et restez auprès de moi. Votre dernière visite m'a remplie d'amertume et de remords. Je n'ai plus envie de lutter. Je pensais qu'en me réfugiant ici j'arriverais à apaiser cette douleur qui me ronge en permanence. Je l'ai cru à un moment mais il m'a suffi de vous voir pour me rendre compte qu'il n'en était rien et je vous dois des explications. Je vais enfin pouvoir vous dire toute la vérité.

Les deux jeunes gens se regardaient, ne comprenant pas du tout où elle voulait en venir. Il y aurait encore quelque chose qu'on leur aurait caché ? Qu'on aurait volontairement omis de leur dire ? Romain ne s'était donc pas trompé ! Sœur Aimée quant à elle s'était arrêtée de parler, les doigts entortillés dans le chapelet qu'elle tenait dans ses mains. Elle respirait faiblement, ses yeux passant de l'un à l'autre. Elle semblait avoir du mal à se confier davantage ; Brusquement, son regard se fit plus insistant, ses yeux renvoyant une détermination dont elle ne se serait jamais sentie capable. S'emparant de leurs mains, elle lâcha dans un souffle :

- Je ne suis pas Alizée, je suis Angie !

Les yeux de Romain et Alysée s'arrondirent comme des soucoupes, la bouche grande ouverte. Alysée s'était brusquement levée de sa chaise qui était tombée en arrière dans un fracas épouvantable. Elle avait mis ses mains devant sa bouche, stupéfiée.

- Comment osez vous nous raconter une chose pareille ! Hier vous étiez Alizée et maintenant vous prétendez être Angie, notre mère ! Je ne vous crois pas ! Vous nous mentez ! Pourquoi, je sais pas mais vous nous mentez ! Romain tu en penses quoi toi ? Tu crois qu'elle dit la vérité ? Pourquoi elle nous dit ça maintenant ?

- Je sais pas ! Je sais pas ! Pourquoi nous mentirait-elle ? Il est vrai qu'elle peut nous dire ce qu'elle veut ! Étant sœurs jumelles on ne peut pas savoir si c'est vrai ou non !

- Je ne resterai pas une minute de plus dans cette pièce ! Tu viens Romain ! On s'en va.

- Attends Alysée ! On ne peut pas partir comme ça ! Et si elle disait vrai ?

- Je m'en fiche ! Je ne veux pas rester ici ! Viens s'il-te-plaît.

- Attends, attends ! Je crois que j'ai une idée. Tu te souviens ? Un jour que nous étions sur la plage on avait demandé à papa d'où venait le tatouage qu'il avait sur l'épaule et il nous avait répondu qu'ils s'étaient fait tatouer avec maman pour sceller leur amour.

- Oui je me rappelle ! C'était un cœur avec leurs initiales !

Sœur Aimée qui n'avait rien dit depuis un bon moment, l'interrompit, les larmes aux yeux.

- Un tatouage représentant un cœur avec nos initiales. Un T à l'extérieur et un A à l'intérieur du cœur pour lui et pour moi un A à l'extérieur et un T à l'intérieur.

Les deux jeunes se tournèrent vers Sœur Aimée qui avait déboutonné le haut de sa chemise de nuit et leur montrait le tatouage dessiné sur son épaule.

La lettre à l'intérieur signifiait tout l'amour que nous avions l'un pour l'autre. Lui dans mon cœur et moi dans le sien.

Alysée, terrassée par cette révélation, se laissa choir sur la chaise de son frère, en pleurs !

- Tu entends Romain ? C'est exactement ce que nous a dit papa quand il nous a donné l'explication de leurs initiales. Alors c'est vrai ! Tu es bien Angie, notre mam...!

Elle ne put finir, de gros sanglots l'empêchant d'aller jusqu'au bout de sa phrase. Romain qui s'était rapproché de sa sœur, les yeux brillants de larmes l'avait prise dans ses bras.

Sœur Aimée aussi laissait libre cours à ses émotions. Les larmes qui coulaient à présent sur son visage étaient des larmes de joie d'avoir enfin réussi à se libérer de ce poids, cet étau qui enserrait sa poitrine depuis si longtemps et qui s'était desserré depuis leur dernière entrevue. Alysée et son frère s'étaient rapprochés du lit où était allongée leur mère. Ils lui avaient pris chacun une main et la regardait intensément. On pouvait voir dans leurs yeux tout l'amour qu'ils étaient près à lui donner. Alysée se surprit à lui murmurer, presque malgré elle.

- Maman !

Ce mot qu'elle avait si souvent rêvé de pouvoir lui dire. Ce mot qui lui avait été interdit depuis de si longues années.

- Maman !

Angie leur souriait à présent, soulagée. Elle leur caressa le visage baigné de larmes.

- Mes enfants ! Mes chers enfants !

Moment intense, plein d'émotions, de mots qui se bousculent dans leur tête mais qui n'arrivent pas à franchir le bord de leurs lèvres. A présent ils veulent savoir, tout savoir.

- Pourquoi tout ce silence. Dis-nous, explique-nous !

D'une voix encore brillante d'émotion, Alizée commença sa lente confession.

- Quand je me suis retrouvée enceinte, tout a basculé au fond de moi. Je n'acceptais pas cette grossesse. Je ne pouvais pas ! J'en étais incapable ! J'étais rongée par la peur, l'angoisse de ne pas être à la hauteur, de ne pas savoir vous aimer. J'avais tellement souffert dans mon enfance du manque d'amour de mes parents, de ce que ma mère m'avait forcé à faire. La pire des choses qu'une mère puisse faire à ses enfants. Quand vous êtes nés, vous étiez si beaux, si fragiles. J'étais fière de vous avoir mis au monde. Au début je me suis mise à espérer que j'y arriverais. Il y avait tellement d'amour dans votre regard lorsque je m'approchais de vous ! Puis mes angoisses ont repris le dessus, j'appréhendais de me retrouver seule avec vous, de vous prendre dans mes bras. Thomas a tout essayé pour me rassurer mais je ne pouvais pas. Il fallait que je m'en aille. Je ne voulais pas gâcher votre enfance. Je n'avais aucune confiance en moi. Un jour ma mère m'a téléphoné pour me demander de revenir. Quel toupet ! Et elle en a trop dit. Je me souviendrai toujours de ses mots. *Si on avait su c'est de toi dont on aurait dû se débarrasser !* Excusez-moi je me rabâche. Je vous ai déjà raconté tout ça. Je suis donc partie à Paris et, petit à petit je sombrai dans la dépression. Je n'avais plus envie de me battre. J'avais même abandonné la filature d'Alizée. A quoi bon ? De toute façon c'était perdu d'avance. Je n'avais même plus envie de vivre. Ma sœur ne cherchait même pas à me revoir. J'avais tout perdu. J'étais seule, toute seule ! C'est au cours d'une émission télévisée portant sur les édifices religieux et la vie monacale que j'eus une lueur d'espoir. La seule échappatoire possible. Je voulais disparaître à nouveau et comme je n'avais pas le courage de mettre un terme à ma vie il me fallait expier toutes mes fautes. Retrouver enfin la paix. Je décidais donc de rentrer dans les Ordres. Une vie à prier, pour oublier ! Ma décision était prise et le lendemain je prenais le train pour le Sud-Ouest, l'abbaye Sainte Scholastique dans le Tarn. J'avais choisi cet endroit car il correspondait à ce que je recherchais et, souhaitant quitter la capitale, descendre dans le sud n'était pas pour me déplaire. Je refermais enfin la porte sur une vie dont je ne voulais plus. Les débuts furent très difficiles. La vie monacale demande beaucoup de sacrifices auxquels je n'étais pas habituée, mais j'ai tenu bon. Je pense aujourd'hui que c'était le bon choix.

Sœur Aimée s'était emparée de leurs mains qu'elle serrait très fort, les obligeant ainsi à se rapprocher d'elle.

- Un beau matin Alizée a refait surface dans ma vie. Elle est venue me voir et nous avons beaucoup discuté. Elle s'en voulait de m'avoir tourné le dos. Elle m'avait retrouvé. Elle avait retrouvé la trace de nos parents et était parvenue à avoir mon numéro de téléphone que, par chance, on m'avait laissé. C'était le seul lien qu'il me restait avec l'extérieur même s'il ne sonnait jamais. C'est quand elle a vu dans quel contexte vivait maman, (papa était déjà décédé) qu'elle a compris ce que j'avais pu traverser et elle ne voulait pas m'abandonner. Elle avait compris qu'elle avait besoin de moi. Je lui ai tout dit. Tout ! Ce fut un énorme soulagement pour moi. C'est incroyable comme la parole peut libérer ! Elle avait une idée et on a conclu un pacte. Elle prendrait mon identité et moi la sienne. Quand je suis rentrée ici, j'avais tellement peur qu'on me retrouve que je m'étais annoncée sous le prénom d'Alizée.

C'était un tout petit mensonge mais il m'a bien servi. Ma sœur avait décidé de partir à ma place pour le Mexique et d'essayer de revenir vers vous en se faisant passer pour moi. Avant de partir, il lui restait pas mal de choses à régler mais elle m'avait promis de me recontacter. Je n'ai plus jamais eu de ses nouvelles. J'ai pensé qu'elle m'avait oubliée, qu'elle n'avait pas osé aller jusqu'au bout de sa folle idée et n'osait pas me le dire. Je me suis dit aussi qu'elle était revenue vers vous et, ayant pris son rôle au sérieux, elle s'était installée là-bas et vivait heureuse avec Thomas. Je m'étais fait à l'idée que je ne la reverrais plus jamais. Mais vous êtes venus. Quel choc ce fut pour moi quand Sœur Françoise me fit part de votre intention de me voir. Je n'étais pas préparée ! Puis je me suis dit que ça suffisait, j'avais assez fui. Après tout je ne craignais rien puisque vous pensiez avoir affaire à ma sœur. J'ai accepté de vous rencontrer. Quelle joie de vous voir, là devant moi, si beaux, si jeunes, resplendissant de vie. Mais quand vous êtes repartis je me suis effondrée. Quel gâchis ! Qu'avais-je fait ? Je m'étais enfoncée toute seule et j'avais tout perdu ! L'annonce du suicide d'Alizée a été très violente pour moi ! Ainsi, elle n'était pas allée vers vous. Qu'avait-elle fait ? Pourquoi ce suicide ? Il fallait que je sache ! Mais je ne pouvais pas. Ce stupide secret m'en empêchait. J'ai perdu l'envie de manger. C'était fini. Je me suis laissé glisser. Sœur Françoise m'a encouragée à me lever et je lui ai tout raconté. C'est elle qui m'a dit qu'il fallait que je vous revoie, que je vous avoue la vérité. Je ne pouvais continuer ainsi. J'ai réfléchi et fini par accepter. Elle avait raison. Je suis enfin libérée et d'autant plus heureuse que vous êtes là devant moi. Mes enfants ! Mes chers enfants ! Quel bonheur !

Ils restaient là penchés sur elle, à la regarder. Ils ne perdaient pas une miette de ses aveux.

- Comme tu as dû souffrir ! Tu nous a tellement manqué. Papa s'est bien occupé de nous tu sais. Tu étais toujours dans ses conversations. Il nous disait que tu allais revenir. Il l'a toujours pensé. A l'annonce de ton suicide il a eu un cancer et s'est laissé mourir.

- Thomas ! Le seul homme que j'ai jamais aimé. Et j'ai tout gâché par ma faute. Nous aurions pu être tellement heureux. Je m'en veux tellement.

Elle était bouleversée et se laissait aller à son désarroi. La pensée de sa sœur lui fit demander à ses enfants.

- Et Alizée ? Que lui est-il arrivé ? Pourquoi s'est-elle suicidée ?

Romain et Alysée, à leur tour, lui racontèrent tout ce qui s'était passé.

Mais pourquoi n'avait-elle pas dit qu'elle n'était pas Angie ?

- Vous me dites qu'elle avait perdu la mémoire dans cet accident ? Ce qui est étrange c'est que la seule chose dont elle se souvenait était Angie ! Pour moi, elle s'était tellement persuadée qu'elle était Angie que, malgré sa perte de mémoire, elle s'est accrochée à mon prénom. Elle a ensuite tout mélangé et raconté sa vraie vie à elle, la confondant avec la mienne. Quand le médecin lui a révélé ma vie à moi, elle l'avait complètement occultée et l'a endossée comme si c'était sa propre vie à elle d'où son geste insensé. C'est la seule solution que je vois. Quel drame ! Elle a voulu m'aider et s'est prise à son propre jeu. Je m'en veux terriblement !

Sans moi, ça ne serait jamais arrivé.

- Tu as fait ce que tu as pu maman. Et grâce à elle nous voilà réunis tous les trois.

- Oui tu as raison. Essayons de voir les choses de cette manière. Vous savez, j'ai toujours pensé à vous et dans cette armoire il y a une enveloppe qui contient quelque chose que j'aimerais vraiment vous donner. Tu veux bien me la faire passer Romain ?

Il s'était levé et dirigé vers l'endroit qui lui montrait sa mère. L'armoire en question ne contenait que quelques vêtements pliés, une serviette et un gant de toilette ainsi qu'une paire de draps de rechange. Tout en bas, au fond, se trouvait une enveloppe marron cachetée, qu'il remis entre les mains d'Angie. Elle en sortie deux livrets d'épargne à leurs prénoms.

- Vous voyez, mes enfants, dans se deux livrets se trouve tout l'argent que j'ai mis de côté dans ma vie de débauche. Je sais je l'ai gagné d'une bien drôle de façon. Mais cet argent est pour vous. Les livrets sont à vos prénoms. J'avais fait un testament pour que cet argent vous revienne à ma mort. Mais puisque vous êtes là j'en profite pour vous le donner. Je vous en prie, acceptez-le. C'est ma façon à moi de vous montrer tout l'amour que j'éprouve pour vous et que j'ai été incapable de vous prodiguer. Vous avez toujours été présents au fond de mon cœur !

Ils restèrent encore un bon moment auprès de leur mère enfin retrouvée. Ils avaient besoin de faire connaissance. Ils lui expliquèrent de quelle façon ils étaient arrivés à remonter jusqu'à elle, ne perdant jamais l'espoir de savoir enfin ce qu'elle était devenue. Qui sait, peut-être savaient-ils au fond d'eux-même qu'elle était toujours en vie et qu'elle les attendait !

Deux années ont passé. Romain, accompagné d'Anjie a monté sa propre entreprise et leurs prénoms commencent à faire le tour des villes.

Alysée est partie de l'hôpital. Elle a un nouveau travail dans lequel elle s'épanouit pleinement. Elle a rencontré quelqu'un et file le parfait amour.

Régulièrement, avec Romain, ils rendent visite à Angie qui a voulu rester au couvent. La dernière fois qu'ils sont allés la voir, ils lui ont parlé d'un projet qui leur tient vraiment à cœur. Avec l'argent qu'elle leur a donné ils ont décidé de monter une association pour venir en aide aux enfants maltraités. Ils lui ont demandé d'en être la marraine, ce qu'elle a accepté sans hésitation.

Quand à Romain, le frère d'Anjie et Alizée ? Qu'est-il devenu dans tout ça ? Il est toujours suivi en psychiatrie. Oscillant entre une vie à l'extérieur et une vie en hôpital, il n'a jamais demandé à revoir sa famille !

DEUXIÈME PARTIE :

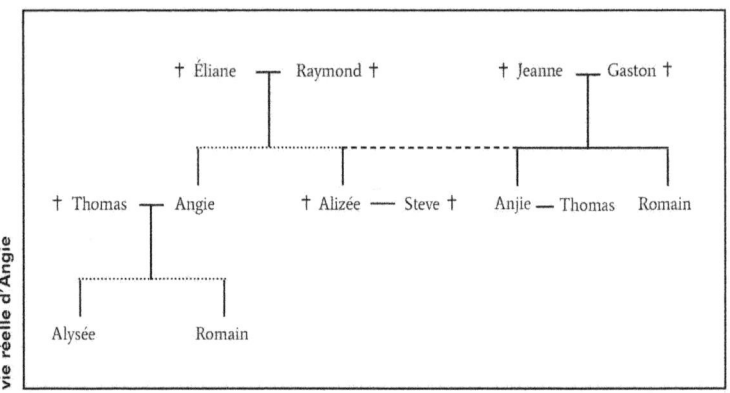

——— filliation directe
·········· jumeaux/jumelles
– – – adoption

Remerciements

Mon tout premier roman, « Celle qui venait de nulle part » a vu le jour en 2018 et a eu un franc succès auprès de mes lecteurs, tant et si bien qu'ils m'ont demandé une suite, éventualité à laquelle je n'avais évidemment pas pensé.

« Angie », mon second roman, reprend en première partie, l'aventure de mon héroïne, que nous retrouvons dix ans plus tard en seconde partie.

Afin de n'oublier personne je ne citerai pas de noms en particulier pour remercier tous ceux qui ont cru en moi et m'ont encouragé à progresser dans l'écriture de cet ouvrage.

Une petite attention cependant pour Vincent, mon correcteur, très cultivé, passionné par les lettres, qui m'a aidée, avec beaucoup de délicatesse et de professionnalisme, à peaufiner mon roman.

© 2023 Béatrix Rehse-Jacquot
Édition : BoD - Books on Demand, info@bod.fr
Impression : BoD - Books on Demand, In de Tarpen 42,
Norderstedt (Allemagne)
Impression à la demande
ISBN : 978-2-3221-3287-4
Dépôt légal : fevrier 2023